Das Buch der Märchen

Das Buch der Märchen

Mit Bildern von Renate Seelig

Vorwort und Kommentare
von Hermann Bausinger

Ravensburger Buchverlag

Die Deutsche Bibliothek – CIP-Einheitsaufnahme

Das Buch der Märchen / mit Bildern von Renate Seelig. Mit einem Vorw. und
Kommentaren von Hermann Bausinger. [Die Märchen von Hans Christian An-
dersen übers. Eva-Maria Blühm. Die Zsstellung besorgte Edmund Jacoby]. –
Ravensburg: Ravensburger Buchverl., 1995

ISBN 3-473-34280-7
NE: Seelig, Renate; Jacoby, Edmund [Hrsg.]; Bausinger, Hermann

© dieser Ausgabe Büchergilde Gutenberg, Frankfurt am Main und Wien 1995
Die Märchen von Hans Christian Andersen übersetzte Eva-Maria Blühm
© dieser Übersetzung bei Sammlung Dieterich Verlagsgesellschaft mbH, Leipzig
1954, 1992
Die Zusammenstellung besorgte Edmund Jacoby, Frankfurt am Main
Mit Bildern von Renate Seelig, Frankfurt am Main
Satz (Trump Mediäval, Monotype-Lasercomp) und Lithographie der Abbildungen
von LibroSatz Johannes Witt GmbH & Co KG, Kriftel
Gedruckt auf holzfreiem weißen Werkdruckpapier
gefertigt aus chlorfrei gebleichtem Zellstoff
Druck und Bindung von Franz Spiegel Buch GmbH, Ulm
Printed in Germany 1995

Lizenzausgabe für den Ravensburger Buchverlag
mit freundlicher Genehmigung der Büchergilde Gutenberg

98 97 96 95   1 2 3

ISBN 3-473-34280-7

Inhalt

Vorwort: Märchen – ein schönes Spiel

»Erzähl keine Märchen!« sagt man, wenn jemand etwas behauptet, das auf keinen Fall stimmen kann. Ein Märchen – das ist die Erzählung von Unwirklichem. Im Märchen geht alles; es ist eine Erzählung aus der Zauberwelt, die Wundermotive verwendet, in aller Regel so, daß ein glücklicher Ausgang garantiert ist. Das ist auch die übliche Definition des Märchens, und zweifellos führt sie in die richtige Richtung: Siebenmeilenstiefel oder Bäume, die goldene Kleider spenden, kommen in der Wirklichkeit nicht vor, und nicht einmal die Regenbogenpresse präsentiert so viel königliche Hochzeiten wie das Märchen. Und doch stimmt die Definition nicht ganz. Nicht nur deshalb, weil manche Märchen wieder zu ihrem ärmlichen Ausgangspunkt zurückkehren – der Fischer sitzt mit seiner Frau am Ende wieder in der winzigen Kate, und Hans im Glück kommt mit leeren Händen nach Hause. Solche Geschichten kann man als Ausnahme von der Regel betrachten, und wer die Erzählungen hört, ist eigentlich ganz froh, daß des Fischers Frau die Quittung für die Unersättlichkeit ihrer Wünsche bekommt, und was Hans anlangt, so teilt sich dessen Zufriedenheit den Zuhörerinnen und Zuhörern mit.

Wichtiger ist ein anderer Einwand. Wunderbar sind die guten Feen, die hilfreichen Tiere, die Zaubergaben nur, wenn man sie mit der banalen Wirklichkeit vergleicht – im Märchen selbst aber erregen sie keinerlei Erstaunen oder Verwunderung. Dies ist ein entscheidendes Merkmal des Märchens: Es bewegt sich in – für den Außenstehenden – wunderbaren Verwicklungen und Lösungen, als handle es sich um die natürlichste Sache der Welt; reale und irreale Handlungen gehen bruchlos ineinander über, und die Märchenfiguren wundern sich eigentlich über gar nichts.

Gerade dies macht Märchen so faszinierend: Den Hörern oder Lesern muß nicht mühsam erläutert werden, daß und warum es anders zugeht als im wirklichen Leben; sie werden einfach hineingezogen in eine Welt, in der sich zwar Teile der Wirklichkeit spiegeln, in der es aber die Sicherheit gibt, daß sich alles zum Guten wendet. Es stimmt auch nicht, daß im Märchen schlechterdings *alles* geht. Es hat seine eigenen Gesetze: Was im ersten und zweiten Anlauf mißlingt, klappt im dritten, und die Kleinen haben mehr Chancen als die Großen. Weil das Märchen ein gutes Ende garantiert, braucht es mit seinen

Inhalten nicht zimperlich zu sein. Da gibt es Tod und Teufel, unheimliche Gespenster und klappernde Skelette, böse Feen und heimtückische Zauberer, gefährliche Tiere und sogar Menschenfresser – im Märchen weiß man, daß die Heldin oder der Held die Oberhand behalten werden. Manchmal klingen alte Glaubens- und Aberglaubensformen an: der Knochen eines Getöteten, der singt; Blutstropfen, die eine magische Wirkung haben; Tote, die wiederbelebt werden. Aufgrund solcher Züge hat man lange gemeint, das Märchen sei uralt. Schon in steinzeitlichen Höhlenzeichnungen meinte man Märchenmotive zu erkennen, und die Brüder Grimm glaubten sich anhand der Märchen zumindest in die Vorstellungswelt unserer germanischen Vorfahren zurücktasten zu können. Wenn Wilhelm Grimm schrieb: »Das Märchen spielt sozusagen mit dem, was früher Bedeutung hatte«, kommt er allerdings dem tatsächlichen historischen Zusammenhang sehr nahe. Es stecken sehr alte Vorstellungen und Glaubensmotive in den Märchen; aber sie sind hier in charakteristischer Weise »erleichtert«. Sie vermitteln die Ahnung längst vergangener Kulte, Riten und Mythen – aber im Märchen sind sie Teil eines Spiels.

Ein *Kinder*spiel war es nicht von Anfang an. An den Rändern Europas gibt es noch immer Erzählkreise, in denen sich fast ausschließlich Erwachsene mit Märchen vergnügen; und aus literarischen Zeugnissen wissen wir, daß dies auch bei uns so war. Aber für Kinder bieten die Märchen eine Welt, zu der sie besonders rasch Vertrauen gewinnen. Sie können sich leicht mit den Hauptpersonen des Märchens identifizieren. Es ist ja doch meist der oder die Kleinste und scheinbar Dümmste, denen das Beste zufällt. Man hat vom »Reifungserlebnis« als einem wesentlichen Inhalt des Märchens gesprochen – und in der Tat: In vielen Märchen sind es junge Mädchen oder junge Burschen, die Zumutungen und Prüfungen überstehen und danach entweder befreit in die Welt ziehen oder in einer schönen Liebesbeziehung landen.

Einige Zeit hat man die Märchen in Frage gestellt wegen ihres »bürgerlichen« Zuschnitts – weil sie ihre Figuren nach dem traditionellen Tugendkatalog bewerten: Fleiß, Ordnungsliebe, Demut und Gehorsam werden belohnt. Es ist richtig, daß Märchen, in denen diese Eigenschaften eine zentrale Rolle spielen, besonders gehätschelt wurden. Schon die Brüder Grimm faßten in ihrer populären *Kleinen Ausgabe* (sie erschien zuerst 1825) fünfzig Märchen zusammen, die überwiegend einen pädagogischen Akzent haben, und in Lehrwerken und Schulbüchern dominierte erst recht das Erzieherische, das aus den Märchen herausgefiltert wurde.

Aber ein unbefangener Blick auf die Märchen zeigt, daß in vielen eine Aufbruchstimmung herrscht, die sich den traditionellen Erziehungsmustern überhaupt nicht anpaßt. Märchen sind grundsätzlich auch Abenteuergeschichten, und so problematisch manche psychologischen und tiefenpsychologischen Deutungen auch sein mögen – es ist sicher nicht falsch anzunehmen, daß die Märchenheldinnen und -helden stellvertretend Abenteuer bestehen, die auch auf die Heranwachsenden zukommen und die sich, bewußt oder unbewußt, in ihrem Innern abspielen. Die Märchen polstern diese Abenteuer ab, indem sie Geborgenheit vermitteln, eine Sicherheit, die das wirkliche Leben nicht immer bereithält. Das Ineinander von Abenteuer und Geborgenheit macht die Märchen zur beliebten Wunschdichtung.

Auf der anderen Seite sollte man nicht unterschätzen, daß Märchen auch negative Gefühle aufrühren können. Es kommt immer wieder vor, daß Kinder bestimmte Märchen *nicht* hören wollen, weil irgendein Motiv darin zu traurig oder zu unheimlich ist. Dies sollte man respektieren; es bieten sich ja genug andere Märchenerzählungen an. Allerdings: so sehr viel anders sind sie oft gar nicht. Es gibt viele Ähnlichkeiten und auffallende Verwandtschaftsverhältnisse. Die Grundstruktur, das Gerüst des Aufbaus ist bei den meisten Märchen gleich, und die meisten schöpfen auch aus einem gemeinsamen Schatz von Motiven. Sie werden nur immer neu kombiniert – fast wie in einem Kaleidoskop, in dem die bunten Glassplitter sich durch einen kleinen Anstoß in ein neues Bild verwandeln.

Weil dies so ist, weil also feste Muster und Motivbezüge zur Verfügung stehen, kann das Spiel mit den Märchen auch weitergespielt werden. Von den Märchen in diesem Buch stammen die meisten von den Brüdern Grimm. Sie haben die Geschichten gesammelt in ihrem Freundes- und Bekanntenkreis, haben sich etliche auch von anderen Sammlern zusenden lassen. Sie haben die Märchen bearbeitet, haben ihnen den eigentümlichen, leicht sentimentalen Kinderton gegeben; aber die Inhalte haben sie sich nicht ausgedacht, sondern übernommen. Andere sind dagegen noch freier mit den Märchen umgegangen, haben sie ausgeschmückt mit zusätzlichen Motiven und wohl auch einmal ganze Geschichten im Märchenstil erfunden. Das gilt für die frühen italienischen Märchenbücher, und es gilt auch für die französischen Feenmärchen; die beiden Gruppen sind hier vertreten durch

Straparola und Perrault. Aber auch Brentano, Hauff und Andersen, von denen hier Märchen abgedruckt sind, haben ihre Erzählungen ausgestaltet und mit eigenen Motiven ergänzt – auch wenn es sich nicht eindeutig um »Kunstmärchen« handelt, wie sie etwa Wieland, Tieck und E.T.A. Hoffmann vorgelegt haben. Diese schrieben lange Märchennovellen, ja halbe Romane im Märchenstil; die hier vorgestellten Märchen bleiben dagegen alle in der Nähe des »Volksmärchens«.

Die Möglichkeit neuer Kombinationen und eigener Ausgestaltung verhindert, daß das Märchen einen rein musealen oder antiquarischen Charakter bekommt. Gewiß, fast immer ist von König und Königin, Königstochter und Königssohn die Rede – aber wohl einfach deshalb, weil so am schnellsten die unangefochtene Spitzenstellung charakterisiert werden kann. Kinder, die nach dem Lesen oder Anhören von Märchen Lust bekommen, sich selbst solche Geschichten auszudenken, haben übrigens keinerlei Skrupel, ihre Märchenhelden Bundeskanzler werden zu lassen und mit Telefon und Dienstwagen auszustatten.

Das Märchen, oft schon totgesagt, lebt lustig weiter – als eine durch und durch optimistische Gattung. Es darf optimistisch sein, weil es sich von der Wirklichkeit löst. In Erzählungen, die in unserer Wirklichkeit angesiedelt sind, kann Optimismus, kann auch das Happy-End süßlich und peinlich wirken; die sogenannten Groschenromane und auch ihre Verfilmungen geben dafür mehr als genug Beispiele her. Das Märchen tritt nicht mit dem Anspruch auf, daß es eine realistische Geschichte erzählt. Es präsentiert ein Spiel – ein oft sehr dramatisches, aber fast immer auch vergnügliches Spiel.

Hermann Bausinger

König Igel

Galeotto, König der Angeln, war sehr reich und regierte so weise, daß niemand in seinem Lande sich über ihn beklagen konnte. Er hatte Hersilia zur Gemahlin, die Tochter des Matthias, Königs von Ungarn, welcher an Schönheit keine andre Frau ihrer Zeit gleich kam. Sie lebten aber lange miteinander, ohne daß die Königin Kinder bekam, worüber beide sich sehr betrübten.

Eines Tages ging Hersilia in ihrem Garten spazieren; sie fühlte sich ermüdet und ließ sich auf dem grünen Rasen nieder, wo sie bald vom lieblichen Gezwitscher der Vögel in den belaubten Zweigen in einen süßen Schlaf gewiegt ward. Ihr gutes Geschick wollte es, daß gerade drei gewaltige Feen durch die Luft flogen; sie sahen die Schlafende, hielten an und fanden sich durch ihre Schönheit bewogen, sie gefeit und unverletzlich zu machen. Nachdem die Feen dies beschlossen hatten, sprach die erste: »Ich will, daß diese unverletzlich sei und daß sie binnen kurzem einen Sohn gebäre, der an Schönheit nicht seinesgleichen auf der Welt hat.« Die andre sprach: »Und ich will, daß niemand ihr Leides zufügen könne und daß der Sohn, den sie gebären wird, mit allen nur erdenklichen Tugenden begabt sei.« Die dritte sprach: »Und ich will, daß sie die verständigste aller Frauen sei; daß aber der Sohn, den sie unter dem Herzen tragen wird, mit einer Igelhaut zur Welt komme, sein Benehmen auch ganz das eines Igels sei, und daß er nicht eher aus diesem Zustand erlöst werde, bis er drei Frauen geheiratet hat.« Die Feen verschwanden; Hersilia erwachte sogleich, stand auf, nahm die Blumen, die sie gepflückt hatte, und ging zurück in den Palast.

Nach Verlauf einiger Zeit brachte sie einen Sohn zur Welt, der anstatt menschlicher Glieder die eines Igels hatte, worüber sie sowohl als ihr Gemahl einen unbeschreiblichen Schmerz empfanden. Damit nun nicht eine solche Geburt der edlen, verständigen Königin zur Schmach gereiche, war der König mehrmals im Begriff, ihn töten und ins Meer werfen zu lassen. Allein, da er es reiflicher überlegt hatte und bedachte, daß dies Kind, sei es auch noch so ungestaltet, von seinem Fleisch und Blut wäre, entsagte er jenen früheren grausamen Vorhaben und beschloß, von einem wehmütigen Mitleiden getrieben, es nicht

11

wie ein Tier, sondern ganz wie ein vernünftiges Geschöpf behandeln und aufziehen zu lassen.

Das Kind wurde demnach sorgfältig gepflegt und oft zur Mutter gebracht. Dann richtete es sich auf und legte ihr den Rüssel und die Pfoten in den Schoß; und die gütige Mutter liebkoste es wiederum, streichelte mit ihrer Hand seinen borstigen Rücken und umarmte und küßte es, gleich als wäre es ein menschliches Geschöpf gewesen. Da bewegte es denn freudig den Schwanz hin und her, und man sah an allen seinen Gebärden, wie angenehm ihm das mütterliche Schmeicheln war.

Als das Igelchen ein wenig herangewachsen war, fing es an zu sprechen wie ein Mensch und in der Stadt umherzugehn, und wo es Unreinigkeiten fand, wälzte es sich darin herum. Und dann ging es nach Hause, zu dem Vater und der Mutter, und machte ihnen ihre schönen Kleider voll Schmutz; weil es aber ihr einziges Kind war,

litten sie es geduldig. Eines Tages kam das Igelchen ebenfalls nach Hause, legte sich an die Mutter und sagte grunzend: »Mutter, ich möchte gern heiraten.«

»O Tor«, rief die Mutter, »und wer, glaubst du, wird dich zum Mann nehmen? Unsauber, wie du bist, soll dir wohl ein Baron oder Ritter seine Tochter geben?« Der Igel blieb aber dabei, er wolle durchaus eine Frau haben. Die Königin wußte nicht, was sie tun sollte, sie sprach zu ihrem Gemahl: »Was fangen wir an? Du siehst, in welcher Lage wir sind. Unser Sohn will eine Frau haben, und keine wird ihn heiraten wollen.«

Sobald der Igel wieder zur Mutter kam, sagte er mit lautem Grunzen: »Ich will eine Frau, und ich gebe mich nicht eher zufrieden, bis ich das Mädchen bekomme, das ich heut gesehn habe, denn diese gefällt mir sehr.« Sie war das Kind einer armen Frau, die drei Töchter hatte, und alle drei waren sehr schön. Die Königin ließ sogleich die Frau nebst ihrer ältesten Tochter rufen, und sagte zu ihr: »Meine liebe Frau, Ihr seid arm und habt viele Kinder, wenn Ihr aber wollt, könnt Ihr bald reich werden. Ich möchte meinen Sohn, den Igel, gern mit Eurer ältesten Tochter verheiraten. Ihr müßt dabei nicht Rücksicht auf ihn nehmen und darauf, daß er ein Igel ist, sondern auf den König und mich; denn sie wird ja in der Folge Besitzerin unsers ganzen Reichs.« Das Mädchen erschrak heftig über diese Worte, ward rot wie eine Rose und sagte, sie würde auf keinen Fall ihre Einwilligung geben.

Ihre Mutter wußte ihr aber so gut zuzureden, daß sie am Ende ja sagte. Der Igel kam bald darauf nach Hause, da sprach die Königin zu ihm: »Mein Sohn, wir haben eine Frau für dich gefunden, die dir gewiß gefallen wird.« Sie ließ ihm nun seine Gemahlin kommen, der man prächtige, königliche Kleider angelegt hatte, und stellte sie ihm vor. Er freute sich nicht wenig, sie so schön und anmutig zu sehn, und garstig und unsauber wie er war, näherte er sich und liebkoste sie mit dem Rüssel und den Pfoten, so schön nur irgend ein Igel liebkosen kann. Sie aber stieß ihn zurück, weil er ihr die Kleider beschmutzte. »Warum stößt du mich zurück?« sagte der Igel: »Hast du nicht durch mich diese Kleider erhalten?«

»Weder du noch alle deine Igel zusammen können mir dergleichen geben«, erwiderte sie trotzig.

Als es nun bald Zeit zum Schlafengehen war, sprach sie zu sich selbst: »Was sollte ich wohl mit diesem unflätigen Tier anfangen? Diese Nacht, wenn er im ersten Schlaf ist, will ich ihn totmachen.« Der Igel

war in der Nähe und hörte diese Worte, sagte aber nichts. Bald nachher begab er sich zum prachtvollen Bett, hob mit seinem Rüssel und den Pfoten die saubere Decke auf, indem er alles verunreinigte, was er berührte, und legte sich zu seiner Gemahlin nieder, welche sogleich einschlief. Er aber, der getan hatte, als schliefe er, stieß ihr mit den scharfen Zähnen so gewaltig in die Brust, daß sie auf der Stelle tot blieb. Am anderen Morgen stand er frühzeitig auf und ging nach seiner Gewohnheit zu den Pfützen.

Die Königin wollte indes ihre Schwiegertochter besuchen, und wie betrübte sie sich, sie von dem Igel getötet zu finden. Sie empfing ihren Sohn bei seiner Nachhausekunft mit den bittersten Vorwürfen. Er gab zur Antwort, er habe ihr nur getan, was sie ihm tun wollen, und ging verdrießlich fort.

Nach einigen Tagen trieb er seine Mutter von neuem an, sie solle ihm eine andre von den Schwestern verschaffen, und so viel sie ihm auch entgegensetzte, er bestand hartnäckig auf seinem Willen und drohte, das unterste zu oberst zu kehren, wenn er sie nicht bekäme. Die Königin lief sogleich zu ihrem Gemahl und erzählte ihm alles. Der König  hielt es für besser, ihn umbringen zu lassen, weil er sonst noch großes Unheil in der Stadt anrichten könnte. Allein das mütterliche Herz der Königin sträubte sich gegen diesen Vorschlag, sie wollte ihren Sohn nicht verlieren, obgleich er ein Igel war.

Sie ließ also die arme Frau und ihre zweite Tochter rufen, besprach sich lange mit ihnen über diese Heirat, und zuletzt willigte das Mädchen ein, den Igel zum Manne zu nehmen. Die Sache lief indes nicht nach Wunsch ab, denn er tötete sie wie die erste. Frühmorgens ging er dann aus und kam wie gewöhnlich mit Schmutz bedeckt nach Hause, wo ihn der König und die Königin mit den bittersten Schmähungen und Vorwürfen empfingen. Er erwiderte aber ganz keck, er habe ihr nur getan, wie sie ihm tun wollen.

Es währte gar nicht lange, da bekam der Igel wieder Lust zu heiraten und sagte der Königin, er wolle die dritte Schwester haben, die noch weit schöner als die älteste und zweite war. Anfangs schlug sie ihm dies Begehren rund ab; doch er drang immer heftiger in sie und drohte der Mutter mit häßlichen, abscheulichen Worten, sie umzubringen, bekäme er das Mädchen nicht. Der Königin wollte über sein Betragen bald das Herz zerspringen; sie sah sich genötigt, den gefaßten Vorsatz

aufzugeben, ließ die arme Frau mit ihrer dritten Tochter, Meldina, rufen, und sagte ihr: »Mein Kind, ich wünsche, daß du meinen Sohn, den Igel heiratest, und sieh dabei nicht sowohl auf ihn als auf seinen Vater und mich, denn wenn du dich gut mit ihm verträgst, sollst du die glücklichste Frau auf Erden sein.« Meldina willigte heiter und vergnügt ein und dankte der Königin, daß sie sie würdige, ihre Schwiegertochter zu werden. Diese vergoß Tränen der Rührung über die freundliche Antwort des Mädchens; doch befürchtete sie immer noch, es werde ihr wie den beiden andern ergehn. Die junge Frau schmückte sich also mit reichen Kleidern und kostbarem Geschmeide und erwartete ihren Gemahl, den Igel, der garstiger als je nach Hause kam. Sie empfing ihn sehr liebreich, breitete die Schleppe ihres schönen Kleides auf der Erde aus und bat ihn, sich darauf niederzulassen. Die Königin sagte ihr, sie möchte ihn zurückstoßen, allein sie weigerte sich und antwortete ihr wie folgt:

> »Von dreien Dingen hab' ich hören sagen,
> O fromme, hochverehrte Königin.
> Das eine: nach Unmöglichem zu jagen,
> Davon erwarte nur ein Tor Gewinn.
> Das andre: man soll stets Bedenken tragen,
> Zu glauben, was nicht Grund hat und nicht Sinn,
> Das dritte: wird man dir ein Gut gewähren,
> Ein selten, kostbar Gut, so halt's in Ehren.«

Der Igel, der nicht schlief und alles vollkommen verstand, richtete sich in die Höhe und liebkoste sie, welches sie auf das freundlichste erwiderte, so daß er ganz verliebt in sie ward. Und als er dann abends zu Bett ging, legte sie ihm das Kopfkissen bequem zurecht, deckte ihn wohl zu und zog die Vorhänge zusammen, damit er nicht fröre. Als nun am andern Morgen der Igel ausgegangen war, ging die Königin zu ihrer Schwiegertochter, befürchtend, sie werde sie in eben dem Zustand antreffen als die beiden ersten. Allein zu ihrer großen Freude fand sie sie vergnügt und zufrieden, und dankte Gott dafür, daß ihr Sohn endlich eine Frau nach seinem Wunsch gefunden hatte.
Nach einiger Zeit war der Igel einmal mit seiner Frau im vertraulichsten Gespräch; da sagte er zu ihr: »Meine liebe Meldina, wenn ich auf deine Verschwiegenheit rechnen könnte, würde ich dir zu deiner großen Freude ein wichtiges Geheimnis entdecken. Du bist verständig und mir aufrichtig zugetan, und ich wünschte daher, es dir mitzutei-

len.« – »Ihr könnt mir ruhig jedes Geheimnis vertrauen«, sagte Meldina; »ich verspreche Euch, es ohne Euren Willen niemand zu entdekken.« – Auf diese Versicherung der Frau streifte der Igel die schmutzige, borstige Hülle ab und erschien als ein schöner, anmutiger Jüngling. Am andern Morgen empfahl er ihr nochmals zu schweigen, denn in kurzem werde er aus seinem Elend erlöst werden, zog seine Igelhaut wieder über und ging aus wie gewöhnlich. Wie groß Meldinas Freude war, sich mit einem so hübschen, artigen Mann vermählt zu sehn, kann sich ein jeder vorstellen.

Einige Zeit darauf brachte sie einen wunderschönen Knaben zur Welt, und nicht wenig freuten sich der König und die Königin, daß das Kind die Gestalt eines Menschen, nicht die eines Tieres hatte. Meldina vermochte nun nicht länger, jene wichtige und wunderbare Sache geheim zu halten, sie ging zur Schwiegermutter und sprach: »Weise

Königin, ich glaubte mich mit einem Tier vermählt, und Ihr habt mir den edelsten Gemahl gegeben. Wenn er zu mir kommt, legt er die borstige Haut ab und steht als schöner, zierlicher Jüngling da. Wahrlich, niemand würde es glauben, der es nicht mit eignen Augen sähe.« Die Königin glaubte, die Tochter scherze, und doch verhielt sich alles so, wie sie sagte. Sie fragte darauf, wie sie es machen solle, es auch zu sehn. »Kommt nur diese Nacht zu meiner Kammer«, erwiderte Meldina: »Ihr sollt die Tür geöffnet finden, dann werdet Ihr Euch überzeugen, daß ich die Wahrheit gesagt habe.« Die Königin erwartete die Stunde, wo alles sich zur Ruhe begeben hatte, ließ dann die Kerzen anzünden und ging mit dem König zur Kammer des Sohns. Hier sahen sie sogleich die Igelhaut in einer Ecke des Zimmers liegen; voll Erwartung traten sie nun zu seinem Bett und fanden ihn in einen schönen Mann verwandelt.

Bei dem Anblick ihres aufs neue geborenen Sohnes waren die Eltern außer sich vor Freude. Der König ließ darauf die Igelhaut aufnehmen und sie augenblicklich in kleine Stücke zerreißen.

Kurze Zeit nach dieser Begebenheit entschloß sich der Vater, seinem geliebten Sohn Krone und Königsmantel abzutreten. Dieser wurde auch an seiner Statt mit großem Pomp zum König gekrönt und König Igel genannt. Er regierte sein Land zu großer Zufriedenheit des ganzen Volks und lebte lange Zeit vergnügt und zufrieden mit Meldina, seiner geliebten Gemahlin.   *Gianfrancesco Straparola*

Der gestiefelte Kater

Ein Müller hinterließ den drei Kindern, die er hatte, weiter nichts als seine Mühle, seinen Esel und seinen Kater. Die Teilung war also bald gemacht; weder der Notarius noch der Prokurator wurden dazu gerufen, die auch das armselige Erbteil bald verzehrt haben würden. Der älteste Sohn bekam die Mühle, der zweite den Esel und der jüngste nur den Kater. Der Letzte war ganz untröstlich darüber, daß er ein so armseliges Los bekommen hatte. »Meine Brüder«, sagte er, »können sich redlich nähren, wenn sie beisammenbleiben; ich aber, wenn ich meinen Kater aufgezehrt und mir aus seinem Fell einen Muff habe machen lassen, werde Hungers sterben müssen.« Der Kater hörte diese Worte, ließ sich aber nichts merken und sagte mit einem gelassenen und ernsten Wesen: »Sei nicht traurig, Herr! Gib mir nur einen Sack und laß mir ein Paar Stiefel machen, um in das Gebüsch zu kommen; dann wirst du sehen, daß du bei der Teilung nicht so übel weggekommen bist wie du wohl glaubst.« Obgleich der Herr des Katers nicht viel darauf rechnete, so hatte er den Kater doch viele listige Streiche machen sehen, um Katzen und Mäuse zu fangen, zum Beispiel, daß er sich bei den Füßen aufhängte oder sich in das Mehl versteckte und sich tot stellte; so daß er nicht alle Hoffnung aufgab, von ihm Hilfe in seinem Elend zu bekommen. Als der Kater das bekommen, was er verlangt hatte, stiefelte er sich wacker, nahm seinen Sack um den Hals, faßte die Schnüre mit seinen beiden Vorderkrallen und ging in ein Gehege, worin eine große Menge Kaninchen waren. Er tat Kleie und Hasenkohl in seinen Sack; streckte sich aus, als ob er tot wäre, und wartete, daß irgendein junges Kaninchen, welches von der Hinterlist der Welt noch wenig wüßte, in seinen Sack kriechen würde, um das, was er hineingetan hatte, zu fressen. Kaum hatte er sich hingelegt, so wurde er befriedigt: ein junges unbesonnenes Kaninchen schlüpfte in den Sack; der Kater zog sogleich die Schnüre zu, fing es und tötete es ohne Barmherzigkeit. Ganz stolz auf seine Beute, ging er zu dem König und verlangte ihn zu sprechen. Man ließ ihn oben in die Zimmer Seiner Majestät gehen. Er verbeugte sich tief vor dem König und sagte: »Hier, Euer Majestät, ein Kaninchen aus dem Gehege des Marquis von Carabas (diesen Namen beliebte es ihm seinem Herrn zu geben), der mir aufgetragen hat, Ihnen solches in seinem Namen zu überreichen.« – »Sag deinem Herrn«, antwortete der König, »daß ich ihm danke, und daß er mir Vergnügen gemacht hat.« Ein andermal versteckte er sich im Korn, seinen Sack immer offen haltend; und als zwei Rebhühner hineingegangen waren, zog er die Schnüre an und fing sie alle beide. Dann ging er wieder zu dem König und überreichte sie ihm, wie er es mit dem Kaninchen aus dem Gehege gemacht hatte. Der König nahm auch die beiden Rebhühner mit Vergnügen an und ließ dem Kater ein Trinkgeld geben. So fuhr der Kater zwei oder drei Monate fort, dem König von Zeit zu Zeit Wild aus der Jagd seines Herrn zu bringen. Eines Tages wußte er, daß der König mit seiner Tochter, der schönsten Prinzessin der Welt, am Ufer des Flusses spazieren fahren würde. Nun sagte er zu seinem

Herrn: »Wenn du meinem Rate folgen willst, so ist dein Glück gemacht. Du brauchst dich nur in dem Flusse an der Stelle, die ich dir zeigen werde, zu baden; und dann laß mich machen.« Der Marquis von Carabas tat, was sein Kater ihm riet, ohne zu wissen, wozu das dienen sollte. Während der Zeit, da er sich badete, fuhr der König vorbei, und der Kater schrie aus allen Kräften: »Hilfe! Hilfe! Der Herr Marquis von Carabas ertrinkt!«

Bei diesem Geschrei steckte der König den Kopf aus dem Schlage und erkannte den Kater, der ihm so viel Mal Wildbret gebracht hatte. Er befahl seiner Garde, dem Marquis von Carabas schleunig Hilfe zu leisten. Während man nun den armen Marquis aus dem Flusse zog, ging der Kater zu der Kutsche und sagte zu dem König, während sein Herr sich gebadet, wären Diebe gekommen und hätten seine Kleider weggenommen, ob er gleich aus allen Kräften »Diebe! Diebe!« gerufen hätte. (Der Schalk hatte sie aber unter einen großen Stein versteckt.) Der König befahl sogleich seinen Garderobe-Offizianten, einen seiner schönsten Anzüge für den Herrn Marquis von Carabas zu holen, und war äußerst freundlich gegen ihn. Da der schöne Anzug, den man dem Marquis gegeben hatte, seine gute Miene noch mehr hob (denn er war von Person schön und wohl gestaltet), so fand ihn die Tochter des Königs sehr nach ihrem Geschmack; und kaum hatte der Graf von Carabas zwei oder drei sehr ehrerbietige und etwas zärtliche Blicke auf sie geworfen, als sie sich in ihn verliebte. Der König befahl, daß er sich mit in die Kutsche setzen und die Spazierfahrt mitmachen sollte. Der Kater war sehr froh, daß sein Plan zu gelingen anfing, eilte voraus; und als er Landleute antraf, welche eine Wiese mähten, sagte er zu ihnen: »Ihr guten Leute, wenn ihr dem Könige nicht sagt, daß die Wiese, die ihr mähet, dem Herrn Marquis von Carabas gehört, so werdet ihr alle

in kleine Stücke gehackt, wie Pastetenfleisch.« Richtig fragte der König die Arbeiter, wem die Wiese, die sie mähten, gehöre. »Dem Herrn Marquis von Carabas«, antworteten sie alle zusammen; denn die Drohung des Katers hatte sie in Furcht gesetzt. »Sie haben da ein schönes Erbe«, sagte der König. »Euer Majestät sehen«, erwiderte der Marquis, »es ist eine Wiese, welche jedes Jahr reichlich einträgt.« Meister Kater, der immer vorausging, traf Schnitter an und sagte: »Ihr guten Leute, die ihr hier mähet, wenn ihr nicht sagt, daß aller dieser Weizen dem Herrn Marquis von Carabas gehört, so werdet ihr alle in kleine Stücke gehauen, wie Pastetenfleisch.« Der König, welcher einen Augenblick nachher vorbeikam, wollte wissen, wem all das Getreide, das er sah, gehöre. »Dem Herrn Marquis von Carabas«, antworteten die Schnitter; und der König freute sich darüber mit dem Marquis. Der Kater, welcher der Kutsche voraus war, sagte allen, denen er begegnete, immer dasselbe; und der König war erstaunt über die großen Güter des Herrn Marquis von Carabas. Endlich kam Meister Kater in ein schönes Schloß, dessen Herr ein Menschenfresser war, der reichste, den man jemals gesehen hatte; denn alles Land, durch welches der König gekommen war, gehörte zu diesem Schlosse. Der Kater zog Erkundigung ein, wer dieser Zauberer sei, und was er vermöge; und ließ sich hierauf bei ihm melden. Er sagte, weil er so nahe vor seinem Schlosse vorbeireise, habe er nicht unterlassen wollen, ihm seine Aufwartung zu machen. Der Menschenfresser empfing ihn so höflich, als es einem Menschenfresser möglich ist, und nötigte ihn, sich auszuruhen. »Man hat mir versichert«, sagte der Kater, »daß Sie die Gabe hätten, sich in allerlei Tiere zu verwandeln, zum Beispiel in einen Elefanten oder Löwen.« – »Dem ist also«, sagte der Menschenfresser hastig; »und damit du es sehest, will ich sogleich zum Löwen werden.« Der Kater ward so erschreckt, als er einen Löwen vor sich sah, daß er sofort auf das Dach kletterte, obschon nicht ohne manche Gefahr, weil er mit den Stiefeln nicht wohl auf den Ziegeln fortkommen konnte. Als er aber einige Zeit nachher sah, daß der Menschenfresser seine vorige Gestalt wieder angenommen, kam er wieder herab und gestand, daß er sich gewaltig gefürchtet habe, setzte aber gleich hinzu: »Man hat mir ebenfalls gesagt – aber ich kann es unmöglich glauben – daß Sie die kleinste Tiergestalt annehmen und sich zum Beispiel in eine Ratte, in eine Maus verwandeln könnten. Ich gestehe Ihnen, daß mir so etwas ganz unmöglich scheint.« – »Unmöglich?« erwiderte der Menschenfresser: »Du sollst gleich die Möglichkeit sehen.« Und in demselben Augenblick verwandelte er sich in ein Mäuschen und lief auf dem Fußboden herum. Kaum aber ward es der Kater gewahr, als er sich darüber her machte und den Menschenfresser auffraß.

Unterdessen hatte der König im Vorbeifahren das schöne Schloß des Menschenfressers bewundert und wünschte es auch von innen zu sehen. Der Kater, der das Rumpeln gehört hatte, welches der über die Zugbrücke rollende Wagen machte, eilte dem König entgegen und sagte: »Eure Majestät sind hier, im Schlosse des Herrn Marquis von Carabas, tausendmal willkommen.«

»Wie, Herr Marquis! Auch dieses Schloß gehört Ihnen? Ich habe nie etwas Schöneres gesehen als diesen Hof und die umstehenden Gebäude; ich wünschte, Sie hätten die Höflichkeit, mir die inneren Zimmer zu zeigen.« Der Marquis bot der Prinzessin die Hand und folgte dem vorangehenden König. Sie traten in einen großen Saal, wo sie ein köstliches Mahl vorfanden, welches der Menschenfresser für seine eingeladenen Gäste hatte bereiten lassen, die es aber nicht wagten, näher zu kommen, weil sie erfahren hatten, der König sei da. Der König, dem die guten Eigenschaften des Marquis eben so sehr gefielen als dessen

Person seiner Prinzessin Tochter, und der überdies die großen Reichtümer, die dieser besaß, in Betrachtung zog, sprach zu ihm, als er fünf bis sechs Gläser geleert hatte: »Herr Marquis, es kommt bloß auf Sie an, ob Sie mein Schwiegersohn sein wollen!«

Der Marquis verbeugte sich tief und nahm die Ehre an, die ihm der König anbot. Noch denselben Tag heiratete er die Prinzessin. Der Kater ward ein großer Herr bei Hofe und fing Mäuse nur noch zum Zeitvertreib.

Charles Perrault

Blaubart

Es war einmal ein Mann, der schöne Häuser in der Stadt und auf dem Lande hatte, auch Gold- und Silbergeschirr, gesticktes Hausgerät und ganz vergoldete Kutschen; aber zum Unglück hatte dieser Mann einen blauen Bart, und der machte ihn so häßlich und so fürchterlich, daß alle Frauen und Mädchen vor ihm flohen.

Eine seiner Nachbarinnen, eine Dame von Stande, hatte zwei vollkommen schöne Töchter. Er bat sie um eine davon zur Gemahlin und ließ ihr die Wahl, welche sie ihm geben wollte. Sie wollten ihn alle beide nicht, und eine wies ihn zu der andern, da sie sich nicht entschließen konnten, einen Mann zu nehmen, der einen blauen Bart hatte. Noch mehr Widerwillen erregte bei ihnen der Umstand, daß er schon mehrere Frauen gehabt und daß man nicht wußte, was aus diesen geworden wäre. Blaubart führte sie, um Bekanntschaft zu machen, mit ihrer Mutter, drei oder vier von ihren besten Freundinnen und einigen jungen Leuten aus der Nachbarschaft auf eines seiner Landhäuser, wo man ganze acht Tage blieb. Da gab es nichts als Spaziergänge, Jagdpartien, Fischen, Tanzen, Gastmähler und Zwischenmahle. Man schlief nicht und brachte die ganze Nacht damit hin, daß man einander Possen spielte. Kurz, es ging alles so gut, daß die jüngere Schwester anfing zu finden, der Herr vom Hause hätte nicht mehr einen so blauen Bart und wäre ein sehr artiger Mann. Als man wieder in der Stadt war, wurde die Heirat geschlossen. Nach Verlauf eines Monats sagte Blaubart zu seiner Frau, er müßte wegen einer wichtigen Angelegenheit wenigstens auf sechs Wochen in die Provinz reisen; er bäte sie, sich während seiner Abwesenheit wohl zu vergnügen; sie möchte ihre guten Freundinnen zu sich kommen lassen, mit ihnen, wenn sie wollte, auf das Land fahren und sich lustig machen, gut essen und trinken. »Hier«, sagte er, »sind die Schlüssel zu den beiden großen Möbelkammern; hier sind die zu dem Gold- und Silbergeschirr, das nicht alle Tage gebraucht wird; hier die zu den Eisenkasten, worin mein Gold und Silber ist; die zu dem Kästchen, worin meine Edelgesteine sind; und hier der Hauptschlüssel zu allen Zimmern. Dieser kleine Schlüssel gehört zu dem Kabinett am Ende der großen Galerie der unteren Zimmer. Schließ alles auf, geh allenthalben hin; aber in das kleine Kabinett zu gehen verbiete ich dir, und zwar verbiete ich es so, daß wenn du es etwa öffnest, du von meinem Zorne alles zu fürchten hast.«

Die Frau versprach, alles genau zu beobachten, was ihr soeben befohlen war; und er, nachdem er sie umarmt hatte, stieg in die Kutsche und trat seine Reise an. Die Nachbarinnen und guten Freundinnen warteten nicht, bis sie zu der jungen Frau eingeladen wurden: so ungeduldig waren sie, alle Reichtümer des Hauses zu sehen, indem sie es nicht gewagt hatten, hin zu kommen, so lange der Mann da war, weil sie sich vor seinem blauen Barte fürchteten. Jetzt eilten sie sogleich durch die Zimmer, die Kabinette und die Kleiderkammern, von denen eines immer noch schöner war als das andere. Dann gingen sie auch hinauf in die Möbelkammern, wo sie sich nicht genug verwundern konnten über die Menge und Schönheit der Tapeten, Betten, Sofas, Schränke, Lichtgestelle, Tische und Spiegel, worin man sich vom Kopf bis zum Fuß besehen konnte, und deren Rahmen, teils von Spiegelglas, teils von Silber und vergoldet, die schönsten und prächtigsten waren, die man jemals gesehen hatte. Sie hörten nicht auf, das Glück ihrer Freundin zu lobpreisen und zu beneiden; doch dieser machte der Anblick aller dieser Reichtümer kein Vergnügen, weil sie ungeduldig war, das Kabinett in den unteren Zimmern zu öffnen. Ihre Neugierde quälte sie so, daß sie, ohne zu bedenken, wie unhöflich es sei, ihre Gesellschaft zu verlassen, eine verborgene Treppe hinunterging, und zwar so übereilt, daß sie sich zwei- oder dreimal beinahe den Hals gebrochen hätte. Als sie an die Türe des Kabinetts gekommen war, blieb sie einige Zeit stehen; sie dachte an das Verbot ihres Mannes und überlegte, daß ihr vielleicht ein Unglück begegnen könnte, wenn sie ungehorsam dagegen wäre. Aber die Versuchung war so stark, daß sie dieselbe nicht überwinden konnte; sie nahm also den kleinen Schlüssel und öffnete zitternd die Türe des Kabinetts. Anfangs sah sie nichts, weil die Fenster zugemacht waren; nach einigen Augenblicken aber fing sie an zu sehen, daß der Fußboden ganz mit geronnenem Blute bedeckt war, worin sich die Körper mehrerer toter Frauen, welche längs den Wänden hingen, spiegelten. (Es waren alle die Frauen, welche Blaubart geheiratet und eine nach der andern ermordet hatte.) Sie starb beinahe vor Furcht, und der Schlüssel zu dem Kabinette, den sie wieder aus dem Schlosse gezogen hatte, fiel ihr aus der Hand. Als sie wieder ein wenig zu sich gekommen war, nahm sie den Schlüssel auf, schloß die

24

Tür wieder zu, und ging hinauf in ihr Zimmer, um sich ein wenig zu erholen; sie konnte es aber nicht dahin bringen, so sehr war sie erschüttert. Als sie bemerkt hatte, daß der Schlüssel zum Kabinett mit Blut befleckt war, wischte sie ihn zwei- oder dreimal; aber das Blut ging nicht ab. Sie mochte ihn auch noch so viel waschen, ja, ihn mit Sand und Kies reiben: es blieb immer Blut daran; denn der Schlüssel war feenhaft, und es gab kein Mittel, ihn ganz und gar zu reinigen: wenn man das Blut auf der einen Seite wegschaffte, kam es auf der andern wieder.

Blaubart kam noch am selben Abend von seiner Reise zurück und sagte, er hätte unterwegs Briefe bekommen und daraus ersehen, daß die Sache, um derentwillen er die Reise angetreten, zu seinem Vorteil geendigt wäre. Seine Frau tat alles, was sie konnte, ihm zu zeigen, daß sie über seine schnelle Rückkehr sehr erfreuet wäre. Am folgenden Tage forderte er die Schlüssel von ihr wieder, und sie gab sie ihm, aber mit zitternder Hand, so daß er alles, was vorgegangen war, ohne Mühe erriet. »Woher kommt es«, fragte er sie, »daß der Schlüssel zum Kabinett nicht bei den andern ist?«

»Ich mußt ihn«, antwortete sie, »dort oben auf meinem Tische gelassen haben.«

»Gib mir ihn«, sagte Blaubart, »unfehlbar sogleich.« Nach manchem Aufschub mußte sie den Schlüssel bringen. Blaubart besah ihn und sagte dann zu seiner Frau: »Warum ist Blut an diesem Schlüssel?«

»Ich weiß es nicht«, antwortete die arme Frau, blasser als der Tod.

»Du weißt es nicht?« erwiderte Blaubart. »Ich weiß es sehr wohl. Du hast in das Kabinett gehen wollen. Nun wohl, Madame, Sie werden hineinkommen und Ihren Platz bei den Damen nehmen, die Sie darin gesehen haben.« Sie fiel ihrem Mann weinend zu Füßen und bat ihn mit allen Merkmalen einer wahren Reue um Verzeihung, daß sie nicht gehorsam gewesen war. So schön und betrübt wie sie war, hätte sie einen Felsen rühren können. Blaubarts Herz war aber härter als ein Felsen. »Sie müssen sterben, Madame«, sagte er ihr, »und zwar noch in dieser Stunde!«

»Wenn ich sterben muß«, erwiderte sie, indem sie ihn mit weinenden Augen ansah, »so lassen Sie mir doch ein wenig Zeit zu beten.«

»Ich gebe Ihnen eine halbe Viertelstunde«, erwiderte Blaubart, »doch nicht einen Augenblick länger.«

Als sie allein war, rief sie ihre Schwester und sagte ihr: »Schwester Anne« (so hieß sie), »steige ganz oben auf den Turm, und sieh zu, ob meine Brüder nicht kommen. Sie haben versprochen, mich heute zu besuchen; und wenn du sie siehst, so gib ihnen ein Zeichen, daß sie eilen sollen.« Schwester Anne stieg oben auf den Turm, und die arme Betrübte rief ihr von Zeit zu Zeit zu: »Anne, Schwester Anne! Siehst du niemand kommen?« Anne antwortete ihr: »Ich sehe nichts als den blauen Himmel und das grüne Gras.«

Während dessen hielt Blaubart schon einen großen kurzen Säbel in der Hand und schrie seiner Frau aus allen Kräften zu: »Komm geschwind herunter, oder ich werde hinauf kommen!«

»Noch einen Augenblick, wenn es Ihnen gefällig ist«, erwiderte ihm seine Frau, und sogleich rief sie ihrer Schwester leise zu: »Anne, meine Schwester! Siehst du niemand kommen?« Und Schwester Anne antwortete: »Ich sehe nichts als den blauen Himmel und das grüne Gras.«

»Komm den Augenblick herunter, oder ich werde herauf kommen!« schrie Blaubart wieder. –

»Ich gehe schon«, erwiderte seine Frau, und dann rief sie wieder: »Anne! Schwester Anne! Siehst du niemand kommen?«

»Ich sehe«, antwortete Schwester Anne, »einen dicken Staub, der auf dieser Seite hier aufsteigt.«

»Sind es meine Brüder?«

»Ach nein, Schwester! Es ist eine Schafherde.«

»Willst du nun herunterkommen?« schrie Blaubart.

»Noch einen Augenblick!« antwortete seine Frau; und dann rief sie: »Anne! Schwester Anne! Siehst du niemand kommen?«

»Ich sehe«, antwortete diese, »zwei Reiter, welche von dieser Seite her kommen, sie sind aber noch sehr weit entfernt. Gott sei gelobt«, rief sie einen Augenblick nachher, »es sind meine Brüder. Ich winke ihnen so viel ich nur kann, daß sie eilen sollen.«

Blaubart fing endlich so stark an zu schreien, daß das ganze Haus davon zitterte. Die arme Frau ging hinunter und warf sich in Tränen zerfließend und mit zerstreuten Haaren ihm zu Füßen. »Das hilft zu nichts«, sagte Blaubart, »du mußt sterben!«

Nun faßte er sie mit einer Hand bei den Haaren; mit der andern schwenkte er den Säbel und wollte ihr sogleich den Kopf abschlagen. Die arme Frau wendete sich zu ihm hin, sah ihn mit sterbenden Augen an und bat ihn, ihr noch einen kleinen Augenblick zu bewilligen, daß sie sich fassen könnte.

»Nein, nein!« sagte er, »befiehl dich Gott«; und nun hob er den Arm

auf. In diesem Augenblick klopfte jemand so stark an die Türe, daß Blaubart auf einmal innehielt. Man machte auf, und sogleich traten zwei Reiter herein, die den Degen zogen und gerade auf Blaubart losgingen. Dieser sah, daß es die Brüder seiner Frau waren, der eine Dragoner, der andere Musketier, weshalb er sogleich weglief, um sich zu retten. Die beiden Brüder aber waren ihm so dicht auf den Fersen, daß sie ihn faßten, ehe er die Freitreppe erreichen konnte. Sie stießen ihm ihren Degen durch den Leib und ließen ihn tot liegen. Die arme Frau war beinahe ebenso tot wie ihr Mann und hatte nicht Kraft genug, aufzustehen und ihre Brüder zu umarmen.

Es fand sich, daß Blaubart keinen Erben hatte, und so blieb seine Frau Besitzerin aller seiner Güter. Sie wendete einen Teil an, ihre Schwester Anne mit einem jungen Edelmann zu verheiraten, von dem diese schon lange geliebt wurde. Mit einem andern Teil kaufte sie ihren beiden Brüdern Hauptmannsstellen; und den Überrest wendete sie an, sich mit einem sehr rechtschaffnen Mann zu verheiraten, bei dem sie die böse Zeit vergessen konnte, die sie bei Blaubart gehabt hatte.

Charles Perrault

Jorinde und Joringel

Es war einmal ein altes Schloß mitten in einem großen dicken Wald; darinnen wohnte eine alte Frau ganz allein, das war eine Erzzauberin. Am Tage machte sie sich bald zur Katze oder zum Hasen, oder zur Nachteule; des Abends aber wurde sie ordentlich wieder wie ein Mensch gestaltet. Sie konnte das Wild und die Vögel herbeilocken, und dann schlachtete sie's, kochte und bratete es. Wenn jemand auf hundert Schritte nah beis Schloß kam, so mußte er stille stehen und konnte sich nicht von der Stelle bewegen, bis sie ihn lossprach; wenn aber eine reine keusche Jungfer in diesen Kreis kam, so verwandelte sie dieselbe in einen Vogel und sperrte sie in einen Korb ein, in die Kammern des Schlosses. Sie hatte wohl siebentausend solcher Körbe mit so raren Vögeln im Schlosse. Nun war einmal eine Jungfer, die hieß Jorinde; sie war schöner als alle

28

andere Mädchens, die und dann ein gar schöner Jüngling namens Joringel hatten sich zusammen versprochen. Sie waren in den Brauttagen und hatten ihr größtes Vergnügen eins am andern. Damit sie nun einsmalen vertraut zusammen reden könnten, gingen sie in den Wald spazieren. »Hüte dich«, sagte Joringel, »daß du nicht zu nah an das Schloß kommst!« Es war ein schöner Abend, die Sonne schien zwischen den Stämmen der Bäume hell ins dunkle Grün des Walds, und die Turteltaube sang kläglich auf den alten Maibuchen. Jorinde weinte zuweilen, setzte sich hin in Sonnenschein und klagte. Joringel klagte auch; sie waren so bestürzt, als wenn sie hätten sterben sollen; sie sahen sich um, waren irre und wußten nicht, wohin sie nach Hause gehen sollten. Noch halb stund die Sonne über dem Berg und halb war sie unter.
Joringel sah durchs Gebüsch und sah die alte Mauer des Schlosses nah bei sich, er erschrak und wurde todbang, Jorinde sang:

> Mein Vögelein mit dem Ringelein rot,
>   Singt Leide, Leide, Leide;
> Es singt dem Täubelein seinen Tod,
>   Singt Leide, Lei – Zicküth, Zicküth, Zicküth.

Joringel sah nach Jorinde. Jorinde war in eine Nachtigall verwandelt, die sang »Zicküth, Zicküth«. Eine Nachteule mit glühenden Augen flog dreimal um sie herum und schrie dreimal »Schuh-hu-hu-hu«.

Joringel konnte sich nicht regen; er stand da wie ein Stein, konnte nicht weinen, nicht reden, nicht Hand noch Fuß regen. Nun war die Sonne unter; die Eule flog in einen Strauch, und gleich darauf kam eine alte krumme Frau aus diesem Strauch hervor, gelb und mager, große rote Augen, krumme Nase, die mit der Spitze ans Kinn reichte. Sie murmelte und fing die Nachtigall, trug sie auf der Hand fort. Joringel konnte nichts sagen, nicht von der Stelle kommen; die Nachtigall war fort; endlich kam das Weib wieder und sagte mit dumpfer Stimme: »Grüß dich, Zachiel! Wenn's Möndel ins Körbel scheint, bind los, Zachiel, zu guter Stund!« Da wurd Joringel los; er fiel vor dem Weib auf die Knie, und bat, sie möchte ihm seine Jorinde wiedergeben; aber sie sagte, er sollte sie nie wiederhaben, und ging fort. Er rief, er weinte, er jammerte, aber alles umsonst. Nu! Was soll mir geschen? Joringel ging fort und kam endlich in ein fremdes Dorf; da hütete er die Schafe lange Zeit. Oft ging er rund um das Schloß herum, aber nicht zu nahe dabei; endlich träumte er einmal des Nachts, er fänd eine blutrote Blume, in deren Mitte eine schöne große Perle war; die Blume bräch er ab, ging damit zum Schlosse; alles, was er mit der Blume berührte, ward von der Zauberei frei; auch träumte er, er hätte seine Jorinde dadurch wiederbekommen. Des Morgens, als er erwachte, fing er an, durch Berg und Tal zu suchen, ob er eine solche Blume fände; er suchte bis an den neunten Tag, da fand er die blutrote Blume am Morgen früh. In der Mitte war ein großer Tautropfe, so groß wie die schönste Perle. Diese Blume trug er Tag und Nacht bis zum Schloß. Nu! Es war mir gut! Wie er auf hundert Schritt nahe beis Schloß kam, da wurd er nicht fest, sondern ging fort, bis ans Tor. Joringel freute sich hoch, berührte die Pforte mit der Blume, und sie sprang auf; er ging hinein, durch den Hof, horchte, wo er die vielen Vögel vernähm. End-

lich hörte er's; er ging und fand den Saal; darauf war die Zauberin, fütterte die Vögel in den siebentausend Körben. Wie sie den Joringel sah, ward sie bös, sehr bös, schalt, spie Gift und Galle gegen ihn aus, aber sie konnt auf zwei Schritte nicht an ihn kommen. Er kehrte sich nicht an sie und ging, besah die Körbe mit den Vögeln; da waren aber viel hundert Nachtigallen; wie sollte er nun seine Jorinde wiederfinden? Indem er so zusah, merkte er, daß die Alte heimlich ein Körbchen mit einem Vogel nimmt und damit nach der Türe geht. Flugs sprang er hinzu, berührte das Körbchen mit der Blume und auch das alte Weib; nun konnte sie nichts mehr zaubern; und Jorinde stund da, hatte ihn um den Hals gefaßt, so schön, als sie ehemals war. Da machte er auch all die andern Vögel wieder zu Jungfern, und da ging er mit seiner Jorinde nach Hause, und lebten lange vergnügt zusammen.

Johann Heinrich Jung-Stilling

Von den Machandelboom

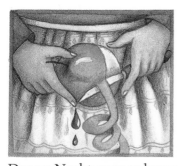

Dat is nu all lang her, woll tweedusent Johr, do was dar een rick Mann, de had eene schoine frame Frou, un se hadden sik beede seer leef, hadden averst kene Kinner, se wünschten sik averst seer welke, un de Frou bedt so veel dorum Dag un Nacht, man se kregen keen un kregen keen, – vor eerem Huse was een Hoff, darup stund een Machandelboom, unner den stün de Frou eens in'n Winter, un schalt sik eenen Appel – un as se sik den Appel so schalt, so snet se sik in'n Finger, un dat Bloot feel in den Snee – »Ach!« sed de Frou, un süft so recht hoch up, un sach dat Bloot för sik an, un was so recht wehmödig, »had ik doch een Kind so rot as Bloot un so witt als Snee« – un as se dat sed, so wurd eer so recht frölich to Mode, eer was recht as sull dat wat warden, dar ging se to den Huse un ging een Maand hen, de Snee vörging, un twee Maand, dar was dat groin, un dree Maand, da kemen die Bloimer ut de Erde, un veer Maand, dar drungen sik alle Boimer in dat Holt un de groinen Twige weeren all in eenanner wussen, dar sungen de Vögelkens, dat dat ganze Holt schallt, und de Blöten felen von de Boimes, dar was de fyfte Maand weg, un se stand unner de Machandelboom, de rook so schoin, do sprang eer dat Hart vör Freuden, un se feel up eere Knee un kande sik nich laten, un as de seste Maand vörby was, dar warden de Früchte dik un stark, da ward se gans still, un de söbende Maand de greep se na de Machandelbeeren un att se so nidsch, da ward se trurig un krank, dar ging de achte Maan hen, un se reep eeren Mann un weende un sed: »Wenn ik starve, so begrave my unner den Machandelboom«, da wurde se gans getrost un freute sik bett de neegte Maand vorby was, dar kreeg se een Kind so witt as Snee un so root as Bloot, un as se dat sah, so freute se sik so, dat se sturv.

Dar begrob eer Mann se unner den Machandelboom, un he fung an to weenen so seer, eene Tyd lang, da ward dat wat sachter, un dor he noch wat weend hat, da heel he up, un noch eene Tyd, do nam he sik wedder eene Frou.

Myt de tweete Frou kreeg he ene dochter, dat Kind äverst von de eerste Frou was een lüttje Söhn un was so root as Bloot und so witt as Snee, wenn de Frou eere Dochter so ansach, so had se se so leef, averst den sach se den lüttjen Jung an, un dat ging eer so dorcht Hart, un eer ducht as stund he eer allen wegen in'n Weeg, un dacht den man jümmer wo se eer Dochter all dat Vormögent towenden woll, un de Böse gav eer dat in, dat se den lüttjen Jung gans gram wurd un stöd em herüm von een Eck in de anner, un buft em hier un knufft em dar, so dat dat arme Kind jümmer in Angst war, wenn he den ut de School kam, so hat he keene ruhige Stede.

Eens was de Frou up de Kamer gan, da kam de lüttje Dochter ok herup und sed: »Mutter, giv my eenen Appel!«

»Ja, myn Kind«, sed de Frou un gav eer eenen schoinen Appel ut de Kist, de Kist averst had eenen groten swaren Deckel mit een groot  scharp ysern Slott. »Mutter!« seed de lüttje Dochter, »schall Broder nich ok eenen hebben«, dat vördrot de Frou, doch sed se: »Ja, wen he ut de School kummt«, un as se ut dat Finster gewaar wurde, dat he kam, so was dat recht as wen de Böse äver eer kam, und se grapst to un nam eerer Dochter den Appel wedder weg un sed: »Du sast nich eer eenen hebben als Broder«, dar smeet se den Appel in de Kist und makt de Kist to, dar kam de lüttje Jung in der Dör, dar gav eer de Böse in, dat se früntlich to emd sed: »Myn Söhn, wist du eenen Appel heben?« und sach em so hastig an. »Mutter!« sed de lüttje Jung, »watt sühst du gresig ut, ja, giv my eenen Appel«, dar was eer as sull se em toriten. »Kum mit my«, sed se un makt den Deckel up: »Haal dy eenen Appel herut«, un so as sik de lütt Jung henin bükt, so reet eer de Böse. Bratsch – sloog se den Deckel to, dat de Kop af floog un unner de roden Appel feel, dar äverleep eer dat in de Angst un dacht: »Kund ik dat von my bringen«, dar ging se baben na eere Stuve na eeren Dragkasten, un halt ut de bävelste Schuuflade eenen witten Dook, un sett den Kopp wedder up den Hals und band den Haalsdook so um, dat man niks seen kund, un set em vör de Dör op eenen Stoll und gav em den Appel in de Hand.

Dar kam darna Marleenken to eere Mutter in de Köke, da stand by den Führ un had eenen Putt mit heet Water för sik, den rührt se jümmer um. »Mutter«, segd Marleenken, »Broder sitt vor de Dör un süht gans witt ut, un het eenen Appel in de Hand, ik hev em beden, he soll my den Appel geven, averst he antword my nich, da ward my gans graulig.«

»Ga nochmal hen«, segd de Mutter, »un wenn he dy nich antworden will, so giv em eens an de Ohren.« Da ging Marleenken hen un sed: »Broder, giv my den Appel«, averst he swegg still, dar gav se em eens up de Ooren, da feel de Kopp herün, daräver vorschrak se sik un füng an to weenen un to trauren, un leep to eere Mutter un sed: »Ach! Mutter! Ik heb minen Broder den Kopp af slagen!« un weend un wil sik nich tofreden geben. »Marleenken!« sed de Mutter, »wat hest du dahn – äverst swig man still, dat keen Minsch markt, dat is nu doch nicht to

ännern, wy willen em in suhr koken«, dar nam de Mutter den lüttjen Jungen un hakt em in Stücken, ded de in den Putt un kokt em in suhr, Marleenken averst stun darby un weend un weend, un de Tranen feelen all in den Putt, un se brukten gar keen Solt.

Dar kam de Vader to Huus un sett sik to Disch un sed: »Wo is den min Söhn?« Dar drog de Mutter eene grote, grote Schöttel up mit Swartsuhr, un Marleenken weend un kund sik nich hollen, da sed de Vader wedder: »Wo is den myn Söhn?« »Ach«, segt de Mutter, »he is avert Land gahn, na Mütten eer groos Oem, he wull dar wat bliven.« – »Wat deit he den dar? Un het my nich mal adjüs segd.« – »O, he wuld geer hen un bed my ob he dar woll sechs Weken bliven kun, he is jo woll dar uphaben.« – »Ach«, sed de Mann, »my is so recht trurig, dat is doch nich recht, he had my doch adjüs seggen schullt«, mit des fung he an to eeten und sed Marleenken: »Watt weenst du? Broder wart woll wedder kam. Ach frou«, sed he do, »wat smekt my dat Eten schoin, giv my meer«, un je meer he at, je meer wuld he hebben, un sed: »Gevt my meer, gy sölt nix darof hebben, dat is as wen dat all myn weer«, un he at un at, un de Knoken smeet he all unner den Disch, bet he allns up had. Marleenken averst ging hen na eere Kommode un nam ut de unnerste Schuuf eeren besten syden Dook, un haalt al den Beenken un  Knoken unner den Disch herut un bund se in den syden Dook un droog se vör de Dör un weente eere blödigen Tranen, dar led se se unner den Machandelboom in dat groine Graß, un as se se dar hen legt had, so was eer mit eenmal so recht licht un weente nich meer, do füng de Machandelboom an sik to bewegen, un de Twyge deden sik jümmer so recht voneenanner un wedder to hope, so recht as wen sik eene so recht freut un mit de Handen so deit, myt des so ging dar so'n Nebel von den Boom, un recht in den Nebel, da brennt dat as Führ, un ut dat Führ dar floog so'n schonen Vagel herut, de sung so herlich un floog hoch in de Luft, un as he weg war, dor war de Machandelboom as he vorheer west war, un de Dook mit de Knoken war weg – Marleenken averst war so recht licht un vergnoigt, recht as wen de Broder noch leeft, dar ging se wedder gans lustig in dat Hus by Disch un at.

De Vagel averst floog weg un sett sik up eenen Goldsmit syn Huus un füng an to singen:

Mein Mutter, de mich schlact't
Mein Vater, der mich aß
Mein Schwester, de Marleenichen
Sucht alle meine Beenichen
Und bind't sie in ein seiden Tuch
Legts unter den Machandelboom.
Kywitt! kywitt!
Ach watt een schoin fagel bin ik.

De Goldschmidt satt in syne Warkstede un maakt eene goldne Kede,
dar hörd he den Vagel, de up syn Dak sat un sung, un dat dünkt em so
schoin, dar stund he up un as he aver den Süll ging, so vörloor he eenen
Tüffel, he ging äver so recht midden op de Strate, eenen Tüffel un een
Sok an, syn Schortfell had he vör un in de een Hand had he de golden
Kede un in de anner de Tang, un de Sünn scheint so hell up de Strate,
dar ging he recht so stahn un sach den Vagel an. »Vagel!« segd he do,
»wo schoin kanst du singen, sing my dat Stück noch mal!« – »Nee«,
segd de Vagel, »tweemal sing ik nich umsünst, giv my de golden Kede,
so will ik dat noch mal singen«, da segt de Goldschmidt: »Hest du de
golden Kede, nu sing my dat noch mal«, dor kam de Vagel un nam de
golden Ked so in de rechte Krall, un ging vör den Goldschmitt sitten
un sung:

Mein Mutter, de mich schlact't
Mein Vater, der mich aß. . .

Dar flog de Vagel weg na eenen Schoster un sett sik up den syn Dak un
sang:

Mein Mutter, de mich schlact't . . .

De Schoster hörd dat un leep vor syn Dör in Hemdsarmel un sach na
syn Dak un must de Hand vör de Oogen holln, dat de Sünn em nich
blend't. »Vagel«, segd he, »wat kanst du schoin singen« – da reep he in
sin Dör herin: »Frou, kum mal herut, dar is een Vagel, sü mal der Vagel,
de kan mal schoin singen«, da reep he sin Dochter und Kinner un
Gesellen, Jung un Magd, un keemen all up de Straat un segen den Vagel
an wo he schoin weer, un he had so recht rode un groine Feddern, un
um den Hals was dat as luter Gold, un de Ogen blickten em in Kopp as
Steern. »Vagel«, sed de Schoster, »nu sing my dat Stück noch mal.«
»Nee«, segd de Vagel, tweemal sing ik nich umsünst, du must my wat
schenken.« »Frou«, sed de Mann, »ga na den Böhn up den hövelsten

Boord, da stan een paar rode Schö, de bring herün«, dar ging de Frou na un halt de Schö. »Da, Vagel«, sed de Mann, »nu sing my dat Stück noch mal«, dar kam de Vagel un nam de Schö in de linke Klau un flog wedder up dat Dak un sung:

> Mein Mutter, de mich schlact't ...

Un has he utsungen had, so floog he weg, de Kede had he in de rechte un de Schö in de linke Klau, un he floog wiit weg na eene Mähl, un de Mähl ging klippe klappe – klippe klappe – klippe klappe, un in de Mähl dar seten twintig Mählenbursen, de hauten eenen steen un hackten hick hack – hick hack – hick hack, un de Mähl ging darto klippe klappe – klippe klappe. Dar ging de Vagel up eenen Lindenboom sitten, de vor de Mähl stün un sung:

> Mein Mutter, de mich schlact't ...

da hörte een up

> Mein Vater, der mich aß ...

da hörten noch tween up un hörten dat

> Mein Schwester, de Marleenichen ...

da hörten wedder veer up

> Sucht alle meine Beenichen
> und bindt sie in ein seiden Tuch ...

und hackten noch man acht

> Legt's unter ...

un noch man fyve

> den Machandelboom ...

un noch man een

> Kywitt, kywitt, ach watt een schoin Vagel bin ick.

Daar heel de letzte ok up un had dat letzte noch hörd. »Vagel«, segt he, »wat singst du schoin, laat my dat ok hören, sing my dat noch mal.« »Nee«, segt de Vagel, »tweemal sing ik nich umsunst, giv my den Mählensteen, so will ik dat noch mal singen.« »Ja«, segt he, »wenn he my alleen hörd, so sust du em hebben.« »Ja«, seden de annern, »wenn

37

he noch mal singt, so sall he em hebben.« Dar kam de Vagel herün un de Möllers fat'ten all twintig mit Böm an un börten den Steen up, hu uh up! Hu uh uhp – hu uuh uhp, dar stak de Vagel den Hals dör dat Lok un nam em üm as eenen Kragen un floog wedder up den Boom un sang:

> Mein Mutter, de mich schlact't . . .

un as he dat utsungen had, da ded he de Flünk voneenanner und had in de rechte Klau de Kede un in de linke de Schö un üm den Hals den Mählensteen un floog wyt weg na sines Vaters Huse. –

In de stuve satt de Vader, de Moder un Marleenken by Disch, un de Vader sed: »Ach wat wart my licht, my is recht so goot tomode.« – »Nee!« sed de Moder, »my is so angst, so recht as wen een swar Gewitter kümmt.« Marleenken awerst satt un weend un weend, dar kam de Vagel anflegen, un so as he sik up dat Dack sett –

»Ach!« segd de Vater, »mi is so recht freudig, un de Sünn schiint buten so schoin, my is recht as süll ik eenen ollen Bekanten wedder seen«.« – »Nee!« sed de frou, »my ist so angst, de Teene klappern my un dat is my as Führ in de Adern«, un se reet sik eer Lifken up un so meer, averst Marleenken satt in een Eck un weende un had eeren Platen vor de Oogen un weende den Platen gans meßnatt, dar sett sik de Vagel up den Machandelboom un sung:

> Mein Mutter, de mich schlact't . . .

dar heel de Mutter de Ooren to un kneep de Oogen to un wuld nich seen un hören, aver dat bruste eer in de Ooren as de allerstarkst Storm un de Oogen brennten eer un zacken as Blitz –

> Mein Vater, der mich aß . . .

»Ach Moder«, sed de Mann, »dar is een schoin Vagel, de singt so herlich, de Sünn schiint so warm, und dat räkt as luter Zinnemamen« –

> Mein Schwester, de Marleenichen . . .

dar led Marleenken den Kopp up de Knee un weende in eens weg, de Mann äverst sed: »Ik ga herut, ik mut den Vagel dicht by sehn.« – »Ach, ga nich«, sed de Frou, »my is as bevt dat ganze Huus un stün in Flammen«, aver de Mann ging herut un sach den Vagel an.

> Sucht alle meine Beenichen
> Un bindt sie in ein seiden Tuch
> Legt's unter den Machandelboom
> Kywitt, kywitt, ach watt een schoin Vagel bin ick.

38

Mit den leet de Vagel de golden Kede fallen, un se feel den Mann jüst um den Hals, so recht hier herüm, dat se recht so schoin paßt, dar ging he herin und sed: »Sü, wad is dat vor een schoin Vagel, hat my so ne schoine goldne Kede schenkt, un süht so schöne ut«, de Frou aver was so angst un feel langst in de stuve hen un de Mütz feel eer von den Kopp – dar sung de Vagel widder:

> Mein Mutter, de mich schlact't . . .

»Ach, dat ik dusend Fuder unner de Eerde weer, dat ik dat nich hören sull« –

> Mein Vater, der mich aß . . .

dar feel de Frou for doot nedder

> Mein Schwester, de Marleenichen . . .

»Ach«, sed Marleenken, »ik will ook herut gan un sehn, op de Vagel my wat schenkt«, dar ging se herut –

> Sucht alle meine Beenichen
> Un bindt sie in ein seiden Tuch . . .

Dar smeet he eer de Schö herun.

> Legt's unter den Machandelboom
> Kywitt, kywitt, ach watt een schoin Vagel bin ick.

Dar was eer so licht un frohlich, dar truk se de neien roden Schö an un danst und sprüng herin. »Ach«, segd se, »ik was so trurig, as ik herut ging, un nu is my so licht, dat is mal een herlichen Vagel, het my een paar rode Schö schenkt.« – »Nee«, se de Frou un sprang up, un de Haar stunden eer to Barge as Führsflammen, »my is as sull de Welt unnergan, ik will ok herut, op my lichter warden sull.« Nu, as se ut de Dör kam – bratsch! – smeet eer de Vagel de Mählensteen up den Kopp, dat se gans tomatscht wurr, de Vader un Marleenken hörden dat un gingen herut, dar ging een Damp un Flamm un Führ up von de Sted, un as dat vorby was, da stand de lüttje Broder un he nam sinen Vader un Marleenken by de Hand, un weeren all dree so recht vergnoigt, un gingen in dat Huus bi Disch un eeten.   *Philipp Otto Runge*

Von den Fischer un syne Fru

Dar was mal eens een Fischer un syne Fru, de wahnten tosahmen in'n Pißpott, dicht an de See, un de Fischer ging alle Dage hen un angelt. So ging un ging he hen, lange Tyd.

Dar satt he eens an'n See by de Angel un sach in dat blanke Water, un sach un sach jümmer an de Angel; dar ging de Angel to Grunde deep ünner, un as he se heruttrekt, so haalt he eenen grooten Butt herut. Dar sed de Butt to em: »Ik bid dy, dat du my lewen lest; ik bin keenen rechten Butt, ik bin een verwünschter Prins. Sett my wedder in dat Water, un laat my swemmen!« – »Nu«, sed de Mann, »du bruckst nich so veele Worde to maken; eenen Butt, de spreken kann, häd ich do woll swemmen laten.« Dar sett he em wedder in dat Water, un de Butt ging furt weg tu Grunde un eenen langen Stripen Bloot hinner si.

De Mann awerst ging to syne Fru in'n Pißpott, un vertellt eer, dat he eenen Butt fangen häd, de häd te em seyd, he wer een verwünschter

Prins, dar häd he em wedder swemmen laten. »Hest du dy denn nix wünscht?« sed de Fru. »Ne«, sed de Mann, »wat schull ik my wünschen?« – »Ach«, sed de Fru, »dat is de Ävel, jümmer in Pißpott to wahnen, dat is so stinkig un drackig hier. Ga du no hen, un wünsch ne lüttje Hütt!«

Den Mann was det nich so recht, doch ging he hen na de See; un as he dar kam, dar was de See gans geel un grön, da ging he an det Water stan und sed:

»Mandje, Mandje, Timpe Tee!
Buttje, Buttje in de See!
Myne Fru de Ilsebill
Will nich so, as ik woll will.«

Dar kam de Butt answemmen un sed: »Na, wat will se denn?« – »Ach«, sed de Mann, »ik hev dy doch fungen hot; nu seyd myne Fru, ik häd my doch wat wünschen sullt; se mag nich meer in Pißpott wahnen, se wöll görn een Hütt hebben.« – »Ge man hen«, seyd de Butt, »se is all drin.« Dar ging de Mann hen, un syne Fru stund in eene Hütt in de Dör un sed to em: »Kum man hoin! Sü, nu ist dat doch veel beter.« Un dar was ne Stuve un Kamer un eene Köck drin, un der achter was een lütje Garn mit allerley Grönigkeeten un een Hof, da weeren Honne und Eenden. »Ach«, seyd de Mann, »nu will we vergnügt lewen.« – »Ja«, seyd de Fru, »wi will et versöken.«

So ging dat nu woll een acht edder vertein Doag, dar sed de Fru: »Mann, de Hütt wart my to eng, de Hoff un Garn is to lütt; ik will in een groot steenern Slott wahnen. Ga hen tum Butt, he sull uns een Slott schaffen!« – »Ach Fru«, sed de Mann, »de Butt het uns erst die Hütt gewen; ik mag nu nich all wedder kam, den Butt mag et vordreeten.« – »Ne watt«, sed de Fru, »de Butt kann dat recht good un deit dat geern; ge du man hen!«

Dar ging de Mann hen, un syn Hart was em so schwer. As he averst by de See kam, was dat Water gans vigelet un grau und dunkelblau, doch was dat noch still. Dar ging he stan und sed:

»Mandje, Mandje, Timpe Tee!
Buttje, Buttje in de See!
Myne Fru de Ilsebill
Will nich so, as ik woll will.«

»Na, watt will se denn?« sed de Butt. »Ach«, sed de Mann gans bedräft,

»myne Fru will in een stenern Slott wahnen.« – »Ga man hen! Se steit vor de Dör«, sed de Butt.

Dar ging de Mann hen, un syne Fru stund vor eenen groten Pallas. »Sü, Mann«, sed se, »watt is dat nu schoin!« Mit das gingen se tosamen hein; dar weeren so veel Bedenten, un de Wende weeren alle blank, un goldne Stöhl un Dischen weeren in de Stuve; un achter datt Slott was een Garn un Holt, woll eene halve Myl lang, darin weeren Hirschen, Reh un Haasen, un op de Hoff Köh un Pferdeställ'. »Ach«, seyd de Mann, »nu willn wy ok in dat schöne Slott blywen un tofreden syn.« – »Dat willn my uns bedenken«, seyd de Fru, »un willent beslapen.« Mit der gingen se to Bed.

Den annern Morgens waakt de Fru up, dat was all Dag, da stöt se den Mann mit den Ellenbogen in de Syde un sed: »Mann, stah up! Wy motten König wären äver all dat Land.« – »Ach Fru«, sed de Mann, »wat wulln wy König waren! Ik mag nich König syn.« – »Na, dann will ik König syn«, seyd de Fru, »ge hen tun Butt! Ik will König syn.« –

»Ach Fru«, sed de Mann, »wo kannst du König syn! De Butt mucht dat nich don.« – »Mann«, seyd de Fru, »ge stracks hen! Ik möt König sin.« Dar ging de Mann hen, un was gans bedröft, dat syne Fru König waren wöllt. Un as he an de See kem, was se all gans swartgrau, un dat Water geert so von unnen up; dar ging he stan und sed:

> »Mandje, Mandje, Timpe Tee!
> Buttje, Buttje in de See,
> Myne Fru de Ilsebill
> Will nich so, as ik woll will.«

»Na, wat will se denn?« sed de Butt. »Ach«, sed de Mann, »myne Fru will König waren.« – »Gah hen, se is't all«, sed de Butt.
Dar ging de Mann hen, un as he na den Pallas kam, da weeren dar so vele Soldaten un Pauken, un Trumpeten, un syne Fru satt up eenen hogen Tron von Gold un Diamanten und had eene goldne Kron up; un up beeden Syden by eer stunden ses Jungfruen, jümmer eene eenen Kopp lüttjer as de annre. »Ach Fru«, seyd de Mann, »bist du ein König?« – »Ja«, seyd de Fru, »ik bin König.« Un as he eer da sone Wyl anseen häd, sed he: »Ach, Fru, watt lett datt schoin, wenn du König best! Nu wull'n wy ok nich meer wünschen.« – »Nee, Mann«, sed se, »my durt dat all to lang, ik kann dat nich meer uthallen. König bin ik, nu mut ik ok Kaiser waren.« – »Ach Fru«, sed de Mann, »watt wust du Kaiser waren?« – »Mann«, sed se, »ga tum Butt! Ik wull Kaiser syn.« – »Ach Fru«, sed de Mann, »Kaiser kann he nich maken, ik mak den Butt dat nich seggen.« – »Ik bin König«, sed de Fru, »un du syst man min Mann. Ga glik hin!«
Dar ging de Mann weg, un as he so ging, so dacht he: Dat geit un geit nich goot; Kaiser is to unverschaamt, de Butt wart am Ende möde. Mit des kam he an de See; dat Water was gans swart un dik, und dar ging so een Keekwind äwer hen, dat dat sik so kawwelt.
Dar ging he stan un sed:

> »Mandje, Mandje, Timpe Tee!
> Buttje, Buttje in de See,
> Myne Fru de Ilsebill
> Will nich so, as ik woll will.«

»Na, wat will se denn?« sed de Butt. »Ach«, sed de Mann, »se will Kaiser waren.« – »Ga man hen«, sed de Butt, »se is't all.«
Dar ging de Mann hen, un as he dar kam, so satt syne Fru up eenen sehr

hogen Tron, de was von een Stück Gold, un hat eene grote Krone up, de was woll twee Ellen hoch. By eer up de Syden, dar stunden de Trabanten, jümmer een lüttjer as de anner, von den allergrötsten Riesen bett to den lüttsten Dwark, de was man so lang as myn lüttje Finger. Vör een do stunden so veele Fürsten un Graven. Da ging de Man ünner stan, de sed: »Fru, syst du nu Kaiser?« – »Ja«, sed se, »ik sy Kaiser.« – »Ach«, sed de Mann un sach se so recht an, »Fru, wat let dat schoin, wenn du Kaiser syst!« – »Mann«, sed se, »wat steist du dar! Ik bin nu Kaiser, nu will ik averst Pobst waren.« – »Ach Fru«, sed de Mann, »watt wist du Pobst waren! Pobst is man eenmal in de Kristenheet.« – »Mann«, sed se, »ik mutt hüt noch Pobst waren.« – »Nee, Fru«, sed he, »te Pobst kenn de Butt nich maken, dat geit nich goot.« – »Mann, watt seek! Kann de Butt Kaiser maken, kann he ok Pobst maken. Ge furt hen!«

Dar ging de Mann hen, un em was gans flau, de Knee un de Woden zudderten em; un buten ging de Wind, un dat Wasser was as kookt, de Schepe schooten en de Noot un dansten un sprungen up de Bülgen; doch was de Hemmel in de Midde noch so een bitten blu, äverst an de Syden dar toog dat so recht root op, as een schwer Gewitter. Dar ging he recht vörtogt sten und sed:

»Mandje, Mandje, Timpe Tee!
Buttje, Buttje in de See,
Myne Fru de Ilsebill
Will nich so, as ik woll will.«

»Na, watt will se denn?« sed de Butt. »Ach«, sed de Mann, »myne Fru will Pobst waren.« – »Ga man hen«, sed de Butt, »se is't all.«

Dar ging he hen, uns as he dar kam, satt syne Fru up eenen Tron, de was twee Myle hoch, un hod 3 grote Kronen up, un um eer was so veele geestliche Staat, un up de Syden bey eer standen twee Lichte, dat grötste so dick un groot as de allergrötste Torn, bet to dat lüttste Kökkinglicht. »Fru«, sed de Mann, un sech se so recht an, »syst du nu Pobst?« – »Ja«, sed se, »ik sy Pobst.« – »Ach Fru«, sed de Mann, »watt let dat schoin, wenn du Pobst syst! Fru, nu was tofreden! Nu du Pobst syst, kannst nu nix meer waren.« – »Dat will ik my bedenken«, sed de Fru.

Dar gingen se beede to Bed; awerst se was nich tofreden, un de Girichheet leet eer nich slapen. Se dacht jümmer, wat so noch woll waren willt. Mit des ging de Sünn up; su dacht se, as se se ut den

44

Fenster so herupkamen sach: Kann ick nich ock de Sünn upgan laten? Dar wurd se recht so grimmig und stod eeren Mann an: »Mann, ga hen tun Butt! Ik will waren as de lewe Gott.« De Mann was noch meist in Slap, averst he verschrak sy so, dat he ut dem Bedde feel. »Ach Fru«, sed he, »sla en dy un blive Pobst!« – »Nee«, sed de Fru, »ik sy nich tofreden un kann dat nich uthallen, wenn ik de Sünn un de Mohn upgehen se un kann se nich upgehn laten; ik mut waren as de lewe Gott.« – »Ach Fru«, sed de Mann, »dat kann de Butt nich; Kaiser un Pobst kann he maken, awerst dat kann he nicht.« – »Mann«, sed se, un sach so recht gresig ut, »ik will waren as de lewe Gott. Geh straks hen tum Butt!«

Dar fur dat den Mann in de Gleeder, un he bevt vor Angst. Buten averst ging de Storm, dat all Boime un Felsen umweigten, un de Himmel was gans swart, un dat donnert un blitzt; dar sah man in de See so swarte hoge Wellen as Berge, un hödden baben all eene witte Kron von Schuum up. Da seed he:

> »Mandje, Mandje, Timpe Tee!
> Buttje, Buttje in de See,
> Myne Fru de Ilsebill
> Will nich so, as ik wol will.«

»Na, wat will se denn?« sed de Butt. »Ach«, sed de Mann, »se will waren as de lewe Gott.« – »Geh man hen! Se sitt all wedder im Piß- pott.« – Dar sitten se noch hüt up dissen Dag. *Philipp Otto Runge*

Das Märchen von dem Witzenspitzel

Es war einmal ein König von Rundum- herum, der hatte unter seinen vielen an- dern Dienern einen Edelknaben, der hieß Witzenspitzel, und er liebte ihn über alles und überhäufte ihn mit tau- send Gnaden und Geschenken, weil Witzenspitzel ungemein klug und artig war und alles, was ihm der König zu verrichten gab, mit außerordentlicher Geschicklichkeit ausrichtete. Wegen dieser großen

46

Gunst des Königs waren alle die andern Hofdiener sehr neidisch und bös auf Witzenspitzel;

> Denn wurde seine Klugheit belohnt mit Gelde,
> So wurde ihre Dummheit bestraft mit Schelte;
> Und erhielt Witzenspitzel vom König großen Dank,
> So erhielten sie von ihm großen Zank;
> Kriegte Witzenspitzel einen neuen Rock,
> So zerschlug er auf ihnen einen neuen Stock;
> Durfte Witzenspitzel des Königs Hand küssen,
> So traktierte der König sie mit Kopfnüssen.

Darüber wurden sie nun gewaltig zornig auf Witzenspitzel und brummten und zischelten den ganzen Tag und steckten überall die Köpfe zusammen und überlegten, wie sie den Witzenspitzel sollten um die Liebe des Königs bringen. Der eine streute Erbsen auf den Thron, damit Witzenspitzel stolpern und den gläsernen Szepter zerbrechen sollte, den er dem König immer reichen mußte; der andere nagelte ihm Melonenschalen unter die Schuhe, damit er ausgleiten sollte und dem König den Rock begießen, wenn er ihm die Suppe brachte; der dritte setzte allerlei garstige Mücken in einen Strohhalm und blies sie dem König in die Perücke, wenn Witzenspitzel sie frisierte; der vierte tat wieder etwas anderes, und so versuchte jeder etwas, den Witzenspitzel um die Liebe des Königs zu bringen. Witzenspitzel aber war so klug und behutsam und vorsichtig, daß alles umsonst war und er alle Befehle des Königs glücklich zu Ende brachte. Da nun alle ihre Anschläge nichts fruchten wollten, versuchten sie etwas anderes. Der König hatte einen Feind, mit dem er nie fertigwerden konnte und der ihm alles zum Possen tat. Das war ein Riese, der hieß Labelang und wohnte auf einem ungeheuren Berg, wo er in einem dicken dunkeln Walde in einem prächtigen Schlosse hauste, und hatte außer seiner Frau, die Dickedull hieß, niemand bei sich als einen Löwen Hahnebang und einen Bären Honigbart und einen Wolf Lämmerfraß und einen erschrecklichen Hund Hasenschreck, das waren seine Diener. Außerdem hatte er auch ein Pferd im Stall, Flügelbein genannt.

Nun wohnte in der Gegend von Rundumherum eine sehr schöne Königin, Frau Flugs, die hatte eine Tochter, Fräulein Flink; und der König Rundumherum, der gern alle andern Länder um sein Land herum auch gehabt hätte, hätte die Königin Frau Flugs gar gerne zu seiner Gemahlin gehabt. Sie ließ ihm aber sagen, daß noch viele andere Könige sie auch gerne zur Gemahlin hätten, daß sie aber keinen nehmen wolle

als den allergeschwindesten, und daß der, welcher am nächsten Montag, morgens um halb zehn Uhr, wenn sie in die Kirche gehe, zuerst bei ihr wäre, sie zur Gemahlin und mit ihr das ganze Land haben sollte.

Nun ließ der König Rundumherum alle seine Diener zusammenkommen und fragte sie: »Wie soll ich es doch anfangen, daß ich am Montag zuerst in der Kirche bin und die Königin Flugs zur Gemahlin bekomme?« Da antworteten ihm seine Diener: »Ihr müßt machen, daß Ihr dem Riesen Labelang sein Pferd Flügelbein bekommt; wenn Ihr darauf reitet, kömmt Euch niemand zuvor; und um dieses Pferd zu holen, wird niemand geschickter sein als der Edelknabe Witzenspitzel, der ja alles zustande bringt.« So sagten die bösen Diener und hofften schon, der Riese Labelang werde den Witzenspitzel gewiß umbringen. Der König befahl also dem Witzenspitzel, er solle das Pferd Flügelbein bringen.

Witzenspitzel erkundigte sich um alles recht genau, wie es bei dem Riesen Labelang beschaffen sei, und dann nahm er sich einen Schiebekarren und stellte sich einen Bienenkorb darauf und nahm einen Sack, da steckte er einen Gockelhahn hinein und einen Hasen und ein Lamm, und legte ihn auch auf den Karren; weiter nahm er einen Strick mit und eine große Schachtel voll Schnupftabak, hängte eine Kurierpeitsche um, machte sich ein paar tüchtige Sporen an die Stiefel und marschierte mit seinem Schiebekarren ruhig fort.

Gegen Abend war er endlich den hohen Berg hinauf, und als er durch den dicken Wald kam, sah er das große Schloß des Riesen Labelang vor sich.

Und es ward Nacht, und er hörte, wie der Riese Labelang und seine Frau Dickedull und sein Löwe Hahnebang und sein Bär Honigbart und sein Wolf Lämmerfraß und sein Hund Hasenschreck gewaltig schnarchten; nur das Pferd Flügelbein war noch munter und scharrte mit den Füßen im Stall.

Da nahm Witzenspitzel leise, leise seinen langen Strick und spannte ihn vor die Schloßtüre von einem Baum zum andern und stellte die Schachtel mit Schnupftabak dazwischen; dann nahm er den Bienenkorb und setzte ihn an einen Baum in den Weg und ging in den Stall und band das Pferd Flügelbein los und setzte sich mit dem Sack, worin er den Hahn, das Lamm und den Hasen hatte, drauf und gab ihm die Sporen und trieb es hinaus.

Das Pferd Flügelbein aber konnte sprechen und schrie ganz laut:

> Dickedull und Labelang!
> Honigbart und Hahnebang!
> Lämmerfraß und Hasenschreck!
> Witzenspitzel reitet Flügelbein weg!

und dann galoppierte es fort, was gibst du, was hast du!

Da wachte der Labelang und die Dickedull auf und hörten das Geschrei des Pferdes Flügelbein; geschwind weckten sie den Bären Honigbart und den Löwen Hahnebang, den Wolf Lämmerfraß und den Hund Hasenschreck auf, und alle stürzten zugleich aus dem Schloß heraus, um den Witzenspitzel mit dem Pferd Flügelbein zu fangen.

Aber der Riese Labelang und seine Frau Dickedull stolperten in der Dunkelheit über den Strick, den Witzenspitzel vor der Türe gespannt hatte, und perdauz – da fielen sie mit der Nase und den Augen gerade in die Schachtel voll Schnupftabak hinein, die er dahin gestellt hatte, und rieben sich die Augen und niesten einmal über das anderemal, und der Labelang sagte: »Zur Gesundheit, Dickedull!« – »Ich danke«, sagte Dickedull; dann sagte sie: »Zur Gesundheit, Labelang!« und »Ich danke«, sagte Labelang, und bis sie sich den Tabak aus den Augen geweint und aus der Nase geniest hatten, war Witzenspitzel schier aus dem Wald.

Der Bär Honigbart war zuerst hinter ihm drein, als er aber an den Bienenkorb kam, kriegte er Lust zum Honig und wollte ihn fressen; da schnurrten die Bienen heraus und zerstachen ihn so, daß er halb blind ins Schloß zurücklief. Witzenspitzel war schon weit aus dem Wald, da hörte er hinter sich den Löwen Hahnebang kommen; geschwind nahm er den Gockelhahn aus seinem Sack, und als der auf einen Baum flog und zu krähen anfing, ward es dem Löwen Hahnebang sehr angst und er lief zurück. Nun hörte Witzenspitzel den Wolf Lämmerfraß hinter sich. Da ließ er geschwind das Lamm aus seinem Sack laufen, und dem sprang der Wolf nach und ließ ihn reiten. Schon war er nahe der Stadt, da hörte er hinter sich ein Gebelle, und wie er sich umschaute, sah er den Hund Hasenschreck angelaufen kommen. Geschwind ließ er nun den Hasen aus dem Sack laufen, und da sprang der Hund dem Hasen nach, und er kam mit Flügelbein glücklich in die Stadt.

Der König dankte dem Witzenspitzel sehr für das Pferd; die falschen

Hofdiener aber ärgerten sich, daß er so mit heiler Haut wiedergekommen war. Am nächsten Montag setzte sich der König gleich auf sein Pferd Flügelbein und ritt zur Königin Flugs, und das Pferd lief so geschwind, daß er viel früher da war und schon mehrere Tänze auf seiner Hochzeit mit der Königin Flugs getanzt hatte, als die andern Könige aus der Gegend erst ankamen. Da er nun mit seiner Königin nach Hause ziehen wollte, sagten seine Diener zu ihm: »Ihro Majestät haben zwar das Pferd des Riesen Labelang; aber wie herrlich wäre es, wenn Sie auch dessen prächtige Kleider hätten, die alles übertreffen, was man bis jetzt gesehen, und der geschickte Witzenspitzel wird dieselben ganz gewiß herbeischaffen, wenn es ihm befohlen wird.«
Der König bekam gleich eine große Lust nach den schönen Kleidern des Labelang und gab dem Witzenspitzel abermal den Auftrag. Als dieser sich nun auf den Weg machte, dachten die falschen Hofdiener, er würde diesmal dem Riesen Labelang gewiß nicht entgehen.
Witzenspitzel nahm diesmal nichts mit als einige starke Säcke und kam abends wieder vor das Schloß des Labelang, wo er sich auf einen Baum setzte und lauerte, bis alles im Schlosse zu Bette sei. Als alles still geworden war, stieg er vom Baum herunter, da hörte er auf einmal die Frau Dickedull rufen: »Labelang, ich liege mit dem Kopf so niedrig; hole mir doch draußen ein Bund Stroh.« Da schlüpfte Witzenspitzel geschwind in das Bund Stroh, und Labelang trug ihn mitsamt dem Bund Stroh in seine Stube, steckte ihn unter das Kopfkissen und legte sich dann auch in das Bett.
Als sie ein wenig eingeschlafen waren, streckte Witzenspitzel die Hand aus dem Stroh und raufte den Labelang tüchtig mit den Haaren und dann die Frau Dickedull auch, worüber beide erwachten und, weil eines glaubte, das andere habe es gerauft, sich einander gewaltig im Bette zerprügelten, während welchem Streit Witzenspitzel aus dem Stroh herauskroch und sich hinter das Bett setzte.
Da sie wieder ruhig eingeschlafen waren, packte Witzenspitzel alle Kleider des Labelang und der Dickedull in seinen Sack und band diesen leise, leise dem schlafenden Löwen Hahnebang an den Schwanz; dann band er den Wolf Lämmerfraß und den Bären Honigbart und den Hund Hasenschreck, welche alle da herum schliefen, an die Bettlade des Riesen fest und machte die Türe weit, weit auf. Er hatte alles so in der Ordnung, da wollte er aber auch dem Riesen seine schöne Bettdecke noch mitnehmen und zupfte ganz sachte, sachte an dem Zipfel, bis er sie heruntergezogen, wickelte sich hinein und setzte sich auf

den Sack voll Kleider, den er dem Löwen an den Schwanz gebunden hatte. Nun wehte die kalte Nachtluft durch die offene Türe der Frau Dickedull an die Beine, sie wachte auf und rief: »Labelang! Du nimmst mir die Decke weg, ich liege ganz bloß.« Da wachte Labelang auf und rief: »Nein, ich liege ganz bloß, Dickedull, du hast mir die Bettdecke genommen.« Darüber fingen sie sich wieder an zu schlagen und zu zanken, und Witzenspitzel fing laut an zu lachen. Nun merkten sie etwas und riefen: »Dieb da! Dieb da! Auf, Hahnebang! Auf, Lämmer- fraß! Honigbart und Hasenschreck! Dieb da! Dieb da!« – Da wachten die Tiere auf, und der Löwe Hahnebang sprang fort; weil er aber den Bündel angebunden hatte, worauf der Witzenspitzel in die Bettdecke gewickelt saß, fuhr der wie in einem Wagen hinter ihm her und fing einige Male an, wie ein Hahn kikriki, kikriki zu schreien; da kriegte der Löwe eine solche Angst, daß er immer, immer zulief, bis an das Stadttor, wo Witzenspitzel ein Messer herauszog und hinten den Strick abschnitt, so daß der Löwe, der im besten Ziehen war, auf ein- mal ausfuhr und so mit dem Kopf wider das Tor rannte, daß er tot an die Erde fiel.

Die andern Tiere, welche Witzenspitzel an die Bettstelle des Riesen gebunden hatte, konnten diese nicht zum Tor hinausbringen, weil sie zu breit war, und zerrten die Bettlade so in der Stube herum, daß Labelang und Dickedull herausfielen und aus großem Zorn den Wolf und den Bären und den Hund totschlugen, welche doch gar nichts dafür konnten.

Als die Wache in der Stadt den großen Stoß, den der Löwe gegen das Stadttor getan hatte, hörte, öffnete sie das Tor, und Witzenspitzel brachte dem König die Kleider des Labelang und der Dickedull, wor- über dieser vor Freuden aus der Haut fahren wollte, denn niemals waren noch solche Kleider gesehen worden. Es war dabei ein Jagdrock, von den Pelzen aller vierfüßigen Tiere so schön zusammengenäht, daß daran die ganze Geschichte des Reineke Fuchs zu sehen war. Weiter ein Vogelstellerrock, von den Federn aller Vögel der Welt: vorn ein Adler, hinten eine Eule und in der Tasche eine Drehorgel und ein Glockenspiel, welche wie alle Vögel durcheinandersangen. Dann ein Bade- und Fischfängerkleid, aus allen Fischhäuten der Welt so zusam- mengenäht, daß man einen ganzen Walfisch- und Heringsfang darauf sah. Dann ein Gartenkleid der Frau Dickedull, worauf alle Arten von Blumen und Kräutern, Salat und Gemüs abgebildet war. Was aber alles übertraf, war die Bettdecke; sie war von lauter Fledermauspelzen zu-

sammengenäht, und alle Sterne des Himmels mit Brillanten darauf gestickt.

Die königliche Familie wurde ganz dumm von lauter Betrachten und Bewundern. Witzenspitzel wurde geküßt und gedrückt, und seine Feinde platzten bald vor Zorn, daß er wieder so glücklich dem Riesen Labelang entgangen sei.

Doch ließen sie den Mut nicht sinken und setzten dem König in den Kopf, jetzt fehle ihm nichts mehr als das Schloß des Labelang selber, dann hätte er alles, was ihm zu wünschen übrig sei, und der König, der ein rechter Kindskopf war und alles haben wollte, was ihm einfiel, sagte gleich zu Witzenspitzel, er solle ihm das Schloß des Labelang schaffen, dann wolle er ihn belohnen.

Witzenspitzel besann sich nicht lange und lief zum drittenmal nach dem Schloß des Labelang. Da er dahin kam, war der Riese nicht zu Hause, und in der Stube hörte er etwas schreien wie ein Kalb. Da guckte er durchs Fenster und sah, daß die Riesin Dickedull einen kleinen Riesen auf dem Arm hatte, der bleckte die Zähne und schrie wie ein Kalb, während sie dabei Holz hackte.

Witzenspitzel ging hinein und sagte: »Guten Tag, große, schöne, breite, dicke Frau! Wie mögt Ihr euch nur bei dem allerliebsten Kinde so viele Arbeit machen, habt Ihr denn keine Knechte oder Mägde? Wo ist denn Euer lieber Herr Gemahl?« – »Ach!« sagte die Dickedull, »mein

Mann Labelang ist ausgegangen, die Herrn Gevatter einzuladen, wir wollen einen Schmaus halten; und nun soll ich alles allein kochen und braten, denn mein Mann hat den Wolf und Bären und Hund, die uns sonst geholfen, totgeschlagen, und der Löwe ist auch fort.«
»Das ist freilich sehr beschwerlich für Euch«, sagte Witzenspitzel; »wenn ich Euch helfen kann, soll es mir lieb sein.«
Da bat ihn die Dickedull, er solle ihr nur vier Stücke Holz kleinmachen, und Witzenspitzel nahm die Axt und sagte zu der Riesin: »Haltet mir das Holz ein wenig!« – Die Riesin bückte sich und hielt das Holz: Da hob Witzenspitzel die Axt auf, und ratsch hieb er der Dickedull den Kopf ab, und ritsch dem kleinen Riesen Mollakopp auch, und da lagen sie.
Nun machte er ein großes tiefes Loch gerade vor die Türe des Schlosses und warf die Dickedull und Mollakopp hinein und deckte das Loch oben ganz dünne mit Zweigen und Blättern zu; dann steckte er in allen Stuben des Schlosses eine Menge Lichter an und nahm einen großen kupfernen Kessel, da paukte er mit Kochlöffeln darauf, und nahm einen blechernen Trichter, darauf blies er die Trompete und schrie immer dazwischen: »Vivat! Es lebe Ihro Majestät, der König Rundumherum!«
Als Labelang abends nach Hause kam und die vielen Lichter in seinem Schloß sah und das Vivatgeschrei hörte, ward er ganz rasend vor Zorn und rannte mit solcher Wut gegen die Türe, daß er, da er über das mit Zweigen bedeckte Loch laufen wollte, durchfiel und mit großem Geschrei in der Grube gefangen lag, welche Witzenspitzel dann mit Erde und Steinen über ihm zufüllte.
Hierauf nahm Witzenspitzel den Schlüssel des Riesenschlosses und brachte ihn dem König Rundumherum, der sich sogleich mit der Königin Flugs und ihrer Tochter, der Prinzessin Flink, und dem Witzenspitzel nach dem Schloß begab und alles betrachtete. Nachdem sie vierzehn Tage an allen den vielen Stuben, Kammern, Kellerlöchern, Dachluken, Ofenlöchern, Feueressen, Küchenherden, Holzställen, Speisekammern, Rauchkammern und Waschküchen und dergleichen betrachtet hatten und fertig waren, fragte der König den Witzenspitzel, was er zur Belohnung für seine treuen Dienste haben wollte. Da sagte er: Die Prinzessin Flink, und die war es auch zufrieden; da wurde Hochzeit gehalten, und Witzenspitzel und die Prinzessin Flink blieben auf dem Riesenschloß wohnen, wo sie bis auf diesen Tag zu suchen sind.   *Clemens Brentano*

Rapunzel

Es war einmal ein Mann und eine Frau, die hatten sich schon lange ein Kind gewünscht und nie eins bekommen, endlich aber ward die Frau guter Hoffnung. Diese Leute hatten in ihrem Hinterhaus ein kleines Fenster, daraus konnten sie in den Garten einer Fee sehen, der voll von Blumen und Kräutern stand, allerlei Art, keiner aber durfte es wagen, in den Garten hineinzugehen. Eines Tages stand die Frau an diesem Fenster und sah hinab, da erblickte sie wunderschöne Rapunzeln auf einem Beet und wurde so lüstern danach und wußte doch, daß sie keine davon bekommen konnte, daß sie ganz abfiel und elend wurde. Ihr Mann erschrak endlich und fragte nach der Ursache; »ach wenn ich keine von den Rapunzeln aus dem Garten hinter unserm Haus zu essen kriege, so muß ich sterben.« Der Mann, welcher sie gar lieb hatte, dachte, es mag kosten was es will, so willst du ihr doch welche schaffen, stieg eines Abends über die hohe Mauer und stach in aller Eile eine Hand voll Rapunzeln aus, die er seiner Frau brachte. Die Frau machte sich sogleich Salat daraus und aß sie in vollem Heißhunger auf. Sie hatten ihr aber so gut geschmeckt, daß sie den andern Tag noch dreimal soviel Lust bekam. Der Mann sah wohl, daß keine Ruh wäre, also stieg er noch einmal in den Garten, allein er erschrak gewaltig, als die Fee darin stand und ihn heftig schalt, daß er es wage in ihren Garten zu kommen und daraus zu stehlen. Er entschuldigte sich, so gut er konnte, mit der Schwangerschaft seiner Frau, und wie gefährlich es sei, ihr dann etwas abzuschlagen, endlich sprach die Fee: »Ich will mich zufrieden geben und dir selbst gestatten, Rapunzeln mitzunehmen, soviel du willst, wofern du mir das Kind geben wirst, womit deine Frau jetzo geht.« In der Angst sagte der Mann alles zu, und als die Frau in Wochen kam, erschien die Fee sogleich, nannte das kleine Mädchen Rapunzel und nahm es mit sich fort.

Dieses Rapunzel wurde das schönste Kind unter der Sonne, wie es aber zwölf Jahr alt war, so schloß es die Fee in einen hohen, hohen Turm, der hatte weder Tür noch Treppe, nur bloß ganz oben war ein kleines Fensterchen. Wenn nun die Fee hinein wollte, so stand sie unten und rief:

»Rapunzel, Rapunzel!
laß mir dein Haar herunter.«

Rapunzel hatte aber prächtige Haare, fein wie gesponnen Gold, und
wenn die Fee so rief, so band sie sie los, wickelte sie oben um einen
Fensterhaken, und dann fielen die Haare zwanzig Ellen tief hinunter,
und die Fee stieg daran hinauf.

Eines Tages kam nun ein junger Königssohn durch den Wald, wo der
Turm stand, sah das schöne Rapunzel oben am Fenster stehen und
hörte sie mit so süßer Stimme singen, daß er sich ganz in sie verliebte.
Da aber keine Türe im Turm war und keine Leiter so hoch reichen
konnte, so geriet er in Verzweiflung, doch ging er alle Tage in den Wald
hin, bis er einstmals die Fee kommen sah, die sprach:

»Rapunzel, Rapunzel!
laß dein Haar herunter.«

Darauf sah er wohl, auf welcher Leiter man in den Turm kommen
konnte. Er hatte sich aber die Worte wohl gemerkt, die man sprechen
mußte, und des andern Tages, als es dunkel war, ging er an den Turm
und sprach hinauf:

»Rapunzel, Rapunzel!
laß dein Haar herunter!«

Da ließ sie die Haare los, und wie sie unten waren, machte er sich
daran fest und wurde hinaufgezogen.

Rapunzel erschrak nun anfangs, bald aber gefiel ihr der junge König so
gut, daß sie mit ihm verabredete, er solle alle Tage kommen und hinaufgezogen werden. So lebten sie lustig und in Freuden eine geraume
Zeit, und die Fee kam nicht dahinter, bis eines Tages das Rapunzel

56

anfing und zu ihr sagte: »Sag sie mir doch, Frau Gothel, meine Klei-
derchen werden mir so eng und wollen nicht mehr passen.« Ach du
gottloses Kind, sprach die Fee, was muß ich von dir hören, und sie
merkte gleich, wie sie betrogen wäre, und war ganz aufgebracht. Da
nahm sie die schönen Haare Rapunzels, schlug sie ein paar Mal um
ihre linke Hand, griff eine Schere mit der rechten, und ritsch, ritsch,
waren sie abgeschnitten. Darauf verwies sie Rapunzel in eine Wüstenei, wo es ihr sehr kümmerlich erging und sie nach Verlauf einiger Zeit
Zwillinge, einen Knaben und ein Mädchen, gebar.

Denselben Tag aber, wo sie Rapunzel verstoßen hatte, machte die Fee
abends die abgeschnittenen Haare oben am Haken fest, und als der
Königssohn wieder kam:

>>Rapunzel, Rapunzel!
laß dein Haar herunter!«

so ließ sie zwar die Haare nieder, allein wie erstaunte der Prinz, als er
statt seines geliebten Rapunzels die Fee oben fand. »Weißt du was?«
sprach die erzürnte Fee, »Rapunzel ist für dich Bösewicht auf immer
verloren!«

Da wurde der Königssohn ganz verzweifelnd und stürzte sich gleich
den Turm hinab, das Leben brachte er davon, aber die beiden Augen
hatte er sich ausgefallen, traurig irrte er im Wald herum, aß nichts als
Gras und Wurzeln und tat nichts als weinen. Einige Jahre nachher
gerät er in jene Wüstenei, wo Rapunzel kümmerlich mit ihren Kindern lebte, ihre Stimme deuchte ihm so bekannt, in demselben
Augenblick erkannte sie ihn auch und fällt ihm um den Hals. Zwei
von ihren Tränen fallen in seine Augen, da werden sie wieder klar, und
er kann damit sehen, wie sonst. *Brüder Grimm*

Die weiße Schlange

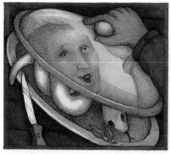

Auf des Königs Tafel ward alle Mittage eine verdeckte Schüssel gesetzt, wenn alle fortgegangen waren, aß der König noch allein daraus, und es wußte kein Mensch im ganzen Reich, was das für eine Speise war. Einer von den Dienern ward neugierig, was in der Schüssel sein könne, und wie ihm der König einmal befohlen hatte, die Schüssel fortzutragen, konnt' er sich nicht mehr zurückhalten, nahm sie mit auf seine Kammer und deckte sie auf. Und als er sie aufgedeckt hatte, da lag eine weiße Schlange darin, wie er die ansah, bekam er auch Lust davon zu essen und schnitt sich ein Stück ab und aß es. Kaum aber hatte das Schlangenfleisch seine Lippen berührt, so verstand er die Tiersprache, und hörte, was die Vögel vor dem Fenster zueinander sagten.

Denselben Tag kam der Königin einer ihrer schönsten Ringe fort, und der Verdacht fiel auf ihn, der König sagte auch, wenn er nicht bis morgen den Dieb schaffe, solle er bestraft werden, als wäre er's gewesen. Der Diener ward traurig und ging herab auf des Königs Hof. Da saßen die Enten am Wasser und ruhten sich, und als er die so betrachtete, da hörte er eine sprechen: »Es liegt mir so schwer im Magen, ich habe einen Ring gefressen, den die Königin verloren hat.« Er nahm die Ente und trug sie zum Koch: »Schlacht doch die, sie ist so fett«, und als der Koch ihr den Hals abgeschnitten, und sie ausnahm, da lag der Königin Ring ihr im Magen. Der Diener brachte ihn dem König, der erstaunte und war froh, und weil es ihm leid war, daß er ihm Unrecht getan, sagte er: »Fordre, wonach du Lust hast, und was für eine Ehrenstelle du an meinem Hof haben willst.« Der Diener aber, ob er gleich jung und schön war, schlug alles aus, war traurig in seinem Herzen und wollte nicht länger bleiben; er bat nur um ein Pferd und um Geld, um in die Welt zu ziehen: das ward ihm aufs beste gegeben. Am andern Morgen ritt er fort und kam an einen Teich, da hatten sich drei Fische im Rohr gefangen, die klagten, daß sie da sterben müßten, wenn sie nicht bald wieder ins Wasser kämen. Er stieg ab, nahm sie aus dem Rohr und trug sie ins Wasser; die Fische riefen: »Wir wollen daran gedenken und dir's vergelten.« Er ritt weiter, bald darauf hörte er, wie ein Ameisenkönig rief: »Geh mit deinem großen Tier fort, das zertritt mit seinen breiten Füßen uns alle miteinander.« Er sah zur Erde, da hatte sein Pferd in einen Ameisenhaufen getreten; er lenkte es ab, und der Ameisenkönig rief ihm nach: »Wir wollen daran gedenken und dir's vergelten.« Darauf kam er in einen Wald, da warfen die Raben ihre Jungen aus den Nestern, sie wären groß genug, sprachen sie, und könnten sich selber ernähren. Die Jungen lagen auf der Erde und schrien, sie müßten Hungers sterben, ihre Flügel wären noch zu klein, sie könnten noch nicht fliegen und sich etwas suchen. Da stieg er vom Pferd ab, nahm seinen Degen und stach es tot und warfs den jungen Raben hin, die kamen bald herbeigehüpft und fraßen sich satt und sagten: »Wir wollen daran gedenken und dir's vergelten.«

Er ging weiter und kam in eine große Stadt, da ward bekannt gemacht, wer die Prinzessin haben wolle, der solle ausführen, was sie ihm aufgeben werde, sei er hernach nicht imstande, habe er sein Leben verloren. Es waren aber schon viele Prinzen da gewesen, die waren alle dabei umgekommen, daß niemand sich mehr daran wagen wollte; da ließ es die Prinzessin von neuem bekannt machen. Der Jüngling gedachte, er woll' es wagen, und meldete sich als Freier. Da ward er hinaus ans Meer geführt, und ein Ring hinabgeworfen, den sollt er wieder holen, und wenn er aus dem Wasser heraufkäme ohne den Ring, werde er wieder hineingestürzt und müsse darin sterben. Wie er aber am Ufer stand, kamen die Fische, die er aus dem Rohr in das Wasser geworfen hatte, und der mittelste hatte eine Muschel im Munde, darin lag der Ring, die Muschel legte er zu seinen Füßen an den Strand. Da war der Jüngling froh, brachte dem König den Ring und verlangte die Prinzessin. Die Prinzessin aber, als sie hörte, daß es kein Prinz sei, wollte ihn nicht, sie schüttete zehn Säcke Hirse ins Gras: die solle er erst auflesen, daß kein Körnchen fehle, ehe die Morgensonne aufgegangen. Da kam der Ameisenkönig mit alle seinen Ameisen, die der Jüngling geschont hatte, und lasen in der Nacht allen Hirsen auf und trugen ihn in die Säcke, und vor Sonnenaufgang waren sie fertig. Wie die Prinzessin das sah, erstaunte sie, und der Jüngling ward vor sie gebracht, und weil er schön war, gefiel er ihr, aber sie verlangte noch zum dritten, er solle ihr einen Apfel vom Baum des Lebens schaffen. Als er stand und darüber nachdachte, wie er dazu gelangen könne, da kam einer von den Raben, die er mit seinem Pferd gefüttert, und brachte den Apfel in dem Schnabel. Da ward er der Gemahl der Prinzessin und, als ihr Vater starb, König über das ganze Land.

Brüder Grimm

Allerleirauh

Es war einmal ein König, der hatte eine
Frau, die war die schönste auf der Welt
und hatte Haare von purem Gold; sie
hatten auch eine Tochter miteinander,
die war so schön wie ihre Mutter, und
ihre Haare waren ebenso golden. Einmal
ward die Königin krank, und als sie fühlte, daß sie sterben müsse, rief
sie den König und bat ihn, er möge nach ihrem Tod doch niemand
heiraten, der nicht ebenso schön wäre wie sie und ebenso goldne Haare hätte; und nachdem ihr der König das versprochen hatte, starb sie.
Der König war lange Zeit so betrübt, daß er gar an keine zweite Frau
dachte, endlich aber ermahnten ihn seine Räte, sich wieder zu ver-
mählen: da wurden Botschafter abgeschickt an alle Prinzessinnen,
aber keine war so schön wie die verstorbene Königin, so goldenes Haar
war auch gar nicht mehr zu finden auf der Welt. Da warf der König
einmal die Augen auf seine Tochter, und wie er so sah, daß sie ganz
ihrer Mutter glich und auch ein so goldenes Haar hatte, so dachte er,
du kannst doch auf der Welt niemand so schön finden, du mußt deine
Tochter heiraten, und fühlte in dem Augenblick eine so große Liebe zu
ihr, daß er gleich den Räten und der Prinzessin seinen Willen kund tat.
Die Räte wollten es ihm ausreden, aber das war umsonst. Die Prinzessin erschrak von Herzen über dies gottlose Vorhaben, weil sie aber
klug war, sagte sie dem König, er solle ihr erst drei Kleider schaffen,
eins so golden wie die Sonne, eins so weiß wie der Mond und eins so
glänzend wie die Sterne, dann aber einen Mantel von tausenderlei Pelz
zusammengesetzt, und alle Tiere im Reich müßten ein Stück von
ihrer Haut dazu geben. Der König war so heftig in seiner Begierde, daß
er im ganzen Reich daran arbeiten ließ, seine Jäger alle Tiere auffangen
und ihnen die Haut abziehen mußten, daraus ward der Mantel gemacht, und es dauerte nicht lang, so brachte er der Prinzessin, was sie
verlangt hatte. Die Prinzessin sagte nun, sie wolle sich morgen mit
ihm trauen lassen, in der Nacht aber suchte sie die Geschenke, die sie
von ihrem Bräutigam hatte, zusammen, das war ein goldener Ring, ein
golden Spinnrädchen und ein goldenes Häspelchen, die drei Kleider
aber tat sie in eine Nuß, dann machte sie sich Gesicht und Hände mit
Ruß schwarz, zog den Mantel von allerlei Pelz an und ging fort. Sie

ging die ganze Nacht, bis sie in einen großen Wald kam, da war sie sicher, und weil sie so müd war, setzte sie sich in einen hohlen Baum und schlief ein. – Sie schlief noch am hohen Tag, da jagte gerade der König, ihr Bräutigam, in dem Wald, seine Hunde aber liefen um den Baum und schnupperten daran. Der König schickte seine Jäger hin, die sollten sehen, was für ein Tier in dem Baum steckte, die kamen wieder und sagten, es liege ein so wunderliches Tier darin, wie sie ihr Lebtag noch keins gesehen, Rauhwerk allerlei Art sei an seiner Haut, es liege aber und schlafe. Da befahl der König, sie sollten es fangen und hinten auf den Wagen binden. Das taten die Jäger, und wie sie es hervorzogen, sahen sie, daß es ein Mädchen war, da banden sie es hinten auf und fuhren mit ihm heim. »Allerlei-Rauh«, sagten sie, »du bist gut für die Küche, du kannst Holz und Wasser tragen und die Asche zusammenkehren«, dann gaben sie ihm ein kleines Ställchen unter der Treppe, wohin kein Tageslicht kam: »Da kannst du wohnen und schlafen.« Nun mußte es in die Küche, da half es dem Koch, rupfte die Hühner, schürte das Feuer, belas das Gemüs und tat alle schlechte Arbeit. Weil es alles so ordentlich machte, war ihm der Koch gut und rief manchmal Allerleirauh abends und gab ihm etwas von den Überbleibseln zu essen. Ehe der König aber zu Bett ging, mußte es hinauf und ihm die Stiefel ausziehen, und wenn es einen ausgezogen hatte, warf er ihn allemal ihm an den Kopf.

So lebte Allerleirauh lange Zeit recht armselig: Ach, du schöne Jungfrau, wie soll's mit dir noch werden? Da war ein Ball in dem Schloß, Allerleirauh dachte, nun könnt' ich einmal wieder meinen lieben Bräutigam recht sehen, ging zum Koch und bat ihn, er möge ihr doch erlauben, nur ein wenig hinaufzugehen, um vor der Türe die Pracht mit anzusehen. »Geh hin«, sagte der Koch, »aber länger als eine halbe Stunde darfst du nicht ausbleiben, du mußt noch die Asche heut abend zusammenkehren.« Da nahm Allerleirauh sein Öllämpchen und ging in sein Ställchen und wusch sich den Ruß ab, da kam seine Schönheit hervor, recht wie die Blumen im Frühjahr; dann tat es den Pelzmantel ab, machte die Nuß auf und holte das Kleid heraus, das wie die Sonne glänzte. Und wie es damit geputzt war, ging es hinauf, und jedermann machte ihm Platz und meinte nicht anders, als eine vornehme Prinzessin käme in den Saal gegangen. Der König reichte ihr gleich seine Hand zum Tanz, und wie er mit ihr tanzte, dachte er, wie gleicht diese unbekannte schöne Prinzessin meiner lieben Braut, und je länger er sie ansah, desto mehr glich sie ihr, daß er es fast gewiß

glaubte, und wenn der Tanz zu Ende wär, wollte er sie fragen. Wie sie aber ausgetanzt hatte, verneigte sie sich und war verschwunden, ehe sich der König besinnen konnte. Da ließ er die Wächter fragen, aber keiner hatte die Prinzessin aus dem Hause gehen sehen. Sie war geschwind in ihr Ställchen gelaufen, hatte ihr Kleid ausgezogen, Gesicht und Hände schwarz gemacht und wieder den Pelzmantel umgetan. Dann ging sie in die Küche und wollte die Asche zusammenkehren, der Koch aber sagte: »Laß das sein bis morgen, ich will auch ein wenig hinaufgehen und den Tanz mit ansehen, koch derweil dem König seine Suppe, aber laß keine Haare hineinfallen, sonst kriegst du nichts mehr zu essen.« Allerleirauh kochte dem König da eine Brotsuppe, und zuletzt legte es den goldenen Ring hinein, den der König ihr geschenkt hatte. Wie nun der Ball zu Ende war, ließ sich der König seine Brotsuppe bringen, die schmeckte ihm so gut, daß er meinte, er hätte noch nie eine so gute gegessen, wie er aber fertig war, fand er den Ring auf dem Grund liegen, und wie er ihn genau ansah, da war es sein Treuring. Da verwunderte er sich, konnte nicht begreifen, wie der Ring dahin kam und ließ den Koch rufen; der Koch ward bös über Allerleirauh: »Du hast gewiß ein Haar hineinfallen lassen, wenn das wahr ist, so kriegst du Schläge.« Wie aber der Koch hinauf kam, fragte der König, wer die Suppe gekocht habe, die wär besser als sonst gewesen, da mußte er gestehen, daß es Allerleirauh getan, und da hieß ihn der König Allerleirauh heraufschicken. Wie es kam, sagte der König: »Wer bist du und was machst du in meinem Schloß, woher hast du den Ring, der in der Suppe lag?« Es antwortete aber: »Ich bin nichts als ein armes Kind, dem Vater und Mutter gestorben sind, habe nichts und bin zu gar nichts gut, als daß die Stiefel mir um den Kopf geworfen werden, und von dem Ring weiß ich auch nichts«, damit lief es fort.
Darnach war wieder ein Ball; da bat Allerleirauh den Koch wieder, er solle es hinaufgehen lassen. Der Koch erlaubte es auch nur auf eine halbe Stunde, dann solle es da sein und dem König die Brotsuppe kochen. Allerleirauh ging in sein Ställchen, wusch sich rein und nahm das Mondkleid heraus, noch reiner und glänzender als der gefallene Schnee, und wie es hinauf kam, ging eben der Tanz an, da reichte ihm der König die Hand und tanzte mit ihm und zweifelte nicht mehr, daß das seine Braut sei, denn niemand auf der Welt hatte außer ihr noch so goldene Haare; wie aber der Tanz zu Ende war, war auch die Prinzessin schon wieder draußen und alle Mühe umsonst, der König konnte sie nicht finden und hatte auch kein einzig Wort mit ihr sprechen kön-

nen. Sie war aber wieder Allerleirauh, schwarz im Gesicht und an den Händen, stand in der Küche und kochte dem König die Brotsuppe, und der Koch war hinaufgegangen und guckte zu. Und als die Suppe fertig war, tat sie das goldne Spinnrad hinein. Der König aß die Suppe, und sie deuchte ihm noch besser, und als er zuletzt das goldene Spinnrad fand, erstaunte er noch mehr, denn das hatte er einmal seiner Braut geschenkt. Der Koch ward gerufen und dann Allerleirauh, aber die gab wieder zur Antwort, sie wisse nichts davon und sei nur dazu da, daß ihr die Stiefel um den Kopf geworfen würden.

Der König stellte zum drittenmal einen Ball an, und hoffte, seine Braut sollte wieder kommen, und da wollte er sie gewiß festhalten. Allerleirauh bat auch wieder den Koch, ob sie nicht dürfe hinaufgehen, der schalt aber und sagte: »Du bist eine Hexe, du tust immer etwas in die Suppe und kannst sie besser kochen als ich«; doch weil es so bat und versprach, ordentlich zu sein, so ließ er es wieder auf eine halbe Stunde hingehen. Da zog es sein Sternenkleid an, das funkelte wie die Sterne in der Nacht, ging hinauf und tanzte mit dem König; der meinte, so schön hätte er es noch niemals gesehen. Bei dem Tanz aber steckte er ihm einen Ring an den Finger und hatte befohlen, daß der Tanz recht lang währen sollte. Doch aber konnte er es nicht festhalten, auch kein Wort mit ihm sprechen, denn als der Tanz aus war, sprang es so geschwind unter die Leute, daß es verschwunden war, eh er sich umdrehte. Es lief in sein Ställchen, und weil's länger als eine halbe Stunde weggewesen war, zog es sich geschwind aus und machte sich in der Eile nicht ganz schwarz, sondern ein Finger blieb weiß, und wie

 es in die Küche kam, war der Koch schon fort, da kochte es geschwind die Brotsuppe und legte den goldenen Haspel hinein. Der König fand ihn, wie den Ring und das goldne Spinnrad, und nun wußt' er gewiß, daß seine Braut in der Nähe war, denn niemand anders konnte die Geschenke sonst haben. Allerleirauh ward gerufen, wollte sich wieder durchhelfen und fortspringen, aber indem es fortsprang, erblickte der König einen weißen Finger an seiner Hand und hielt es fest daran; da fand er den Ring, den er ihm angesteckt, und riß den Rauchmantel ab, da kamen die goldenen Haare herausgeflossen, und es war seine allerliebste Braut, und der Koch ward reichlich belohnt, und dann hielt er Hochzeit, und sie lebten vergnügt bis an ihren Tod.

Brüder Grimm

Das singende, springende Löweneckerchen

Es war einmal ein Mann, der hatte eine große Reise vor, und beim Abschied fragte er seine drei Töchter, was er ihnen mitbringen sollte. Da wollte die älteste Perlen, die zweite Diamanten, die dritte aber sprach: »Lieber Vater, ich wünsche mir ein singendes, springendes Löweneckerchen (Lerche).« Der Vater sagte: »Ja, wenn ich es kriegen kann, sollst du es haben«, küßte alle drei und zog fort. Als nun die Zeit kam, daß er wieder auf dem Heimweg war, hatte er Perlen und Diamanten für die zwei ältesten, aber das singende, springende Löweneckerchen für die jüngste hatte er umsonst aller Orten gesucht, und das tat ihm leid, denn sie war sein liebstes Kind. Da führte ihn sein Weg durch einen Wald, und mitten darin war ein prächtiges Schloß und nah am Schloß stand ein Baum, ganz oben auf der Spitze des Baums aber sah er ein Löweneckerchen singen und springen. »Ei, du kommst mir noch recht!« sagte er und war froh und rief seinem Diener, er sollte hinaufsteigen und das Tierchen fangen. Wie der aber an den Baum herantrat, sprang ein Löwe darunter auf, schüttelte sich und brüllte, daß das Laub an den Bäumen zitterte: »Wer mir mein singendes, springendes Löweneckerchen stehlen will, den fress' ich auf!« Da sagte der Mann: »Das hab' ich nicht gewußt, daß der Vogel dir gehört; kann ich mich nicht von dir loskaufen?« – »Nein!« sprach der Löwe, »da ist nichts, was dich retten kann, als wenn du mir zu eigen versprichst, was dir daheim zuerst begegnet, tust du aber das, so will ich dir das Leben schenken und den Vogel für deine Tochter obendrein.« Der Mann aber wollte nicht und sprach: »Das könnte meine jüngste Tochter sein, die hat mich am liebsten und läuft mir immer entgegen, wenn ich nach Haus komme.« Dem Diener aber war angst und er sagte: »Es könnte ja auch eine Katze oder ein Hund sein!« Da ließ sich der Mann überreden, nahm mit traurigem Herzen das singende, springende Löweneckerchen und versprach dem Löwen zu eigen, was ihm daheim zuerst begegnen würde.

Wie er nun zu Haus einritt, war das erste, was ihm begegnete, niemand anders als seine jüngste, liebste Tochter; die kam gelaufen und küßte und herzte ihn, und als sie sah, daß er ein singendes, springendes

Löweneckerchen mitgebracht hatte, freute sie sich noch mehr. Der Vater aber konnte sich nicht freuen, sondern fing an zu weinen und sagte: »O weh! Mein liebstes Kind, den kleinen Vogel hab' ich teuer gekauft, dafür hab' ich dich einem wilden Löwen versprechen müssen, wenn er dich hat, wird er dich zerreißen und fressen«, und erzählte ihr da alles, wie es zugegangen war, und bat sie, nicht hinzugehen, es möcht' auch kommen was wollte. Sie aber tröstete ihn und sprach: »Liebster Vater, weil ihr's versprochen habt, muß es auch gehalten werden und will ich hingehen und den Löwen schon besänftigen, daß ich wieder gesund zu euch heimkommen kann.« Am andern Morgen ließ sie sich den Weg zeigen, nahm Abschied und ging getrost in den Wald hinein. Der Löwe aber war ein verzauberter Prinz und bei Tag ein Löwe, und mit ihm wurden alle seine Leute zu Löwen, in der Nacht aber hatten sie ihre natürliche Gestalt wieder. Als sie nun ankam, tat er gar freundlich und ward Hochzeit gehalten, und in der Nacht war er ein schöner Prinz, und da wachten sie in der Nacht und schliefen am Tag und lebten eine lange Zeit vergnügt miteinander. Einmal kam der

Prinz und sagte: »Morgen ist ein Fest in deines Vaters Haus, weil deine älteste Schwester sich verheiratet, und wenn du Lust hast hinzugehen, sollen dich meine Löwen hinführen.« Da sagte sie ja, sie möchte gern ihren Vater wiedersehen, und fuhr hin und wurde von den Löwen begleitet; da war große Freude, als sie ankam, denn sie hatten alle geglaubt, sie wäre schon lange tot und von dem Löwen zerrissen worden. Sie erzählte aber, wie gut es ihr ging und blieb bei ihnen, so lang die Hochzeit dauerte, dann fuhr sie wieder zurück in den Wald. Wie die zweite Tochter heiratete und sie wieder zur Hochzeit eingeladen war, sprach sie zum Löwen: »Diesmal will ich nicht allein sein, du mußt mitgehen.« Der Löwe aber wollte nicht und sagte, das wäre zu gefährlich für ihn, denn wenn ein Strahl eines brennenden Lichts ihn anrühre, so würd' er in eine Taube verwandelt und müßte sieben Jahre lang mit den Tauben fliegen. Sie ließ ihm aber keine Ruh und sagte, sie wollt' ihn schon hüten und bewahren vor allem Licht. Also zogen sie zusammen und nahmen auch ihr kleines Kind mit. Sie aber ließ dort einen Saal mauern, so stark und dick, daß kein Strahl durchdrang, darin sollt' er sitzen, wenn die Hochzeitslichter angesteckt würden. Die Tür aber war von frischem Holz gemacht, das sprang und bekam einen kleinen Ritz, den kein Mensch bemerkte. Nun ward die Hochzeit mit Pracht gefeiert, wie aber der Zug aus der Kirche zurückkam mit den vielen Fackeln und Lichtern an dem Saal des Prinzen vorbei, da fiel ein dünner, dünner Strahl auf ihn, und wie dieser ihn berührt hatte, in dem Augenblick war er auch verwandelt, und als die Prinzessin hineinkam und ihn suchte, saß bloß eine weiße Taube da, die sprach zu ihr: »Sieben Jahr muß ich nun in die Welt fortfliegen, alle sieben Schritte aber will ich einen roten Blutstropfen und eine weiße Feder fallen lassen, die sollen dir den Weg zeigen, und wenn du mir da nachfolgst, kannst du mich erlösen.« Da flog die Taube zur Tür hinaus, und sie folgte ihr nach, und alle sieben Schritte fiel ein rotes Blutströpfchen und ein weißes Federchen herab und zeigte ihr den Weg. So ging sie immerzu in die weite Welt hinein und schaute nicht um sich und ruhte sich nicht, und waren fast die sieben Jahre herum; da freute sie sich und meinte, sie wären bald erlöst und war noch so weit davon. Einmal, als sie so fort ging, fiel kein Federchen mehr und auch kein rotes Blutströpfchen, und als sie die Augen aufschlug, da war die Taube verschwunden. Und weil sie dachte, Menschen können dir da nichts helfen, so stieg sie zur Sonne hinauf und sagte zu ihr: »Du scheinst in alle Ritzen und über alle Spitzen; hast du keine weiße Taube fliegen sehen?« – »Nein«, sagte die Sonne, »ich habe keine gesehen, aber da schenk ich dir ein Schächtelchen, das mach auf, wenn du in großer Not bist.« Da dankte sie der Sonne und ging weiter, bis es Abend war und der Mond schien, da fragte sie ihn: »Du scheinst ja die ganze Nacht, durch alle Felder und Wälder: hast du keine weiße Taube fliegen sehen?« – »Nein«, sagte der Mond, »ich habe keine gesehen, aber da schenk ich dir ein Ei, das zerbrich, wenn du in großer Not bist.« – Da dankte sie dem Mond und ging weiter, bis der Nachtwind wehte, da sprach sie zu ihm: »Du wehst ja durch alle Bäume und unter alle Blätterchen weg, hast du keine weiße Taube fliegen sehen?« – »Nein«, sagte der Nachtwind, »ich habe keine gesehen, aber ich will die drei andern Winde fragen, die haben sie vielleicht gesehen.« Der Ostwind und der Westwind kamen und sagten, sie hätten nichts gesehen, der Südwind aber sprach: »Die weiße Taube hab' ich gesehen, sie ist zum Roten Meer geflogen, da ist sie wieder ein Löwe geworden, denn die sieben Jahre sind herum, und der Löwe steht dort im Kampf mit einem Lindwurm, der Lindwurm ist aber eine verzauberte Prinzessin.« Da sagte der Nachtwind zu ihr: »Ich will dir Rat geben, geh zum Roten Meer, am rechten Ufer, da stehen große Ruten, die zähl, und die elfte schneid dir ab und schlag den Lindwurm damit, dann kann ihn der Löwe bezwingen und beide bekommen auch ihren menschlichen Leib wieder; dann schau dich um und du siehst den Vogel Greif am Roten Meer sitzen, schwing dich auf seinen Rücken mit dem Prinzen, der Vogel wird euch übers Meer nach Haus tragen; da hast du auch eine Nuß, wenn du mitten über dem Meer bist, laß sie herabfallen, alsbald wird ein großer Nußbaum aus dem Wasser hervorwachsen, auf dem sich der Greif ruht, und könnte er nicht ruhen, wär' er nicht stark genug, euch hinüber zu tragen, und wenn du es vergißt, wirft er euch ins Meer hinunter.«

Da ging sie hin und fand alles wie der Nachtwind gesagt hatte und schnitt die elfte Rute ab, damit schlug sie den Lindwurm, alsbald bezwang ihn der Löwe, und da hatten beide ihren menschlichen Leib wieder. Und wie sich die Prinzessin, die vorher ein Lindwurm gewesen war, frei sah, nahm sie den Prinzen in den Arm, setzte sich auf den Vogel Greif und führte ihn mit sich fort. Also stand die arme Weitgewanderte und war wieder verlassen, sie sprach aber: »Ich will noch so weit gehen als der Wind weht und so lang als der Hahn kräht, bis ich ihn finde.« Und ging fort, lange, lange Wege, bis sie endlich zu dem Schloß kam, wo beide zusammen lebten, da hörte sie, daß bald ein Fest

wäre, wo sie Hochzeit miteinander machen wollten. Sie sprach aber, Gott hilft mir doch noch, und nahm das Schächtelchen, das ihr die Sonne gegeben hatte, da lag ein Kleid darin, so glänzend wie die Sonne

selber. Da nahm sie es heraus und zog es an und ging hinauf in das Schloß, und alle Leute sahen sie an und die Braut selber; und das Kleid gefiel ihr so gut, daß sie dachte, es könnte ihr Hochzeitkleid geben und fragte, ob es nicht feil wäre? »Nicht für Geld und Gut«, sagte sie, »aber für Fleisch und Blut.« Die Braut fragte, was sie damit meine, da sagte sie: »Laßt mich eine Nacht in der Kammer schlafen, wo der Prinz schläft.« Die Braut wollte nicht und wollte doch gern das Kleid haben, endlich willigte sie ein, aber der Kammerdiener mußte dem Prinzen einen Schlaftrunk geben. Als es nun Nacht war und der Prinz schon schlief, ward sie in die Kammer geführt, da setzte sie sich ans Bett und sagte: »Ich bin dir nachgefolgt sieben Jahre, bin bei Sonne, Mond und den Winden gewesen und hab' nach dir gefragt, und hab' dir geholfen gegen den Lindwurm, willst du mich denn ganz vergessen?« Der Prinz aber schlief so hart, daß es ihm nur vorkam, als rausche der Wind draußen in den Tannenbäumen. Wie nun der Morgen anbrach, da ward sie wieder hinausgeführt und mußte das goldene Kleid hingeben; und als auch das nichts geholfen hatte,

ward sie traurig, ging hinaus auf eine Wiese, setzte sich da hin und weinte. Und wie sie so saß, da fiel ihr das Ei noch ein, das ihr der Mond gegeben hatte, und sie schlug es auf: Ei! Da kam eine Glucke heraus mit zwölf Küchlein ganz von Gold, die liefen herum und piepten und krochen der Alten wieder unter die Flügel, so daß nichts Schöneres auf der Welt zu sehen war. Da stand sie auf, trieb sie auf der Wiese vor sich her, solange, bis die Braut aus dem Fenster sah, und da gefiel ihr das kleine Wesen so gut, daß sie gleich herabkam und fragte, ob sie nicht feil wären? »Nicht für Geld und Gut, aber für Fleisch und Blut; laßt mich noch eine Nacht in der Kammer schlafen, wo der Prinz schläft.« Die Braut sagte ja und wollte sie betrügen wie am vorigen Abend, als aber der Prinz zu Bett ging, fragte er seinen Kammerdiener, was das Murmeln und Rauschen in der Nacht gewesen sei. Da erzählte der Kammerdiener alles, daß er ihm einen Schlaftrunk hätte geben müssen, weil ein armes Mädchen heimlich in der

Kammer geschlafen hätte, und heute nacht solle er ihm wieder einen geben. Sagte der Prinz: »Gieße den Trank neben das Bett aus«, und zur Nacht wurde sie wieder hereingeführt, und als sie anfing, wieder zu erzählen, wie es ihr traurig ergangen wär', da erkannt' er gleich an der Stimme seine liebe Gemahlin, sprang auf und sprach: »So bin ich erst recht erlöst, mir ist gewesen wie in einem Traum, denn die Prinzessin hat mich bezaubert, daß ich dich vergessen mußte, aber Gott hat mir noch zu rechter Stunde geholfen.« Da gingen sie beide in der Nacht heimlich aus dem Schloß, denn sie fürchteten sich vor dem Vater der Prinzessin, der ein Zauberer war, und setzten sich auf den Vogel Greif, der trug sie über das Rote Meer, und als sie in der Mitte waren, ließ sie die Nuß fallen. Alsbald wuchs ein großer Nußbaum, darauf ruhte sich der Vogel, und dann führte er sie nach Haus, wo sie ihr Kind fanden, das war groß und schön geworden, und sie lebten von nun an vergnügt bis an ihr Ende.   *Brüder Grimm*

Der Froschkönig oder der eiserne Heinrich

In den alten Zeiten, wo das Wünschen noch geholfen hat, lebte ein König, dessen Töchter waren alle schön, aber die jüngste war so schön, daß die Sonne selber, die doch so vieles gesehen hat, sich verwunderte, so oft sie ihr ins Gesicht schien. Nahe bei dem Schlosse des Königs lag ein großer dunkler Wald, und in dem Walde unter einer alten Linde war ein Brunnen: Wenn nun der Tag sehr heiß war, so ging das Königskind hinaus in den Wald und setzte sich an den Rand des kühlen Brunnens; und wenn sie Langeweile hatte, so nahm sie eine goldene Kugel, warf sie in die Höhe und fing sie wieder; und das war ihr liebstes Spielwerk.

Nun trug es sich einmal zu, daß die goldene Kugel der Königstochter nicht in ihr Händchen fiel, das sie in die Höhe gehalten hatte, sondern vorbei auf die Erde schlug und geradezu ins Wasser hineinrollte. Die Königstochter folgte ihr mit den Augen nach, aber die Kugel verschwand, und der Brunnen war tief, so tief, daß man keinen Grund sah. Da fing sie an zu weinen und weinte immer lauter und konnte sich gar nicht trösten. Und wie sie so klagte, rief ihr jemand zu: »Was hast du vor, Königstochter, du schreist ja, daß sich ein Stein erbarmen möchte.« Sie sah sich um, woher die Stimme käme, da erblickte sie einen Frosch, der seinen dicken häßlichen Kopf aus dem Wasser streckte. »Ach, du bist's, alter Wasserpatscher«, sagte sie, »ich weine über meine goldene Kugel, die mir in den Brunnen hinabgefallen ist.« – »Sei still und weine nicht«, antwortete der Frosch, »ich kann wohl Rat schaffen, aber was gibst du mir, wenn ich dein Spielwerk wieder heraufhole?« – »Was du haben willst, lieber Frosch«, sagte sie, »meine Kleider, meine Perlen und Edelsteine, auch noch die goldene Krone, die ich trage.« Der Frosch antwortete: »Deine Kleider, deine Perlen und Edelsteine und deine goldene Krone, die mag ich nicht; aber wenn du mich liebhaben willst, und ich soll dein Geselle und Spielkamerad sein, an deinem Tischlein neben dir sitzen, von deinem goldenen Tellerlein essen, aus deinem Becherlein trinken, in deinem Bettlein schlafen: wenn du mir das versprichst, so will ich hinuntersteigen und dir die goldene Krone wieder heraufholen.« – »Ach ja«, sagte sie, »ich verspreche dir alles, was du willst, wenn du mir nur die Kugel wie-

derbringst.« Sie dachte aber: »Was der einfältige Frosch schwätzt, der sitzt im Wasser bei seinesgleichen und quakt und kann keines Menschen Geselle sein.«

Der Frosch, als er die Zusage erhalten hatte, tauchte seinen Kopf unter, sank hinab, und über ein Weilchen kam er wieder heraufgerudert; hatte die Kugel im Maul und warf sie ins Gras. Die Königstochter war voll Freude, als sie ihr schönes Spielwerk wieder erblickte, hob es auf und sprang damit fort. »Warte, warte«, rief der Frosch, »nimm mich mit, ich kann nicht so laufen wie du.« Aber was half ihm, daß er ihr sein Quackquack so laut nachschrie als er konnte! Sie hörte nicht darauf, eilte nach Haus und hatte bald den armen Frosch vergessen, der wieder in seinen Brunnen hinabsteigen mußte.

Am andern Tage, als sie mit dem König und allen Hofleuten sich zur Tafel gesetzt hatte und von ihrem goldenen Tellerlein aß, da kam, plitsch platsch, plitsch platsch, etwas die Marmortreppe heraufgekrochen, und als es oben angelangt war, klopfte es an der Tür und rief: »Königstochter, jüngste, mach mir auf.« Sie lief und wollte sehen, wer draußen wäre, als sie aber aufmachte, so saß der Frosch davor. Da warf sie die Tür hastig zu, setzte sich wieder an den Tisch und war ihr ganz angst. Der König sah wohl, daß ihr das Herz gewaltig klopfte und sprach: »Mein Kind, was fürchtest du dich, steht etwa ein Riese vor der Tür und will dich holen?« – »Ach nein«, antwortete sie, »es ist kein Riese, sondern ein garstiger Frosch.« – »Was will der Frosch von dir?« – »Ach lieber Vater, als ich gestern im Wald bei dem Brunnen saß und spielte, da fiel meine goldene Kugel ins Wasser. Und weil ich so weinte, hat sie der Frosch wieder heraufgeholt, und weil er es durchaus verlangte, so versprach ich ihm, er sollte mein Geselle werden, ich dachte aber nimmermehr, daß er aus seinem Wasser heraus könnte. Nun ist er draußen und will zu mir herein.« Indem klopfte es zum zweitenmal und rief:

> »Königstochter, jüngste
> mach mir auf,
> weißt du nicht, was gestern
> du zu mir gesagt
> bei dem kühlen Brunnenwasser?
> Königstochter, jüngste,
> mach mir auf.«

Da sagte der König: »Was du versprochen hast, das mußt du auch halten; geh nur und mach ihm auf.« Sie ging und öffnete die Tür, da hüpfte der Frosch herein, ihr immer auf dem Fuße nach, bis zu ihrem Stuhl. Da saß er und rief: »Heb mich herauf zu dir.« Sie zauderte, bis es endlich der König befahl. Als der Frosch erst auf dem Stuhl war, wollte er auf den Tisch, und als er da saß, sprach er: »Nun schieb mir dein goldenes Tellerlein näher, damit wir zusammen essen.« Das tat sie zwar, aber man sah wohl, daß sie's nicht gerne tat. Der Frosch ließ sich's gut schmecken, aber ihr blieb fast jedes Bißlein im Halse. Endlich sprach er: »Ich habe mich satt gegessen und bin müde, nun trag mich in dein Kämmerlein und mach dein seiden Bettlein zurecht, da wollen wir uns schlafen legen.« Die Königstochter fing an zu weinen und fürchtete sich vor dem kalten Frosch, den sie nicht anzurühren getraute und der nun in ihrem schönen reinen Bettlein schlafen sollte. Der König aber ward zornig und sprach: »Wer dir geholfen hat, als du in der Not warst, den sollst du hernach nicht verachten.« Da packte sie ihn mit zwei Fingern, trug ihn hinauf und setzte ihn in eine Ecke. Als sie aber im Bette lag, kam er gekrochen und sprach: »Ich bin müde, ich will schlafen so gut wie du: Heb mich herauf, oder ich sag's deinem Vater.« Da ward sie erst bitterböse, holte ihn herauf und warf ihn aus allen Kräften wider die Wand, »nun wirst du Ruhe haben, du garstiger Frosch.«

Als er aber herabfiel, war er kein Frosch, sondern ein Königssohn mit schönen freundlichen Augen. Der war nun nach ihres Vaters Willen

ihr lieber Geselle und Gemahl. Da erzählte er ihr, er wäre von einer bösen Hexe verwünscht worden, und niemand hätte ihn aus dem Brunnen erlösen können als sie allein, und morgen wollten sie zusammen in sein Reich gehen. Dann schliefen sie ein, und am andern Morgen, als die Sonne sie aufweckte, kam ein Wagen herangefahren, mit acht weißen Pferden bespannt, die hatten weiße Straußfedern auf dem Kopf und gingen in goldenen Ketten, und hinten stand der Diener des jungen Königs, das war der treue Heinrich. Der treue Heinrich hatte sich so betrübt, als sein Herr war in einen Frosch verwandelt worden, daß er drei eiserne Bande hatte um sein Herz legen lassen, damit es ihm nicht vor Weh und Traurigkeit zerspränge. Der Wagen aber sollte den jungen König in sein Reich abholen; der treue Heinrich hob beide hinein, stellte sich wieder hinten auf und war voller Freude über die Erlösung. Und als sie ein Stück Wegs gefahren

waren, hörte der Königssohn, daß es hinter ihm krachte, als wäre etwas zerbrochen. Da drehte er sich um und rief:

>>Heinrich, der Wagen bricht.<<
>>Nein, Herr, der Wagen nicht,
  es ist ein Band von meinem Herzen,
  das da lag in großen Schmerzen,
  als ihr in dem Brunnen saßt,
  als ihr eine Fretsche wast.<<

Noch einmal und noch einmal krachte es auf dem Weg, und der Königssohn meinte immer, der Wagen bräche, und es waren doch nur die Bande, die vom Herzen des treuen Heinrich absprangen, weil sein Herr erlöst und glücklich war. *Brüder Grimm*

Märchen von einem, der auszog, das Fürchten zu lernen

Ein Vater hatte zwei Söhne, davon war der älteste klug und gescheit und wußte sich in alles wohl zu schicken, der jüngste aber war dumm, konnte nichts begreifen und lernen; und wenn ihn die Leute sahen, sprachen sie: >>Mit dem wird der Vater noch seine Last haben!<< Wenn nun etwas zu tun war, so mußte es der Älteste allzeit ausrichten; hieß ihn aber der Vater noch spät oder gar in der Nacht etwas holen, und der Weg ging dabei über den Kirchhof oder sonst einen schaurigen Ort, so antwortete er wohl: >>Ach nein, Vater, ich gehe nicht dahin, es gruselt mir!<< Denn er fürchtete sich. Oder, wenn abends beim Feuer Geschichten erzählt wurden, wobei einem die Haut schaudert, so sprachen die Zuhörer manchmal: >>Ach, es gruselt mir!<< Der Jüngste saß in einer Ecke und hörte das mit an und konnte nicht begreifen, was es heißen sollte. >>Immer sagen sie: Es gruselt mir! Es gruselt mir! Mir gruselt's nicht: das wird wohl eine Kunst sein, von der ich auch nichts verstehe.<<
Nun geschah es, daß der Vater einmal zu ihm sprach: >>Hör du, in der Ecke dort, du wirst groß und stark, du mußt auch etwas lernen womit

du dein Brot verdienst. Siehst du, wie dein Bruder sich Mühe gibt, aber an dir ist Hopfen und Malz verloren.« – »Ei, Vater«, antwortete er, »ich will gerne was lernen; ja, wenn's anginge, so möchte ich lernen, daß mir's gruselte; davon verstehe ich noch gar nichts.« Der Älteste lachte, als er das hörte, und dachte bei sich: »Du lieber Gott, was ist mein Bruder ein Dummbart, aus dem wird sein Lebtag nichts: was ein Häkchen werden will, muß sich beizeiten krümmen.« Der Vater seufzte und antwortete ihm: »Das Gruseln, das sollst du schon lernen, aber dein Brot wirst du damit nicht verdienen.«

Bald danach kam der Küster zum Besuch ins Haus, da klagte ihm der Vater seine Not und erzählte, wie sein jüngster Sohn in allen Dingen so schlecht beschlagen wäre, er wüßte nichts und lernte nichts. »Denkt euch, als ich ihn fragte, womit er sein Brot verdienen wollte, hat er gar verlangt, das Gruseln zu lernen.« – »Wenn's weiter nichts ist«, antwortete der Küster, »das kann er bei mir lernen; tut ihn nur zu mir, ich werde ihn schon abhobeln.« Der Vater war es zufrieden, weil er dachte: »Der Junge wird doch ein wenig zugestutzt.« Der Küster nahm ihn also ins Haus, und er mußte die Glocke läuten. Nach ein paar Tagen weckte er ihn um Mitternacht, hieß ihn aufstehen, in den Kirchturm steigen und läuten. »Du sollst schon lernen, was Gruseln ist«, dachte er, ging heimlich voraus, und als der Junge oben war und sich umdrehte und das Glockenseil fassen wollte, so sah er auf der Treppe, dem Schalloch gegenüber, eine weiße Gestalt stehen. »Wer da?« rief er, aber die Gestalt gab keine Antwort, regte und bewegte sich nicht. »Gib Antwort«, rief der Junge, »oder mach, daß du fort kommst, du hast hier in der Nacht nichts zu schaffen.« Der Küster aber blieb unbeweglich stehen, damit der Junge glauben sollte, es wäre ein Gespenst. Der Junge rief zum zweitenmal: »Was willst du hier? Sprich, wenn du ein ehrlicher Kerl bist, oder ich werfe dich die Treppe hinab.« Der Küster dachte: »Das wird so schlimm nicht gemeint sein«, gab keinen Laut von sich und stand als wenn er von Stein wäre. Da rief ihn der Junge zum drittenmal an, und als das auch vergeblich war, nahm er einen Anlauf und stieß das Gespenst die Treppe hinab, daß es zehn Stufen hinabfiel und in einer Ecke liegen blieb. Darauf läutete er die Glocke, ging heim, legte sich, ohne ein Wort zu sagen, ins Bett und schlief fort. Die Küsterfrau wartete lange Zeit auf ihren Mann, aber er wollte nicht wieder kommen. Da ward ihr endlich angst, sie weckte den Jungen und fragte: »Weißt du nicht, wo mein Mann geblieben ist? Er ist vor dir auf den Turm gestiegen.« – »Nein«, antwortete der Junge,

»aber da hat einer dem Schalloch gegenüber auf der Treppe gestanden, und weil er keine Antwort geben und auch nicht weggehen wollte, so habe ich ihn für einen Spitzbuben gehalten und hinuntergestoßen. Geht nur hin, so werdet Ihr sehen, ob er's gewesen ist, es sollte mir leid tun.« Die Frau sprang fort und fand ihren Mann, der in einer Ecke lag und jammerte und ein Bein gebrochen hatte.

Sie trug ihn herab und eilte dann mit lautem Geschrei zu dem Vater des Jungen. »Euer Junge«, rief sie, »hat ein großes Unglück angerichtet, meinen Mann hat er die Treppe hinabgeworfen, daß er ein Bein gebrochen hat: schafft den Taugenichts aus unserm Hause.« Der Vater erschrak, kam herbeigelaufen und schalt den Jungen aus. »Was sind das für gottlose Streiche, die muß dir der Böse eingegeben haben.« – »Vater«, antwortete er, »hört nur an, ich bin ganz unschuldig: er stand da in der Nacht wie einer, der Böses im Sinne hat. Ich wußte nicht, wer's war, und habe ihn dreimal ermahnt zu reden oder wegzugehen.« – »Ach«, sprach der Vater, »mit dir erleb ich nur Unglück, geh mir aus den Augen, ich will dich nicht mehr ansehen.« – »Ja, Vater, recht gerne, wartet nur, bis Tag ist, da will ich ausgehen und das Gruseln lernen, so versteh ich doch eine Kunst, die mich ernähren kann.« – »Lerne, was du willst«, sprach der Vater, »mir ist alles einerlei. Da hast du fünfzig Taler, damit geh in die weite Welt und sage keinem Menschen, wo du her bist und wer dein Vater ist, denn ich muß mich deiner schämen.« – »Ja, Vater, wie ihr's haben wollt, wenn ihr nicht mehr verlangt, das kann ich leicht in acht behalten.«

Als nun der Tag anbrach, steckte der Junge seine fünfzig Taler in die Tasche, ging hinaus auf die große Landstraße und sprach immer vor sich hin: »Wenn mir's nur gruselte! Wenn mir's nur gruselte!« Da kam ein Mann heran, der hörte das Gespräch, das der Junge mit sich selber führte, und als sie ein Stück weiter waren, daß man den Galgen sehen konnte, sagte der Mann zu ihm: »Siehst du, dort ist der Baum, wo siebene mit des Seilers Tochter Hochzeit gehalten haben und jetzt das Fliegen lernen: setz dich darunter und warte, bis die Nacht kommt, so wirst du schon das Gruseln lernen.« – »Wenn weiter nichts dazu gehört«, antwortete der Junge, »das ist leicht getan; lerne ich aber so geschwind das Gruseln, so sollst du meine fünfzig Taler haben; komm nur morgen früh wieder zu mir.« Da ging der Junge zu dem Galgen, setzte sich darunter und wartete, bis der Abend kam. Und weil ihn fror, machte er sich ein Feuer an; aber um Mitternacht ging der Wind so kalt, daß er trotz des Feuers nicht warm werden wollte. Und als der

Wind die Gehenkten gegeneinander stieß, daß sie sich hin und her bewegten, so dachte er: »Du frierst unten bei dem Feuer, was mögen die da oben erst frieren und zappeln.« Und weil er mitleidig war, legte er die Leiter an, stieg hinauf, knüpfte einen nach dem andern los und holte sie alle siebene herab. Darauf schürte er das Feuer, blies es an und setzte sie rings herum, daß sie sich wärmen sollten. Aber sie saßen da und regten sich nicht, und das Feuer ergriff ihre Kleider. Da sprach er: »Nehmt euch in acht, sonst häng ich euch wieder hinauf.« Die Toten aber hörten nicht, schwiegen und ließen ihre Lumpen fortbrennen. Da ward er bös und sprach: »Wenn ihr nicht achtgeben wollt, so kann ich euch nicht helfen, ich will nicht mit euch verbrennen«, und hing sie nach der Reihe wieder hinauf. Nun setzte er sich zu seinem Feuer und schlief ein, und am andern Morgen, da kam der Mann zu ihm, wollte die fünfzig Taler haben und sprach: »Nun, weißt du was Gruseln ist?« – »Nein«, antwortete er, »woher sollte ich's wissen? Die da droben haben das Maul nicht aufgetan und waren so dumm, daß sie die paar alten Lappen, die sie am Leibe haben, brennen ließen.« Da sah der Mann, daß er die fünfzig Taler heute nicht davontragen würde, ging fort und sprach: »So einer ist mir noch nicht vorgekommen.«

Der Junge ging auch seines Wegs und fing wieder an vor sich hin zu reden: »Ach, wenn mir's nur gruselte! Ach, wenn mir's nur gruselte!« Das hörte ein Fuhrmann, der hinter ihm her schritt, und fragte: »Wer bist du?« – »Ich weiß nicht«, antwortete der Junge. Der Fuhrmann fragte weiter: »Wo bist du her?« – »Ich weiß nicht.« – »Wer ist dein Vater?« – »Das darf ich nicht sagen.« – »Was brummst du beständig in den Bart hinein?« – »Ei«, antwortete der Junge, »ich wollte, daß mir's gruselte, aber niemand kann mir's lehren.« – »Laß dein dummes Geschwätz«, sprach der Fuhrmann, »komm, geh mit mir, ich will sehen, daß ich dich unterbringe.« Der Junge ging mit dem Fuhrmann, und abends gelangten sie zu einem Wirtshaus, wo sie übernachten wollten. Da sprach er beim Eintritt in die Stube wieder ganz laut: »Wenn mir's nur gruselte! Wenn mir's nur gruselte!« Der Wirt, der das hörte, lachte und sprach: »Wenn dich danach lüstet, dazu sollte hier wohl Gelegenheit sein.« – »Ach schweig stille«, sprach die Wirtsfrau, »so mancher Vorwitzige hat schon sein Leben eingebüßt, es wäre ein Jammer und schade um die schönen Augen, wenn die das Tageslicht nicht wieder sehen sollten.« Der Junge aber sagte: »Wenn's noch so schwer wäre, ich will's einmal lernen, deshalb bin ich ja ausgezogen.« Er ließ

dem Wirt auch keine Ruhe, bis dieser erzählte, nicht weit davon stände ein verwünschtes Schloß, wo einer wohl lernen könnte, was Gruseln wäre, wenn er nur drei Nächte darin wachen wollte. Der König hätte dem, der's wagen wollte, seine Tochter zur Frau versprochen, und die wäre die schönste Jungfrau, welche die Sonne beschien; in dem Schlosse steckten auch große Schätze, von bösen Geistern bewacht, die würden dann frei und könnten einen Armen reich genug machen. Schon viele wären wohl hinein, aber noch keiner wieder herausgekommen. Da ging der Junge am andern Morgen vor den König und sprach: »Wenn's erlaubt wäre, so wollte ich wohl drei Nächte in dem verwünschten Schlosse wachen.« Der König sah ihn an, und weil er ihm gefiel, sprach er: »Du darfst dir noch dreierlei ausbitten, aber es müssen leblose Dinge sein, und das darfst du mit ins Schloß nehmen.« Da antwortete er: »So bitt ich um ein Feuer, eine Drehbank und eine Schnitzbank mit dem Messer.«

Der König ließ ihm das alles bei Tage in das Schloß tragen. Als es

Nacht werden wollte, ging der Junge hinauf, machte sich in einer Kammer ein helles Feuer an, stellte die Schnitzbank mit dem Messer daneben und setzte sich auf die Drehbank. »Ach, wenn mir's nur gruselte!« sprach er, »aber hier werde ich's auch nicht lernen.« Gegen Mitternacht wollte er sich sein Feuer einmal aufschüren; wie er so hineinblies, da schrie's plötzlich aus einer Ecke: »Au, miau! Was uns friert!« – »Ihr Narren«, rief er, »was schreit ihr? Wenn euch friert, kommt, setzt euch ans Feuer und wärmt euch.« Und wie er das gesagt hatte, kamen zwei große schwarze Katzen in einem gewaltigen Sprunge herbei, setzten sich ihm zu beiden Seiten und sahen ihn mit ihren feurigen Augen ganz wild an. Über ein Weilchen, als sie sich gewärmt hatten, sprachen sie: »Kamerad, wollen wir eins in der Karte spielen?« – »Warum nicht?« antwortete er, »aber zeigt einmal eure Pfoten her.« Da streckten sie die Krallen aus. »Ei«, sagte er, »was habt ihr lange Nägel! Wartet, die muß ich euch erst abschneiden.« Damit packte er sie beim Kragen, hob sie auf die Schnitzbank und schraubte ihnen die Pfoten fest. »Euch habe ich auf die Finger gesehen«, sprach er, »da vergeht mir die Lust zum Kartenspiel«, schlug sie tot und warf sie hinaus ins Wasser. Als er aber die zwei zur Ruhe gebracht hatte und sich wieder zu seinem Feuer setzen wollte, da kamen aus allen Ecken und Enden schwarze Katzen und schwarze Hunde an glühenden Ketten, immer mehr und mehr, daß er sich nicht mehr bergen konnte: die schrien greulich, traten ihm auf sein Feuer, zerrten es auseinander und wollten es ausmachen. Das sah er ein Weilchen ruhig mit an, als es ihm aber zu arg ward, faßte er sein Schnitzmesser und rief: »Fort mit dir, du Gesindel«, und haute auf sie los. Ein Teil sprang weg, die andern schlug er tot und warf sie hinaus in den Teich. Als er wiedergekommen war, blies er aus den Funken sein Feuer frisch an und wärmte sich. Und als er so saß, wollten ihm die Augen nicht länger offen bleiben und er bekam Lust zu schlafen. Da blickte er sich um und sah in der Ecke ein großes Bett. »Das ist mir eben recht«, sprach er und legte sich hinein. Als er aber die Augen zutun wollte, so fing das Bett von selbst an zu fahren und fuhr im ganzen Schloß herum. »Recht so«, sprach er, »nur besser zu.« Da rollte das Bett fort, als wären sechs Pferde vorgespannt, über Schwellen und Treppen auf und ab; auf einmal, hopp, hopp, warf es um, das unterste zu oberst, daß es wie ein Berg auf ihm lag. Aber er schleuderte Decken und Kissen in die Höhe, stieg heraus und sagte: »Nun mag fahren wer Lust hat«, legte sich an sein Feuer und schlief, bis es Tag war. Am Morgen kam der König, und als er ihn da auf der

Erde liegen sah, meinte er, die Gespenster hätten ihn umgebracht, und er wäre tot. Da sprach er: »Es ist doch schade um den schönen Menschen.« Das hörte der Junge, richtete sich auf und sprach: »So weit ist's noch nicht!«

Da verwunderte sich der König, freute sich aber und fragte, wie es ihm gegangen wäre. »Recht gut«, antwortete er, »eine Nacht wäre herum, die zwei andern werden auch herum gehen.« Als er zum Wirt kam, da machte der große Augen. »Ich dachte nicht«, sprach er, »daß ich dich wieder lebendig sehen würde; hast du nun gelernt, was Gruseln ist?« – »Nein«, sagte er, »es ist alles vergeblich; wenn mir's nur einer sagen könnte!«

Die zweite Nacht ging er abermals hinauf ins alte Schloß, setzte sich zum Feuer und fing sein altes Lied wieder an: »Wenn mir's nur gruselte!« Wie Mitternacht herankam, ließ sich ein Lärm und Gepolter hören, erst sachte, dann immer stärker, dann war's ein bißchen still, endlich kam mit lautem Geschrei ein halber Mensch den Schornstein herab und fiel vor ihm hin. »Heda!« rief er, »noch ein halber gehört dazu, das ist zu wenig.« Da ging der Lärm von frischem an, es tobte und heulte, und fiel die andere Hälfte auch herab. »Wart«, sprach er, »ich will dir erst das Feuer ein wenig anblasen.« Wie er das getan hatte und sich wieder umsah, da waren die beiden Stücke zusammengefahren, und saß da ein greulicher Mann auf seinem Platz. »So haben wir nicht gewettet«, sprach der Junge, »die Bank ist mein.« Der Mann wollte ihn wegdrängen, aber der Junge ließ sich's nicht gefallen, schob ihn mit Gewalt weg und setzte sich wieder auf seinen Platz. Da fielen noch mehr Männer herab, einer nach dem andern, die holten neun Totenbeine und zwei Totenköpfe, setzten auf und spielten Kegel. Der Junge bekam auch Lust und fragte: »Hört ihr, kann ich mit sein?« – »Ja,  wenn du Geld hast.« – »Geld genug«, antwortete er, »aber eure Kugeln sind nicht recht rund.« Da nahm er die Totenköpfe, setzte sie in die Drehbank und drehte sie rund. »So, jetzt werden sie besser schüppeln«, sprach er, »heida! nun geht's lustig!«

Er spielte mit und verlor etwas von seinem Geld, als es aber zwölf schlug, war alles vor seinen Augen verschwunden. Er legte sich nieder und schlief ruhig ein. Am andern Morgen kam der König und wollte sich erkundigen. »Wie ist dir's diesmal gegangen?« fragte er. »Ich habe gekegelt«, antwortete er, »und ein paar Heller verloren.« – »Hat dir

denn nicht gegruselt?« – »Ei was«, sprach er, »lustig hab ich mich gemacht. Wenn ich nur wüßte, was Gruseln wäre!«

In der dritten Nacht setzte er sich wieder auf seine Bank und sprach ganz verdrießlich: »Wenn es mir nur gruselte!« Als es spät ward, kamen sechs große Männer und brachten eine Totenlade hereingetragen. Da sprach er: »Haha, das ist gewiß mein Vetterchen, das erst vor ein paar Tagen gestorben ist«, winkte mit dem Finger und rief: »Komm, Vetterchen, komm!« Sie stellten den Sarg auf die Erde, er aber ging hinzu und nahm den Deckel ab: da lag ein toter Mann darin. Er fühlte ihm ans Gesicht, aber es war kalt wie Eis. »Wart«, sprach er, »ich will dich ein bißchen wärmen«, ging ans Feuer, wärmte seine Hand und legte sie ihm aufs Gesicht, aber der Tote blieb kalt. Nun nahm er ihn heraus, setzte sich ans Feuer und legte ihn auf seinen Schoß und rieb ihm die Arme, damit das Blut wieder in Bewegung kommen sollte. Als auch das nichts helfen wollte, fiel ihm ein: »Wenn zwei zusammen im Bett liegen, so wärmen sie sich«, brachte ihn ins Bett, deckte ihn zu und legte sich neben ihn. Über ein Weilchen ward auch der Tote warm und fing an sich zu regen. Da sprach der Junge: »Siehst du, Vetterchen, hätt ich dich nicht gewärmt!« Der Tote aber hub an und rief: »Jetzt will ich dich erwürgen.« – »Was«, sagte er, »ist das mein Dank? Gleich

sollst du wieder in deinen Sarg«, hub ihn auf, warf ihn hinein und machte den Deckel zu; da kamen die sechs Männer und trugen ihn wieder fort. »Es will mir nicht gruseln«, sagte er, »hier lerne ich's mein Lebtag nicht.«

Da trat ein Mann herein, der war größer als alle anderen und sah fürchterlich aus; er war aber alt und hatte einen langen weißen Bart. »O du Wicht«, rief er, »nun sollst du bald lernen, was Gruseln ist, denn du sollst sterben.« – »Nicht so schnell«, antwortete der Junge, »soll ich sterben, so muß ich auch dabei sein.« – »Dich will ich schon packen«, sprach der Unhold. »Sachte, sachte, mach dich nicht so breit; so stark wie du bin ich auch, und wohl noch stärker.« – »Das wollen wir sehn«, sprach der Alte, »bist du stärker als ich, so will ich dich gehn lassen; komm, wir wollen's versuchen.« Da führte er ihn durch dunkle Gänge zu einem Schmiedefeuer, nahm eine Axt und schlug den einen Amboß mit einem Schlag in die Erde. »Das kann ich noch besser«, sprach der Junge und ging zu dem anderen Amboß; der Alte stellte sich neben hin und wollte zusehen, und sein weißer Bart hing herab. Da faßte der Junge die Axt, spaltete den Amboß auf einen Hieb und klemmte den Bart des Alten mit hinein. »Nun hab ich dich«, sprach der Junge, »jetzt ist das Sterben an dir.« Dann faßte er eine Eisenstange und schlug auf den Alten los, bis er wimmerte und bat, er möchte aufhören, er wollte ihm große Reichtümer geben. Der Junge zog die Axt raus und ließ ihn los. Der Alte

führte ihn wieder ins Schloß zurück und zeigte ihm in einem Keller drei Kasten voll Gold. »Davon«, sprach er, »ist ein Teil den Armen, der andere dem König, der dritte dein.« Indem schlug es zwölfe, und der Geist verschwand, also daß der Junge im Finstern stand. »Ich werde mir doch heraushelfen können«, sprach er, tappte herum, fand den Weg in die Kammer und schlief dort bei seinem Feuer ein. Am andern Morgen kam der König und sagte: »Nun wirst du gelernt haben, was Gruseln ist?« – »Nein«, antwortete er, »was ist's nur? Mein toter Vetter war da, und ein bärtiger Mann ist gekommen, der hat mir da unten viel Geld gezeigt, aber was Gruseln ist, hat mir keiner gesagt.« Da sprach der König: »Du hast das Schloß erlöst und sollst meine Tochter heiraten.« – »Das ist all recht gut«, antwortete er, »aber ich weiß noch immer nicht, was Gruseln ist.«

Da ward das Gold heraufgebracht und Hochzeit gefeiert, aber der junge König, so lieb er seine Gemahlin hatte und so vergnügt er war, sagte

84

doch immer: »Wenn mir nur gruselte, wenn mir nur gruselte.« Das verdroß sie endlich. Ihr Kammermädchen sprach: »Ich will Hilfe schaffen, das Gruseln soll er schon lernen.« Sie ging hinaus zum Bach, der durch den Garten floß, und ließ sich einen ganzen Eimer voll Gründlinge holen. Nachts, als der junge König schlief, mußte seine Gemahlin ihm die Decke wegziehen und den Eimer voll kalt Wasser mit den Gründlingen über ihn herschütten, daß die kleinen Fische um ihn herum zappelten. Da wachte er auf und rief: »Ach was gruselt mir, was gruselt mir, liebe Frau! Ja, nun weiß ich, was Gruseln ist.«

Brüder Grimm

Der Wolf und die sieben jungen Geißlein

Es war einmal eine alte Geiß, die hatte sieben junge Geißlein und hatte sie lieb, wie eine Mutter ihre Kinder lieb hat. Eines Tages wollte sie in den Wald gehen und Futter holen, da rief sie alle sieben herbei und sprach: »Liebe Kinder, ich will hinaus in den Wald, seid auf eurer Hut vor dem Wolf, wenn er hereinkommt, so frißt er euch alle mit Haut und Haar. Der Bösewicht verstellt sich oft, aber an seiner rauhen Stimme und an seinen schwarzen Füßen werdet ihr ihn gleich erkennen.« Die Geißlein sagten: »Liebe Mutter, wir wollen uns schon in acht nehmen, Ihr könnt ohne Sorge fortgehen.« Da meckerte die Alte und machte sich getrost auf den Weg.

Es dauerte nicht lange, so klopfte jemand an die Haustür und rief: »Macht auf, ihr lieben Kinder, eure Mutter ist da und hat jedem von euch etwas mitgebracht.« Aber die Geiserchen hörten an der rauhen Stimme, daß es der Wolf war. »Wir machen nicht auf«, riefen sie, »du bist unsere Mutter nicht, die hat eine feine und liebliche Stimme, aber deine Stimme ist rauh; du bist der Wolf.« Da ging der Wolf fort zu einem Krämer und kaufte sich ein großes Stück Kreide; die aß er und machte damit seine Stimme fein. Dann kam er zurück, klopfte an die Haustür und rief: »Macht auf, ihr lieben Kinder, eure Mutter ist da und hat jedem von euch etwas mitgebracht.« Aber der Wolf hatte seine schwarze Pfote in das Fenster gelegt, das sahen die Kinder und riefen: »Wir machen nicht auf, unsere Mutter hat keinen schwarzen Fuß wie du: du bist der Wolf.« Da lief der Wolf zu einem Bäcker und sprach: »Ich habe mich an den Fuß gestoßen, streich mir Teig darüber.« Und als ihm der Bäcker die Pfote bestrichen hatte, so lief er zum Müller und sprach: »Streu mir weißes Mehl auf meine Pfote.« Der Müller dachte: »Der Wolf will einen betrügen«, und weigerte sich, aber der Wolf sprach: »Wenn du es nicht tust, so fresse ich dich.« Da fürchtete sich der Müller und machte ihm die Pfote weiß. Ja, so sind die Menschen.

Nun ging der Bösewicht zum drittenmal zu der Haustüre, klopfte an und sprach: »Macht mir auf, Kinder, euer liebes Mütterchen ist heimgekommen und hat jedem von euch etwas aus dem Walde mitgebracht.« Die Geiserchen riefen: »Zeig uns erst deine Pfote, damit wir wissen, daß du unser liebes Mütterchen bist.« Da legte er die Pfote ins Fenster, und als sie sahen, daß sie weiß war, so glaubten sie, es wäre alles wahr, was er sagte, und machten die Türe auf. Wer aber hereinkam, das war der Wolf. Sie erschraken und wollten sich verstecken. Das eine sprang unter den Tisch, das zweite ins Bett, das dritte in den Ofen, das vierte in die Küche, das fünfte in den Schrank, das sechste unter die Waschschüssel, das siebente in den Kasten der Wanduhr. Aber der Wolf fand sie alle und machte nicht langes Federlesen: eins nach dem andern schluckte er in seinen Rachen; nur das jüngste in dem Uhrkasten, das fand er nicht. Als der Wolf seine Lust gebüßt hatte, trollte er sich fort, legte sich draußen auf der grünen Wiese unter einen Baum und fing an zu schlafen.

Nicht lange danach kam die alte Geiß aus dem Walde wieder heim. Ach, was mußte sie da erblicken! Die Haustüre stand sperrweit auf: Tisch, Stühle und Bänke waren umgeworfen, die Waschschüssel lag in Scherben, Decke und Kissen waren aus dem Bett gezogen. Sie suchte ihre Kinder, aber nirgend waren sie zu finden. Sie rief sie nacheinander beim Namen, aber niemand antwortete. Endlich, als sie an das jüngste kam, da rief eine feine Stimme: »Liebe Mutter, ich stecke im Uhrkasten.« Sie holte es heraus, und es erzählte ihr, daß der Wolf gekommen wäre und die andern alle gefressen hätte. Da könnt ihr denken, wie sie über ihre armen Kinder geweint hat.

Endlich ging sie in ihrem Jammer hinaus, und das jüngste Geißlein lief mit. Als sie auf die Wiese kam, so lag da der Wolf an dem Baum und schnarchte daß die Äste zitterten. Sie betrachtete ihn von allen Seiten

und sah, daß in seinem angefüllten Bauch sich etwas regte und zappelte. »Ach Gott«, dachte sie, »sollten meine armen Kinder, die er zum Abendbrot hinuntergewürgt hat, noch am Leben sein?« Da mußte das Geißlein nach Hause laufen und Schere, Nadel und Zwirn holen. Dann schnitt sie dem Ungetüm den Wanst auf, und kaum hatte sie einen Schnitt getan, so streckte schon ein Geißlein den Kopf heraus, und als sie weiter schnitt, so sprangen nacheinander alle sechse heraus und waren noch alle am Leben, und hatten nicht einmal Schaden gelitten, denn das Ungetüm hatte sie in der Gier ganz hinuntergeschluckt. Das war eine Freude! Da herzten sie ihre liebe Mutter und hüpften wie ein Schneider, der Hochzeit hält. Die Alte aber sagte: »Jetzt geht und sucht Wackersteine, damit wollen wir dem gottlosen Tier den Bauch füllen, so lange es noch im Schlafe liegt.« Da schleppten die sieben Geiserchen in aller Eile die Steine herbei und steckten sie ihm in den Bauch, so viel sie hineinbringen konnten. Dann nähte ihn die Alte in aller Geschwindigkeit wieder zu, daß er nichts merkte und sich nicht einmal regte.

Als der Wolf endlich ausgeschlafen hatte, machte er sich auf die Beine, und weil ihm die Steine im Magen so großen Durst erregten, so wollte er zu einem Brunnen gehen und trinken. Als er aber anfing zu gehen und sich hin und her zu bewegen, so stießen die Steine in seinem Bauch aneinander und rappelten. Da rief er:

>»Was rumpelt und pumpelt
in meinem Bauch herum?
Ich meinte, es wären sechs Geißlein,
so sind's lauter Wackerstein.«

Und als er an den Brunnen kam und sich über das Wasser bückte und trinken wollte, da zogen ihn die schweren Steine hinein, und er mußte jämmerlich ersaufen. Als die sieben Geißlein das sahen, da kamen sie herbeigelaufen, riefen laut: »Der Wolf ist tot! Der Wolf ist tot!« und tanzten mit ihrer Mutter vor Freude um den Brunnen herum.

Brüder Grimm

Der treue Johannes

Es war einmal ein alter König, der war krank und dachte: »Es wird wohl das Totenbett sein, auf dem ich liege.« Da sprach er: »Laßt mir den getreuen Johannes kommen.« Der getreue Johannes war sein liebster Diener und hieß so, weil er ihm sein Lebelang so treu gewesen war. Als er nun vor das Bett kam, sprach der König zu ihm: »Getreuester Johannes, ich fühle, daß mein Ende herannaht, und da habe ich keine andere Sorge als um meinen Sohn: er ist noch in jungen Jahren, wo er sich nicht immer zu raten weiß, und wenn du mir nicht versprichst, ihn zu unterrichten in allem, was er wissen muß, und sein Pflegevater zu sein, so kann ich meine Augen nicht in Ruhe schließen.« Da antwortete der getreue Johannes: »Ich will ihn nicht verlassen und will ihm mit Treue dienen, wenn's auch mein Leben kostet.« Da sagte der alte König: »So sterb ich getrost und in Frieden.« Und sprach dann weiter: »Nach meinem Tode sollst du ihm das ganze Schloß zeigen, alle Kammern, Säle und Gewölbe, und alle Schätze, die darin liegen; aber die letzte Kammer in dem langen Gange sollst du ihm nicht zeigen, worin das Bild der Königstochter vom goldenen Dache verborgen steht. Wenn er das Bild erblickt, wird er eine heftige Liebe zu ihr empfinden und wird in Ohnmacht niederfallen und wird ihretwegen in große Gefahren geraten; davor sollst du ihn hüten.« Und als der treue Johannes nochmals dem alten König die Hand darauf gegeben hatte, ward dieser still, legte sein Haupt auf das Kissen und starb.

Als der alte König zu Grabe getragen war, da erzählte der treue Johannes dem jungen König, was er seinem Vater auf dem Sterbelager versprochen hatte, und sagte: »Das will ich gewißlich halten und will dir treu sein, wie ich ihm gewesen bin, und sollte es mein Leben kosten.« Die Trauer ging vorüber, da sprach der treue Johannes zu ihm: »Es ist nun Zeit, daß du dein Erbe siehst: ich will dir dein väterliches Schloß zeigen.« Da führte er ihn überall herum, auf und ab, und ließ ihn alle die Reichtümer und prächtigen Kammern sehen; nur die eine Kammer öffnete er nicht, worin das gefährliche Bild stand. Das Bild war aber so gestellt, daß, wenn die Türe aufging, man gerade darauf sah, und war so herrlich gemacht, daß man meinte, es leibte und lebte, und es gäbe nichts Lieblicheres und Schöneres auf der ganzen Welt. Der junge König aber merkte wohl, daß der getreue Johannes immer an einer Tür vorüberging und sprach: »Warum schließest du mir diese niemals auf?« – »Es ist etwas darin«, antwortete er, »vor dem du erschrickst.« Aber der König antwortete: »Ich habe das ganze Schloß gesehen, so will ich auch wissen, was darin ist«, ging und wollte die Türe mit Gewalt öffnen. Da hielt ihn der getreue Johannes zurück und sagte: »Ich habe es deinem Vater vor seinem Tode versprochen, daß du nicht sehen sollst, was in der Kammer steht: es könnte dir und mir zu großem Unglück ausschlagen.« – »Ach nein«, antwortete der junge König, »wenn ich nicht hineinkomme, so ist's mein sicheres Verderben: ich würde Tag und Nacht keine Ruhe haben, bis ich's mit meinen Augen gesehen hätte. Nun gehe ich nicht von der Stelle, bis du aufgeschlossen hast.«

Da sah der getreue Johannes, daß es nicht mehr zu ändern war, und suchte mit schwerem Herzen und vielem Seufzen aus dem großen Bund den Schlüssel heraus. Als er die Türe geöffnet hatte, trat er zuerst hinein und dachte, er wolle das Bildnis bedecken, daß es der König vor

ihm nicht sähe: aber was half das? Der König stellte sich auf die Fuß-
spitzen und sah ihm über die Schulter. Und als er das Bildnis der
Jungfrau erblickte, das so herrlich war und von Gold und Edelsteinen
glänzte, da fiel er ohnmächtig zur Erde nieder. Der getreue Johannes
hob ihn auf, trug ihn in sein Bett und dachte voll Sorgen: »Das Unglück ist geschehen, Herr Gott, was will daraus werden!« Dann
stärkte er ihn mit Wein, bis er wieder zu sich selbst kam. Das erste
Wort, das er sprach, war: »Ach! Wer ist das schöne Bild?« – »Das ist die
Königstochter vom goldenen Dache«, antwortete der treue Johannes.
Da sprach der König weiter: »Meine Liebe zu ihr ist so groß, wenn alle
Blätter an den Bäumen Zungen wären, sie könnten's nicht aussagen;
mein Leben setze ich daran, daß ich sie erlange. Du bist mein getreu-
ster Johannes, du mußt mir beistehen.«
Der treue Diener besann sich lange, wie die Sache anzufangen wäre,
denn es hielt schwer, nur vor das Angesicht der Königstochter zu
kommen. Endlich hatte er ein Mittel ausgedacht und sprach zu dem
König: »Alles, was sie um sich hat, ist von Gold, Tische, Stühle,
Schüsseln, Becher, Näpfe und alles Hausgerät: in deinem Schatze liegen fünf Tonnen Goldes, laß eine von den Goldschmieden des Reichs
verarbeiten zu allerhand Gefäßen und Gerätschaften, zu allerhand
Vögeln, Gewild und wunderbaren Tieren, das wird ihr gefallen, wir
wollen damit hinfahren und unser Glück versuchen.« Der König hieß
alle Goldschmiede herbeiholen, die mußten Tag und Nacht arbeiten,
bis endlich die herrlichsten Dinge fertig waren. Als alles auf ein Schiff
geladen war, zog der getreue Johannes Kaufmannskleider an, und der
König mußte ein gleiches tun, um sich ganz unkenntlich zu machen.
Dann fuhren sie über das Meer und fuhren so lange, bis sie zu der Stadt
kamen, worin die Königstochter vom goldenen Dache wohnte.

Der treue Johannes hieß den König auf dem
Schiffe zurückbleiben und auf ihn warten.
»Vielleicht«, sprach er, »bring ich die Königstochter mit, darum sorgt, daß alles in
Ordnung ist, laßt die Goldgefäße aufstellen
und das ganze Schiff ausschmücken.« Dar-
auf suchte er sich in sein Schürzchen allerlei von den Goldsachen
zusammen, stieg ans Land und ging gerade nach dem königlichen
Schloß. Als er in den Schloßhof kam, stand da beim Brunnen ein
schönes Mädchen, das hatte zwei goldene Eimer in der Hand und
schöpfte damit. Und als es das blinkende Wasser forttragen wollte und

sich umdrehte, sah es den fremden Mann und fragte, wer er wäre? Da antwortete er: »Ich bin ein Kaufmann«, und öffnete sein Schürzchen und ließ sie hineinschauen. Da rief sie: »Ei, was für schönes Goldzeug!«, setzte die Eimer nieder und betrachtete eins nach dem andern. Da sprach das Mädchen: »Das muß die Königstochter sehen, die hat so große Freude an den Goldsachen, daß sie Euch alles abkauft.« Es nahm ihn bei der Hand und führte ihn hinauf, denn es war die Kammerjungfer. Als die Königstochter die Ware sah, war sie ganz vergnügt und sprach: »Es ist so schön gearbeitet, daß ich dir alles abkaufen will.« Aber der getreue Johannes sprach: »Ich bin nur der Diener von einem reichen Kaufmann; was ich hier habe, ist nichts gegen das, was mein Herr auf seinem Schiff stehen hat, und das ist das Künstlichste und Köstlichste, was je in Gold ist gearbeitet worden.« Sie wollte alles heraufgebracht haben, aber er sprach: »Dazu gehören viele Tage, so groß ist die Menge und so viel Säle, um es aufzustellen, daß Euer Haus nicht Raum dafür hat.« Da ward ihre Neugierde und Lust immer mehr angeregt, so daß sie endlich sagte: »Führe mich hin zu dem Schiff, ich will selbst hingehen und deines Herrn Schätze betrachten.«

Da führte sie der treue Johannes zu dem Schiffe hin und war ganz freudig, und der König, als er sie erblickte, sah, daß ihre Schönheit noch größer war, als das Bild sie dargestellt hatte, und meinte nicht anders, als das Herz wollte ihm zerspringen. Nun stieg sie in das Schiff, und der König führte sie hinein; der getreue Johannes aber blieb zurück bei dem Steuermann und hieß das Schiff abstoßen: »Spannt alle Segel auf, daß es fliegt wie ein Vogel in der Luft.« Der König aber zeigte ihr drinnen das goldene Geschirr, jedes einzeln, die Schüsseln, Becher, Näpfe, die Vögel, das Gewild und die wunderbaren Tiere. Viele Stunden gingen herum, während sie alles besah, und in ihrer Freude merkte sie nicht, daß das Schiff dahinfuhr. Nachdem sie das letzte betrachtet hatte, dankte sie dem Kaufmann und wollte heim, als sie aber an des Schiffes Rand kam, sah sie, daß es fern vom Land auf hohem Meere ging und mit vollen Segeln forteilte. »Ach«, rief sie  erschrocken, »ich bin betrogen, ich bin entführt und in die Gewalt eines Kaufmanns geraten; lieber wollt ich sterben!« Der König aber faßte sie bei der Hand und sprach: »Ein Kaufmann bin ich nicht, ich bin ein König und nicht geringer an Geburt als du bist; aber daß ich dich mit List entführt habe, das ist aus übergroßer Liebe geschehen. Das erstemal, als ich dein Bildnis gesehen habe, bin ich ohnmächtig

zur Erde gefallen.« Als die Königstochter vom goldenen Dache das hörte, ward sie getröstet, und ihr Herz ward ihm geneigt, so daß sie gerne einwilligte, seine Gemahlin zu werden.

Es trug sich aber zu, während sie auf dem hohen Meere dahinfuhren, daß der treue Johannes, als er vorn auf dem Schiffe saß und Musik machte, in der Luft drei Raben erblickte, die dahergeflogen kamen. Da hörte er auf zu spielen und horchte, was sie miteinander sprachen, denn er verstand das wohl. Die eine rief: »Ei, da führt er die Königstochter vom goldenen Dache heim.« – »Ja«, antwortete die zweite, »er hat sie noch nicht.« Sprach die dritte: »Er hat sie doch, sie sitzt bei ihm im Schiffe.« Da fing die erste wieder an und rief: »Was hilft ihm das! Wenn sie ans Land kommen, wird ihm ein fuchsrotes Pferd entgegenspringen; da wird er sich aufschwingen wollen, und tut er das, so sprengt es mit ihm fort und in die Luft hinein, daß er nimmer mehr seine Jungfrau wiedersieht.« Sprach die zweite: »Ist gar keine Rettung?« – »O ja, wenn ein anderer schnell aufsitzt, das Feuergewehr, das in den Halftern stecken muß, herausnimmt und das Pferd damit totschießt, so ist der junge König gerettet. Aber wer weiß das! Und wer's weiß und sagt's ihm, der wird zu Stein, von den Fußzehen bis zum Knie.« Da sprach die zweite: »Ich weiß noch mehr, wenn das Pferd auch getötet wird, so behält der junge König doch nicht seine Braut: wenn sie zusammen ins Schloß kommen, so liegt dort ein gemachtes Brauthemd in einer Schüssel und sieht aus, als wärs von Gold und Silber gewebt, ist aber nichts als Schwefel und Pech; wenn er's antut, verbrennt es ihn bis auf Mark und Knochen.« Sprach die dritte: »Ist da gar keine Rettung?« – »O ja«, antwortete die zweite, »wenn einer mit Handschuhen das Hemd packt und wirft es ins Feuer, daß es verbrennt, so ist der junge König gerettet. Aber was hilft's! Wer's weiß und es ihm sagt, der wird halben Leibes Stein, vom Knie bis zum Herzen.« Da sprach die dritte: »Ich weiß noch mehr, wird das Brauthemd auch verbrannt, so hat der junge König seine Braut doch noch nicht: wenn nach der Hochzeit der Tanz anhebt und die junge Königin tanzt, wird sie plötzlich erbleichen und wie tot hinfallen, und hebt sie nicht einer auf und zieht aus ihrer rechten Brust drei Tropfen Blut und speit sie wieder aus, so stirbt sie. Aber verrät das einer, der es weiß, so wird er ganzen Leibes zu Stein, vom Wirbel bis zur Fußzehe.« Als die Raben das miteinander gesprochen hatten, flogen sie weiter, und der getreue Johannes hatte alles wohl verstanden, aber von der Zeit an war er still und traurig; denn verschwieg er seinem Herrn, was er gehört hatte, so war dieser unglücklich; entdeckte er es ihm, so mußte er selbst sein Leben hingeben. Endlich aber sprach er bei sich: »Meinen Herrn will ich retten, und sollt ich selbst darüber zugrunde gehen.« Als sie nun ans Land kamen, da geschah es, wie die Rabe vorher gesagt hatte, und es sprengte ein prächtiger fuchsroter Gaul daher. »Wohlan«, sprach der König, »der soll mich in mein Schloß tragen«, und wollte sich aufsetzen, doch der treue Johannes kam ihm zuvor, schwang sich schnell darauf, zog das Gewehr aus den Halftern und schoß den Gaul nieder. Da riefen die andern Diener des Königs, die dem treuen Johannes doch nicht gut waren: »Wie schändlich, das schöne Tier zu töten, das den König in sein Schloß tragen sollte!« Aber der König sprach: »Schweigt und laßt ihn gehen, es ist mein getreuester Johannes, wer weiß, wozu das gut ist!« Nun gingen sie ins Schloß, und da stand im Saal eine Schüssel, und das gemachte Brauthemd lag darin und sah aus nicht anders, als wäre es von Gold und Silber. Der junge König ging darauf zu und wollte es ergreifen, aber der treue Johannes schob ihn weg, packte es mit Handschuhen an, trug es schnell ins Feuer und ließ es verbrennen. Die anderen Diener fingen wieder an zu murren und sagten: »Seht, nun verbrennt er gar des Königs Brauthemd.« Aber der junge König sprach: »Wer weiß, wozu es gut ist, laßt ihn gehen, es ist mein getreuester Johannes.« Nun ward die Hochzeit gefeiert: Der Tanz hub an, und die Braut trat auch hinein, da hatte der treue Johannes acht und schaute ihr ins Antlitz; auf einmal erbleichte sie und fiel wie tot zur Erde. Da sprang er eilends hinzu, hob sie auf und trug sie in eine Kammer, da legte er sie nieder, kniete und sog die drei Blutstropfen aus ihrer rechten Brust und speite sie aus. Alsbald atmete sie wieder und erholte sich, aber der junge König hatte es mit angesehen und wußte nicht, warum es der getreue Johannes getan hatte, ward zornig darüber und rief: »Werft ihn ins Gefängnis.« Am andern Morgen ward der getreue Johannes verurteilt und zum Galgen geführt, und als er oben stand und gerichtet werden sollte, sprach er: »Jeder, der sterben soll, darf vor seinem Ende noch einmal reden, soll ich das Recht auch haben?« – »Ja«, antwortete der König, »es soll dir vergönnt sein.« Da sprach der treue Johannes: »Ich bin mit Unrecht verurteilt und bin dir immer treu gewesen«, und erzählte, wie er auf dem Meer das Gespräch der Raben gehört und wie er, um seinen Herrn zu retten, das alles hätte tun müssen. Da rief der König: »O mein treuester Johannes, Gnade! Gnade! Führt ihn herunter.« Aber der treue Johannes war bei dem letzten Wort, das er geredet hatte, leblos herabgefallen und war ein Stein.

Darüber trug nun der König und die Königin großes Leid, und der König sprach: »Ach, was hab ich große Treue so übel belohnt!« und ließ das steinerne Bild aufheben und in seine Schlafkammer neben sein Bett stellen. So oft er es ansah, weinte er und sprach: »Ach, könnt ich dich wieder lebendig machen, mein getreuester Johannes.« Es ging eine Zeit herum, da gebar die Königin Zwillinge, zwei Söhnlein, die wuchsen heran und waren ihre Freude. Einmal, als die Königin in der Kirche war und die zwei Kinder bei dem Vater saßen und spielten, sah dieser wieder das steinerne Bildnis voll Trauer an, seufzte und rief: »Ach, könnt ich dich wieder lebendig machen, mein getreuester Johannes.« Da fing der Stein an zu reden und sprach: »Ja, du kannst mich wieder lebendig machen, wenn du dein Liebstes daran wenden willst.« Da rief der König: »Alles, was ich auf der Welt habe, will ich für dich hingeben.« Sprach der Stein weiter: »Wenn du mit deiner eigenen Hand deinen beiden Kindern den Kopf abhaust und mich mit ihrem Blute bestreichst, so erhalte ich das Leben wieder.« Der König erschrak, als er hörte, daß er seine liebsten Kinder selbst töten sollte,

doch dachte er an die große Treue, und daß der getreue Johannes für ihn gestorben war, zog sein Schwert und hieb mit eigener Hand den Kindern den Kopf ab. Und als er mit ihrem Blute den Stein bestrichen hatte, so kehrte das Leben zurück, und der getreue Johannes stand wieder frisch und gesund vor ihm. Er sprach zum König: »Deine Treue soll nicht unbelohnt bleiben«, und nahm die Häupter der Kinder, setzte sie auf und bestrich die Wunde mit ihrem Blut, davon wurden sie im Augenblick wieder heil, sprangen herum und spielten fort, als wär ihnen nichts geschehen. Nun war der König voll Freude, und als er die Königin kommen sah, versteckte er den getreuen Johannes und die beiden Kinder in einen großen Schrank. Wie sie hereintrat, sprach er zu ihr: »Hast du gebetet in der Kirche?« – »Ja«, antwortete sie, »aber ich habe beständig an den treuen Johannes gedacht, daß er so unglücklich durch uns geworden ist.« Da sprach er: »Liebe Frau, wir können ihm das Leben wieder geben, aber es kostet uns unsere beiden Söhnlein, die müssen wir opfern.« Die Königin ward bleich und erschrak im Herzen, doch sprach sie: »Wir sind's ihm schuldig wegen seiner großen Treue.«

Da freute er sich, daß sie dachte wie er gedacht hatte, ging hin und schloß den Schrank auf, holte die Kinder und den treuen Johannes heraus und sprach: »Gott sei gelobt, er ist erlöst, und unsere Söhnlein haben wir auch wieder«, und erzählte ihr, wie sich alles zugetragen hatte. Da lebten sie zusammen in Glückseligkeit bis an ihr Ende.

Brüder Grimm

Die zwölf Brüder

Es war einmal ein König und eine Königin, die lebten in Frieden miteinander und hatten zwölf Kinder, das waren aber lauter Buben. Nun sprach der König zu seiner Frau: »Wenn das dreizehnte Kind, was du zur Welt bringst, ein Mädchen ist, so sollen die zwölf Buben sterben, damit sein Reichtum groß wird und das Königreich ihm allein zufällt.« Er ließ auch zwölf Särge machen, die waren schon mit Hobelspänen gefüllt, und in jedem lag das

Totenkißchen, und ließ sie in eine verschlossene Stube bringen, dann gab er der Königin den Schlüssel und gebot ihr, niemand etwas davon zu sagen.

Die Mutter aber saß nun den ganzen Tag und trauerte, so daß der kleinste Sohn, der immer bei ihr war und den sie nach der Bibel Benjamin nannte, zu ihr sprach: »Liebe Mutter, warum bist du so traurig?« – »Liebstes Kind«, antwortete sie, »ich darf dir's nicht sagen.« Er ließ ihr aber keine Ruhe, bis sie ging und die Stube aufschloß und ihm die zwölf mit Hobelspänen schon gefüllten Totenladen zeigte. Darauf sprach sie: »Mein liebster Benjamin, diese Särge hat dein Vater für dich und deine elf Brüder machen lassen, denn wenn ich ein Mädchen zur Welt bringe, so sollt ihr allesamt getötet und darin begraben werden.« Und als sie weinte, während sie das sprach, so tröstete sie der Sohn und sagte: »Weine nicht, liebe Mutter, wir wollen uns schon helfen und wollen fortgehen.« Sie aber sprach: »Geh mit deinen elf Brüdern hinaus in den Wald, und einer setze sich immer auf den höchsten Baum, der zu finden ist, und halte Wacht und schaue nach dem Turm hier im Schloß. Gebär ich ein Söhnlein, so will ich eine weiße Fahne aufstecken, und dann dürft ihr wiederkommen; gebär ich ein Töchterlein, so will ich eine rote Fahne aufstecken, und dann flieht fort, so schnell ihr könnt, und der liebe Gott behüte euch. Alle Nacht will ich aufstehen und für euch beten, im Winter, daß ihr an einem Feuer euch wärmen könnt, im Sommer, daß ihr nicht in der Hitze schmachtet.« Nachdem sie also ihre Söhne gesegnet hatte, gingen sie hinaus in den Wald. Einer hielt um den andern Wacht, saß auf der höchsten Eiche und schauete nach dem Turm. Als elf Tage herum waren und die Reihe an Benjamin kam, da sah er, wie eine Fahne aufgesteckt wurde: es war aber nicht die weiße, sondern die rote Blutfahne, die verkündigte, daß sie alle sterben sollten. Wie die Brüder das hörten, wurden sie zornig und sprachen: »Sollten wir um eines Mädchens willen den Tod leiden! Wir schwören, daß wir uns rächen wollen: wo wir ein Mädchen finden, soll sein rotes Blut fließen.«

Darauf gingen sie tiefer in den Wald hinein, und mittendrein, wo er am dunkelsten war, fanden sie ein kleines verwünschtes Häuschen, das leer stand. Da sprachen sie: »Hier wollen wir wohnen, und du, Benjamin, du bist der jüngste und schwächste, du sollst daheim bleiben und haushalten, wir andern wollen ausgehen und Essen holen.« Nun zogen sie in den Wald und schossen Hasen, wilde Rehe, Vögel und Täuberchen und was zu essen stand: das brachten sie dem Benjamin, der mußte es ihnen zurecht machen, damit sie ihren Hunger stillen konnten. In dem Häuschen lebten sie zehn Jahre zusammen, und die Zeit ward ihnen nicht lang.

Das Töchterchen, das ihre Mutter, die Königin, geboren hatte, war nun herangewachsen, war gut von Herzen und schön von Angesicht und hatte einen goldenen Stern auf der Stirne. Einmal, als große Wä-  sche war, sah es darunter zwölf Mannshemden und fragte seine Mutter: Wem gehören diese zwölf Hemden, für den Vater sind sie doch viel zu klein?« Da antwortete sie mit schwerem Herzen: »Liebes Kind, die gehören deinen zwölf Brüdern.« Sprach das Mädchen: »Wo sind meine zwölf Brüder? Ich habe noch niemals von ihnen gehört.« Sie antwortete: »Das weiß Gott, wo sie sind: sie irren in der Welt herum.« Da nahm sie das Mädchen und schloß ihm das Zimmer auf und zeigte ihm die zwölf Särge mit den Hobelspänen und den Totenkißchen. »Diese Särge«, sprach sie, »waren für deine Brüder bestimmt, aber sie sind heimlich fortgegangen, eh du geboren warst«, und erzählte ihm, wie sich alles zugetragen hatte.

Da sagte das Mädchen: »Liebe Mutter, weine nicht, ich will gehen und meine Brüder suchen.«

Nun nahm es die zwölf Hemden und ging fort und geradezu in den großen Wald hinein. Es ging den ganzen Tag, und am Abend kam es zu dem verwünschten Häuschen. Da trat es hinein und fand einen jungen Knaben, der fragte: »Wo kommst du her und wo willst du hin?« und erstaunte, daß sie so schön war, königliche Kleider trug und einen Stern auf der Stirne hatte. Da antwortete sie: »Ich bin eine Königstochter und suche meine zwölf Brüder und will gehen, soweit der Himmel blau ist, bis ich sie finde.« Sie zeigte ihm auch die zwölf Hemden, die ihnen gehörten. Da sah Benjamin, daß es seine Schwester war, und sprach: »Ich bin Benjamin, dein jüngster Bruder.« Und sie fing an zu weinen vor Freude, und Benjamin auch, und sie küßten und herzten einander vor großer Liebe. Hernach sprach er: »Liebe Schwester, es ist noch ein Vorbehalt da, wir hatten verabredet, daß ein jedes Mädchen, das uns begegnete, sterben sollte, weil wir um ein Mädchen unser Königreich verlassen mußten.« Da sagte sie: »Ich will gerne sterben, wenn ich damit meine zwölf Brüder erlösen kann.« – »Nein«, antwortete er, »du sollst nicht sterben, setz dich unter diese Bütte, bis die elf Brüder kommen, dann will ich schon einig mit ihnen werden.«

Also tat sie; und wie es Nacht ward, kamen die andern von der Jagd, und die Mahlzeit war bereit. Und als sie am Tische saßen und aßen, fragten sie: »Was gibts Neues?« Sprach Benjamin: »Wißt ihr nichts?« – »Nein«, antworteten sie. Sprach er weiter: »Ihr seid im Walde gewesen, und ich bin daheim geblieben und weiß doch mehr als ihr.« – »So erzähl uns«, riefen sie. Antwortete er: »Versprecht ihr mir auch, daß das erste Mädchen, das uns begegnet, nicht soll getötet werden?« – »Ja«, riefen sie alle, »das soll Gnade haben, erzähl uns nur.« Da sprach er: »Unsere Schwester ist da« und hub die Bütte auf, und die Königstochter kam hervor in ihren königlichen Kleidern mit dem goldenen Stern auf der Stirne und war so schön, zart und fein. Da freueten sie sich alle, fielen ihr um den Hals und küßten sie und hatten sie vom Herzen lieb.

Nun blieb sie bei Benjamin zu Haus und half ihm in der Arbeit. Die elfe zogen in den Wald, fingen Gewild, Rehe, Vögel und Täuberchen, damit sie zu essen hatten, und die Schwester und Benjamin sorgten, daß es zubereitet wurde. Sie suchte das Holz zum Kochen und die Kräuter zum Gemüs und stellte die Töpfe ans Feuer, also daß die Mahlzeit immer fertig war, wenn die elfe kamen. Sie hielt auch sonst Ordnung im Häuschen und deckte die Bettlein hübsch weiß und rein, und die Brüder waren immer zufrieden und lebten in großer Einigkeit mit ihr.

Auf eine Zeit hatten die beiden daheim eine schöne Kost zurechtgemacht, und wie sie nun alle beisammen waren, setzten sie sich, aßen und tranken und waren voller Freude. Es war aber ein kleines Gärtchen an dem verwünschten Häuschen, darin standen zwölf Lilienblumen, die man auch Studenten heißt; nun wollte sie ihren Brüdern ein Vergnügen machen, brach die zwölf Blumen ab und dachte jedem aufs Essen eine zu schenken. Wie sie aber die Blumen abgebrochen hatte, in demselben Augenblick waren die zwölf Brüder in zwölf Raben verwandelt und flogen über den Wald hin fort, und das Haus mit dem Garten war auch verschwunden. Da war nun das arme Mädchen allein in dem wilden Wald, und wie es sich umsah, so stand eine alte Frau neben ihm, die sprach: »Mein Kind, was hast du angefangen? Warum hast du die zwölf weißen Blumen nicht stehen lassen? Das waren deine Brüder, die sind nun auf immer in Raben verwandelt.« Das Mädchen sprach weinend: »Ist denn kein Mittel, sie zu erlösen?« – »Nein«, sagte die Alte, »es ist keins auf der ganzen Welt als eins, das ist aber so schwer, daß du sie damit nicht befreien wirst, denn du mußt sieben

Jahre stumm sein, darfst nicht sprechen und nicht lachen, und sprichst du ein einziges Wort, und es fehlt nur eine Stunde an den sieben Jahren, so ist alles umsonst, und deine Brüder werden von dem einen Wort getötet.«

Da sprach das Mädchen in seinem Herzen: »Ich weiß gewiß, daß ich meine Brüder erlöse«, und ging und suchte einen hohen Baum, setzte sich darauf und spann, und sprach nicht und lachte nicht. Nun trug's sich zu, daß ein König in dem Walde jagte, der hatte einen großen Windhund, der lief zu dem Baum, wo das Mädchen darauf saß, sprang herum, schrie und bellte hinauf. Da kam der König herbei und sah die schöne Königstochter mit dem goldenen Stern auf der Stirne und war so entzückt über ihre Schönheit, daß er ihr zurief, ob sie seine Gemahlin werden wollte. Sie gab keine Antwort, nickte aber ein wenig mit dem Kopf. Da stieg er selbst auf den Baum, trug sie herab, setzte sie auf sein Pferd und führte sie heim. Da ward die Hochzeit mit großer Pracht und Freude gefeiert; aber die Braut sprach nicht und lachte nicht. Als sie ein paar Jahre miteinander vergnügt gelebt hatten, fing die Mutter des Königs, die eine böse Frau war, an, die junge Königin zu  verleumden, und sprach zum König: »Es ist ein gemeines Bettelmädchen, das du dir mitgebracht hast, wer weiß, was für gottlose Streiche sie heimlich treibt. Wenn sie stumm ist und nicht sprechen kann, so könnte sie doch einmal lachen, aber wer nicht lacht, der hat ein böses Gewissen.« Der König wollte zuerst nicht daran glauben, aber die Alte trieb es so lange und beschuldigte sie so viel böser Dinge, daß der König sich endlich überreden ließ und sie zum Tod verurteilte.

Nun ward im Hof ein großes Feuer angezündet, darin sollte sie verbrannt werden; und der König stand oben am Fenster und sah mit weinenden Augen zu, weil er sie noch immer so liebhatte. und als sie schon an den Pfahl festgebunden war und das Feuer an ihren Kleidern mit roten Zungen leckte, da war eben der letzte Augenblick von den sieben Jahren verflossen. Da ließ sich in der Luft ein Geschwirr hören, und zwölf Raben kamen hergezogen und senkten sich nieder; und wie sie die Erde berührten, waren es ihre zwölf Brüder, die sie erlöst hatte. Sie rissen das Feuer auseinander, löschten die Flammen, machten ihre liebe Schwester frei und küßten und herzten sie. Nun aber, da sie ihren Mund auftun und reden durfte, erzählte sie dem König, warum

sie stumm gewesen wäre und niemals gelacht hätte. Der König freute sich, als er hörte, daß sie unschuldig war, und sie lebten nun alle zusammen in Einigkeit bis an ihren Tod. Die böse Stiefmutter ward vor Gericht gestellt und in ein Faß gesteckt, das mit siedendem Öl und giftigen Schlangen angefüllt war, und starb eines bösen Todes.

Brüder Grimm

Das Lumpengesindel

Hähnchen sprach zum Hühnchen: »Jetzt ist die Zeit, wo die Nüsse reif werden, da wollen wir zusammen auf den Berg gehen und uns einmal recht satt essen, ehe sie das Eichhorn alle wegholt.« – »Ja«, antwortete das Hühnchen, »komm, wir wollen uns eine Lust miteinander machen.« Da gingen sie zusammen fort auf den Berg, und weil es ein heller Tag war, blieben sie bis zum Abend. Nun weiß ich nicht, ob sie sich so dick gegessen hatten oder ob sie übermütig geworden waren, kurz, sie wollten nicht zu Fuß nach Haus gehen, und das Hähnchen mußte einen kleinen Wagen von Nußschalen bauen. Als er fertig war, setzte sich Hühnchen hinein und sagte zum Hähnchen: »Du kannst dich nur immer vorspannen.« – »Du kommst mir recht«, sagte das Hähnchen, »lieber geh ich zu Fuß nach Haus, als daß ich mich vorspannen lasse; nein, so haben wir nicht gewettet. Kutscher will ich wohl sein und auf dem Bock sitzen, aber selbst ziehen, das tu ich nicht.«

Wie sie so stritten, schnatterte eine Ente daher: »Ihr Diebsvolk, wer hat euch geheißen in meinen Nußberg gehen? Wartet, das soll euch schlecht bekommen!« Ging also mit aufgesperrtem Schnabel auf das Hähnchen los. Aber Hähnchen war auch nicht faul und stieg der Ente tüchtig zu Leib, endlich hackte es mit seinen Sporn so gewaltig auf sie los, daß sie um Gnade bat und sich gern zur Strafe vor den Wagen spannen ließ. Hähnchen setzte sich nun auf den Bock und war Kutscher, und darauf ging es fort in einem Jagen, »Ente, lauf zu, was du kannst!« Als sie ein Stück Weges gefahren waren, begegneten sie zwei Fußgängern, einer Stecknadel und einer Nähnadel. Sie riefen: »Halt!

Halt!« und sagten, es würde gleich stichdunkel werden, da könnten sie keinen Schritt weiter, auch wäre es so schmutzig auf der Straße, ob sie nicht ein wenig einsitzen könnten: sie wären auf der Schneiderherberge vor dem Tor gewesen und hätten sich beim Bier verspätet. Hähnchen, da es magere Leute waren, die nicht viel Platz einnahmen, ließ sie beide einsteigen, doch mußten sie versprechen, ihm und seinem Hühnchen nicht auf die Füße zu treten. Spätabends kamen sie zu einem Wirtshaus, und weil sie die Nacht nicht weiterfahren wollten, die Ente auch nicht gut zu Fuß war und von einer Seite auf die andere fiel, so kehrten sie ein. Der Wirt machte anfangs viel Einwendungen, sein Haus wäre schon voll, gedachte auch wohl, es möchte keine vornehme Herrschaft sein, endlich aber, da sie süße Reden führten, er sollte das Ei haben, welches das Hühnchen unterwegs gelegt hatte, auch die Ente behalten, die alle Tage eins legte, so sagte er endlich, sie möchten die Nacht über bleiben. Nun ließen sie wieder frisch auftragen und lebten in Saus und Braus. Frühmorgens, als es dämmerte und noch alles schlief, weckte Hähnchen das Hühnchen, holte das Ei, pickte es auf, und sie verzehrten es zusammen; die Schalen aber warfen sie auf den Feuerherd. Dann gingen sie zu der Nähnadel, die noch schlief, packten sie beim Kopf und steckten sie in das Sesselkissen des Wirts, die Stecknadel aber in sein Handtuch, endlich flogen sie, mir nichts, dir nichts, über die Heide davon. Die Ente, die gern unter freiem Himmel schlief und im Hof geblieben war, hörte sie fortschnurren, machte sich munter und fand einen Bach, auf dem sie hinabschwamm; und das ging geschwinder als vor dem Wagen. Ein paar Stunden später machte sich erst der Wirt aus den Federn, wusch sich und wollte sich am Handtuch abtrocknen, da fuhr ihm die Stecknadel über das Gesicht und machte ihm einen roten Strich von einem Ohr zum andern; dann ging er in die Küche und wollte sich eine Pfeife anstecken, wie er aber an den Herd kam, sprangen ihm die Eierschalen in die Augen. »Heute morgen will mir alles an meinen Kopf«, sagte er und ließ sich verdrießlich auf seinen Großvaterstuhl nieder; aber geschwind fuhr er wieder in die Höhe und schrie »Auweh!« denn die Nähnadel hatte ihn noch schlimmer und nicht in den Kopf gestochen. Nun war er vollends böse und hatte Verdacht auf die Gäste, die so spät gestern abend gekommen waren; und wie er ging und sich nach ihnen umsah, waren sie fort. Da tat er einen Schwur, kein Lumpengesindel mehr in sein Haus zu nehmen, das viel verzehrt, nichts bezahlt und zum Dank noch obendrein Schabernack treibt.   *Brüder Grimm*

Brüderchen und Schwesterchen

Brüderchen nahm sein Schwesterchen an der Hand und sprach: »Seit die Mutter tot ist, haben wir keine gute Stunde mehr; die Stiefmutter schlägt uns alle Tage, und wenn wir zu ihr kommen, stößt sie uns mit den Füßen fort. Die harten Brotkrusten, die übrig bleiben, sind unsere Speise, und dem Hündlein unter dem Tisch geht's besser: dem wirft sie doch manchmal einen guten Bissen zu. Daß Gott erbarm, wenn das unsere Mutter wüßte! Komm, wir wollen miteinander in die weite Welt gehen.« Sie gingen den ganzen Tag über Wiesen, Felder und Steine, und wenn es regnete, sprach das Schwesterchen: »Gott und unsere Herzen, die weinen zusammen!« Abends kamen sie in einen großen Wald und waren so müde von Jammer, Hunger und dem langen Weg, daß sie sich in einen hohlen Baum setzten und einschliefen.

Am andern Morgen, als sie aufwachten, stand die Sonne schon hoch am Himmel und schien heiß in den Baum hinein. Da sprach das Brüderchen: »Schwesterchen, mich dürstet, wenn ich ein Brünnlein wüßte, ich ging und tränk einmal; ich mein, ich hört eins rauschen.« Brüderchen stand auf, nahm Schwesterchen an der Hand, und sie wollten das Brünnlein suchen. Die böse Stiefmutter aber war eine Hexe und hatte wohl gesehen, wie die beiden Kinder fortgegangen waren, war ihnen nachgeschlichen, heimlich, wie die Hexen schleichen, und hatte alle Brunnen im Walde verwünscht. Als sie nun ein Brünnlein fanden, das so glitzerig über die Steine sprang, wollte das Brüderchen daraus trinken; aber das Schwesterchen hörte, wie es im Rauschen sprach: »Wer aus mir trinkt, wird ein Tiger; wer aus mir trinkt, wird ein Tiger.« Da rief das Schwesterchen: »Ich bitte dich, Brüderchen, trink nicht, sonst wirst du ein wildes Tier und zerreißest mich.« Das Brüderchen trank nicht, ob es gleich so großen Durst hatte, und sprach: »Ich will warten bis zur nächsten Quelle.« Als sie zum zweiten Brünnlein kamen, hörte das Schwesterchen, wie auch dieses sprach: »Wer aus mir trinkt, wird ein Wolf; wer aus mir trinkt, wird ein Wolf.« Da rief das Schwesterchen: »Brüderchen, ich bitte dich, trink nicht, sonst wirst du ein Wolf und frissest mich.« Das Brüderchen

trank nicht und sprach: »Ich will warten, bis wir zur nächsten Quelle kommen, aber dann muß ich trinken, du magst sagen, was du willst: mein Durst ist gar zu groß.« Und als sie zum dritten Brünnlein kamen, hörte das Schwesterlein, wie es im Rauschen sprach: »Wer aus mir trinkt, wird ein Reh, wer aus mir trinkt, wird ein Reh.« Das Schwesterchen sprach: »Ach Brüderchen, ich bitte dich, trink nicht, sonst wirst du ein Reh und läufst mir fort.« Aber das Brüderchen hatte sich gleich beim Brünnlein niedergekniet, hinabgebeugt und von dem Wasser getrunken, und wie die ersten Tropfen auf seine Lippen gekommen waren, lag es da als ein Rehkälbchen.

Nun weinte das Schwesterchen über das arme verwünschte Brüderchen, und das Rehchen weinte auch und saß so traurig neben ihm. Da sprach das Mädchen endlich: »Sei still, liebes Rehchen, ich will dich ja nimmermehr verlassen.« Dann band es sein goldenes Strumpfband ab und tat es dem Rehchen um den Hals und rupfte Binsen und flocht ein weiches Seil daraus. Daran band es das Tierchen und führte es weiter und ging immer tiefer in den Wald hinein. Und als sie lange, lange gegangen waren, kamen sie endlich an ein kleines Haus, und das Mädchen schaute hinein, und weil es leer war, dachte es: »Hier können wir bleiben und wohnen.« Da suchte es dem Rehchen Laub und Moos zu einem weichen Lager, und jeden Morgen ging es aus und sammelte sich Wurzeln, Beeren und Nüsse, und für das Rehchen brachte es zartes Gras mit, das fraß es ihm aus der Hand, war vergnügt und spielte vor ihm herum. Abends, wenn Schwesterchen müde war und sein Gebet gesagt hatte, legte es seinen Kopf auf den Rücken des Rehkälbchens, das war sein Kissen, darauf es sanft einschlief. Und hätte das Brüderchen nur seine menschliche Gestalt gehabt, es wäre ein herrliches Leben gewesen.

Das dauerte eine Zeitlang, daß sie so allein in der Wildnis waren. Es trug sich aber zu, daß der König des Landes eine große Jagd in dem Wald hielt. Da schallte das Hörnerblasen, Hundegebell und das lustige Geschrei der Jäger durch die Bäume, und das Rehlein hörte es und wäre gar zu gerne dabei gewesen. »Ach«, sprach es zum Schwesterlein, »laß mich hinaus in die Jagd, ich kann's nicht länger mehr aushalten«, und bat so lange, bis es einwilligte. »Aber«, sprach es zu ihm, »komm mir ja abends wieder, vor den wilden Jägern schließ ich mein Türlein; und damit ich dich kenne, so klopf und sprich: Mein Schwesterlein, laß mich herein. Und wenn du nicht so sprichst, so schließ ich mein Türlein nicht auf.« Nun sprang das Rehchen hinaus,

und war ihm so wohl und war so lustig in freier Luft. Der König und seine Jäger sahen das schöne Tier und setzten ihm nach, aber sie konnten es nicht einholen, und wenn sie meinten, sie hätten es gewiß, da sprang es über das Gebüsch weg und war verschwunden. Als es dunkel ward, lief es zu dem Häuschen, klopfte und sprach: »Mein Schwesterlein, laß mich herein.« Da ward ihm die kleine Tür aufgetan, es sprang hinein und ruhete sich die ganze Nacht auf seinem weichen Lager aus. Am andern Morgen ging die Jagd von neuem an, und als das Rehlein wieder das Hüfthorn hörte und das Ho-ho der Jäger, da hatte es keine Ruhe und sprach: »Schwesterchen, mach mir auf, ich muß hinaus.« Das Schwesterchen öffnete ihm die Türe und sprach: »Aber zu Abend mußt du wieder da sein und dein Sprüchlein sagen.« Als der König und seine Jäger das Rehlein mit dem goldenen Halsband wieder sahen, jagten sie ihm alle nach, aber es war ihnen zu schnell und behend. Das währte den ganzen Tag, endlich aber hatten es die Jäger abends umzingelt, und einer verwundete es ein wenig am Fuß, so daß es hinken mußte und langsam fortlief. Da schlich ihm ein Jäger nach bis zu dem Häuschen und hörte, wie es rief: »Mein Schwesterlein, laß mich herein«, und sah, daß die Tür ihm aufgetan und alsbald wieder zugeschlossen ward. Der Jäger behielt das alles wohl im Sinn, ging zum König und erzählte ihm, was er gesehen und gehört hatte. Da sprach der König: »Morgen soll noch einmal gejagt werden.«
Das Schwesterchen aber erschrak gewaltig, als es sah, daß sein Rehkälbchen verwundet war. Es wusch ihm das Blut ab, legte Kräuter auf und sprach: »Geh auf dein Lager, lieb Rehchen, daß du wieder heil wirst.« Die Wunde aber war so gering, daß das Rehchen am Morgen nichts mehr davon spürte. Und als es die Jagdlust wieder draußen

hörte, sprach es: »Ich kann's nicht aushalten, ich muß dabei sein; so bald soll mich keiner kriegen.« Das Schwesterchen weinte und sprach: »Nun werden sie dich töten, und ich bin hier allein im Wald und bin verlassen von aller Welt; ich laß dich nicht hinaus.« – »So sterb ich dir hier vor Betrübnis«, antwortete das Rehchen, »wenn ich das Hüfthorn höre, so mein ich, ich müßt aus den Schuhen springen!« Da konnte das Schwesterchen nicht anders und schloß ihm mit schwerem Herzen die Tür auf, und das Rehchen sprang gesund und fröhlich in den Wald. Als es der König erblickte, sprach er zu seinen Jägern: »Nun jagt ihm nach den ganzen Tag bis in die Nacht, aber daß ihm keiner etwas zu Leide tut.« Sobald die Sonne untergegangen war, sprach der König zum Jäger: »Nun komm und zeige mir das Waldhäuschen.« Und als er vor dem Türlein war, klopfte er an und rief: »Lieb Schwesterlein, laß mich herein.« Da ging die Tür auf, und der König trat herein, und da stand ein Mädchen, das war so schön, wie er noch keins gesehen hatte. Das Mädchen erschrak, als es sah, daß nicht sein Rehlein, sondern ein Mann hereinkam, der eine goldene Krone auf dem Haupt hatte. Aber der König sah es freundlich an, reichte ihm die Hand und sprach: »Willst du mit mir gehen auf mein Schloß und meine liebe Frau sein?« – »Ach ja«, antwortete das Mädchen, »aber das Rehchen muß auch mit, das verlaß ich nicht.« Sprach der König: »Es soll bei dir bleiben, so lange du lebst, und soll ihm an nichts fehlen.« Indem kam es hereingesprungen, da band es das Schwester-chen wieder an das Binsenseil, nahm es selbst in die Hand und ging mit ihm aus dem Waldhäuschen fort.

Der König nahm das schöne Mädchen auf sein Pferd und führte es in sein Schloß, wo die Hochzeit mit großer Pracht gefeiert wurde, und war es nun die Frau Königin, und lebten sie lange Zeit vergnügt zusammen; das Rehlein ward gehegt und gepflegt und sprang in den Schloßgärten herum. Die böse Stiefmutter aber, um derentwillen die Kinder in die Welt hineingegangen waren, die meinte nicht anders, als Schwesterchen wäre von den wilden Tieren im Walde zerrissen worden und Brüderchen als ein Rehkalb von den Jägern totgeschossen. Als sie nun hörte, daß sie so glücklich waren und es ihnen so wohl ging, da wurden Neid und Mißgunst in ihrem Herzen rege und ließen ihr keine Ruhe, und sie hatte keinen andern Gedanken, als wie sie die beiden doch noch ins Unglück bringen könnte. Ihre rechte Tochter, die häßlich war wie die Nacht und nur ein Auge hatte, die machte ihr Vorwürfe und sprach: »Eine Königin zu werden, das Glück hätte mir gebührt.« – »Sei nur still«, sagte die Alte und sprach sie zufrieden, »wenn's Zeit ist, will ich schon bei der Hand sein.« Als nun die Zeit heran gerückt war und die Königin ein schönes Knäblein zur Welt gebracht hatte und der König gerade auf der Jagd war, nahm die alte Hexe die Gestalt der Kammerfrau an, trat in die Stube, wo die Königin lag, und sprach zu der Kranken: »Kommt, das Bad ist fertig, das wird euch wohltun und frische Kräfte geben; geschwind, eh es kalt wird.« Ihre Tochter war auch bei der Hand, sie trugen die schwache Königin in die Badstube und legten sie in die Wanne; dann schlossen sie die Tür ab und liefen davon. In der Badstube aber hatten sie ein rechtes Höllenfeuer angemacht, daß die schöne junge Königin bald ersticken mußte.

Als das vollbracht war, nahm die Alte ihre Tochter, setzte ihr eine Haube auf und legte sie ins Bett an der Königin Stelle. Sie gab ihr auch  die Gestalt und das Ansehen der Königin, nur das verlorene Auge konnte sie ihr nicht wiedergeben. Damit es aber der König nicht merkte, mußte sie sich auf die Seite legen, wo sie kein Auge hatte. Am Abend, als er heimkam und hörte, daß ihm ein Söhnlein geboren war, freute er sich herzlich und wollte ans Bett seiner lieben Frau gehen und sehen, was sie machte. Da rief die Alte geschwind: »Beileibe, laßt die Vorhänge zu, die Königin darf noch nicht ins Licht sehen und muß Ruhe haben.« Der König ging zurück und wußte nicht, daß eine falsche Königin im Bette lag.

Als es aber Mitternacht war und alles schlief, da sah die Kinderfrau, die in der Kinderstube neben der Wiege saß und allein noch wachte, wie die Türe aufging, und die rechte Königin herein trat. Sie nahm das Kind aus der Wiege, legte es in ihren Arm und gab ihm zu trinken. Dann schüttelte sie ihm sein Kißchen, legte es wieder hinein und deckte es mit dem Deckbettchen zu. Sie vergaß aber auch das Rehchen nicht, ging in die Ecke, wo es lag, und streichelte ihm über den Rücken. Darauf ging sie ganz stillschweigend wieder zur Türe hinaus, und die Kinderfrau fragte am andern Morgen die Wächter, ob jemand während der Nacht ins Schloß gegangen wäre, aber sie antworteten: »Nein, wir haben niemand gesehen.«

So kam sie viele Nächte und sprach niemals ein Wort dabei; die Kinderfrau sah sie immer, aber sie getraute sich nicht, jemand etwas davon zu sagen.

Als nun so eine Zeit verflossen war, da hub die Königin in der Nacht an zu reden und sprach:

> »Was macht mein Kind? Was macht mein Reh?
> Nun komm ich noch zweimal und dann nimmermehr.«

Die Kinderfrau antwortete ihr nicht, aber als sie wieder verschwunden war, ging sie zum König und erzählte ihm alles. Sprach der König: »Ach Gott, was ist das! Ich will in der nächsten Nacht bei dem Kinde wachen.« Abends ging er in die Kinderstube, aber um Mitternacht erschien die Königin wieder und sprach:

> »Was macht mein Kind? Was macht mein Reh?
> Nun komm ich noch einmal und dann nimmermehr.«

Und pflegte dann des Kindes, wie sie gewöhnlich tat, ehe sie verschwand. Der König getraute sich nicht, sie anzureden, aber er wachte auch in der folgenden Nacht. Sie sprach abermals:

> »Was macht mein Kind? Was macht mein Reh?
> Nun komm ich noch diesmal und dann nimmermehr.«

Da konnte sich der König nicht zurückhalten, sprang zu ihr und sprach: »Du kannst niemand anders sein als meine liebe Frau.« Da antwortete sie: »Ja, ich bin deine liebe Frau«, und hatte in dem Augenblick durch Gottes Gnade das Leben wieder erhalten, war frisch, rot und gesund. Darauf erzählte sie dem König den Frevel, den die böse Hexe und ihre Tochter an ihr verübt hatten. Der König ließ beide vor Gericht führen, und es ward ihnen das Urteil gesprochen. Die Tochter ward in den Wald geführt, wo sie die wilden Tiere zerrissen, die Hexe

aber ward ins Feuer gelegt und mußte jammervoll verbrennen. Und
wie sie zu Asche verbrannt war, verwandelte sich das Rehkälbchen
und erhielt seine menschliche Gestalt wieder; Schwesterchen und
Brüderchen aber lebten glücklich zusammen bis an ihr Ende.

Brüder Grimm

Hänsel und Gretel

Vor einem großen Walde wohnte ein armer Holzhacker mit seiner Frau und seinen zwei Kindern; das Bübchen hieß
Hänsel und das Mädchen Gretel. Er hatte wenig zu beißen und zu brechen, und
einmal, als große Teuerung ins Land
kam, konnte er auch das täglich Brot nicht mehr schaffen. Wie er sich
nun abends im Bette Gedanken machte und sich vor Sorgen herum-
wälzte, seufzte er und sprach zu seiner Frau: »Was soll aus uns
werden? Wie können wir unsere armen Kinder ernähren, da wir für
uns selbst nichts mehr haben?« – »Weißt du was, Mann«, antwortete
die Frau, »wir wollen morgen in aller Frühe die Kinder hinaus in den
Wald führen, wo er am dicksten ist: da machen wir ihnen ein Feuer an
und geben jedem noch ein Stückchen Brot, dann gehen wir an unsere
Arbeit und lassen sie allein. Sie finden den Weg nicht wieder nach
Haus und wir sind sie los.« – »Nein, Frau«, sagte der Mann, »das tue
ich nicht; wie sollt ich's übers Herz bringen, meine Kinder im Walde
allein zu lassen, die wilden Tiere würden bald kommen und sie zerreißen.« – »O du Narr«, sagte sie, »dann müssen wir alle viere Hungers
sterben, du kannst nur die Bretter für die Särge hobeln«, und ließ ihm
keine Ruhe, bis er einwilligte. »Aber die armen Kinder dauern mich
doch«, sagte der Mann.
Die zwei Kinder hatten vor Hunger auch nicht einschlafen können
und hatten gehört, was die Stiefmutter zum Vater gesagt hatte. Gretel
weinte bittere Tränen und sprach zu Hänsel: »Nun ist's um uns geschehen.« – »Still, Gretel«, sprach Hänsel, »gräme dich nicht, ich will
uns schon helfen.« Und als die Alten eingeschlafen waren, stand er
auf, zog sein Röcklein an, machte die Untertüre auf und schlich sich

hinaus. Da schien der Mond ganz helle, und die weißen Kieselsteine, die vor dem Haus lagen, glänzten wie lauter Batzen. Hänsel bückte sich und steckte so viel in sein Rocktäschlein, als nur hinein wollten. Dann ging er wieder zurück, sprach zu Gretel: »Sei getrost, liebes Schwesterchen, und schlaf nur ruhig ein, Gott wird uns nicht verlassen«, und legte sich wieder in sein Bett.

Als der Tag anbrach, noch ehe die Sonne aufgegangen war, kam schon die Frau und weckte die beiden Kinder: »Steht auf, ihr Faulenzer, wir wollen in den Wald gehen und Holz holen.« Dann gab sie jedem ein Stückchen Brot und sprach: »Da habt ihr etwas für den Mittag, aber eßt's nicht vorher auf, weiter kriegt ihr nichts.« Gretel nahm das Brot unter die Schürze, weil Hänsel die Steine in der Tasche hatte. Danach machten sie sich alle zusammen auf den Weg nach dem Wald. Als sie ein Weilchen gegangen waren, stand Hänsel still und guckte nach dem Haus zurück und tat das wieder und immer wieder. Der Vater sprach: »Hänsel, was guckst du da und bleibst zurück, hab acht und vergiß deine Beine nicht.« – »Ach, Vater«, sagte Hänsel, »ich sehe nach mei-

nem weißen Kätzchen, das sitzt oben auf dem Dach und will mir ade sagen.« Die Frau sprach: »Narr, das ist dein Kätzchen nicht, das ist die Morgensonne, die auf den Schornstein scheint.« Hänsel aber hatte nicht nach dem Kätzchen gesehen, sondern immer einen von den blanken Kieselsteinen aus seiner Tasche auf den Weg geworfen.

Als sie mitten in den Wald gekommen waren, sprach der Vater: »Nun sammelt Holz, ihr Kinder, ich will ein Feuer anmachen, damit ihr nicht friert.« Hänsel und Gretel trugen Reisig zusammen, einen kleinen Berg hoch. Das Reisig ward angezündet, und als die Flamme recht hoch brannte, sagte die Frau: »Nun legt euch ans Feuer, ihr Kinder, und ruht euch aus, wir gehen in den Wald und hauen Holz. Wenn wir fertig sind, kommen wir wieder und holen euch ab.«

Hänsel und Gretel saßen am Feuer, und als der Mittag kam, aß jedes sein Stücklein Brot. Und weil sie die Schläge der Holzaxt hörten, so glaubten sie, ihr Vater wäre in der Nähe. Es war aber nicht die Holzaxt, es war ein Ast, den er an einen dürren Baum gebunden hatte und den der Wind hin und her schlug. Und als sie so lange gesessen hatten, fielen ihnen die Augen vor Müdigkeit zu, und sie schliefen fest ein. Als sie endlich erwachten, war es schon finstere Nacht. Gretel fing an zu weinen und sprach: »Wie sollen wir nun aus dem Wald kommen!« Hänsel aber tröstete sie: »Wart nur ein Weilchen, bis der Mond aufgegangen ist, dann wollen wir den Weg schon finden.« Und als der volle Mond aufgestiegen war, so nahm Hänsel sein Schwesterchen an der Hand und ging den Kieselsteinen nach, die schimmerten wie neu geschlagene Batzen und zeigten ihnen den Weg. Sie gingen die ganze Nacht hindurch und kamen bei anbrechendem Tag wieder zu ihres Vaters Haus. Sie klopften an die Tür, und als die Frau aufmachte und sah, daß es Hänsel und Gretel war, sprach sie: »Ihr bösen Kinder, was habt ihr so lange im Walde geschlafen, wir haben geglaubt, ihr wolltet gar nicht wieder kommen.« Der Vater aber freute sich, denn es war ihm zu Herzen gegangen, daß er sie so allein zurück gelassen hatte.

Nicht lange danach war wieder Not in allen Ecken, und die Kinder hörten, wie die Mutter nachts im Bette zu dem Vater sprach: »Alles ist wieder aufgezehrt, wir haben noch einen halben Laib Brot, hernach hat das Lied ein Ende. Die Kinder müssen fort, wir wollen sie tiefer in den Wald hineinführen, damit sie den Weg nicht wieder heraus finden; es ist sonst keine Rettung für uns.« Dem Mann fiel's schwer aufs Herz und er dachte: »Es wäre besser, daß du den letzten Bissen mit deinen Kindern teiltest.« Aber die Frau hörte auf nichts, was er sagte, schalt ihn und machte ihm Vorwürfe. Wer A sagt muß auch B sagen, und weil er das erste Mal nachgegeben hatte, so mußte er es auch zum zweiten Mal.

Die Kinder waren aber noch wach gewesen und hatten das Gespräch mit angehört. Als die Alten schliefen, stand Hänsel wieder auf, wollte hinaus und Kieselsteine auflesen wie das vorigemal, aber die Frau hatte die Tür verschlossen, und Hänsel konnte nicht heraus. Aber er tröstete sein Schwesterchen und sprach: »Weine nicht, Gretel, und schlaf nur ruhig, der liebe Gott wird uns schon helfen.«

Am frühen Morgen kam die Frau und holte die Kinder aus dem Bette. Sie erhielten ihr Stückchen Brot, das war aber noch kleiner als das vorigemal. Auf dem Wege nach dem Wald bröckelte es Hänsel in der Tasche, stand oft still und warf ein Bröcklein auf die Erde. »Hänsel, was stehst du und guckst dich um«, sagte der Vater, »geh deiner Wege.« – »Ich sehe nach meinem Täubchen, das sitzt auf dem Dache und will mir ade sagen«, antwortete Hänsel. »Narr«, sagte die Frau, »das ist dein Täubchen nicht, das ist die Morgensonne, die auf den Schornstein oben scheint.« Hänsel aber warf nach und nach alle Bröcklein auf den Weg.

Die Frau führte die Kinder noch tiefer in den Wald, wo sie ihr Lebtag noch nicht gewesen waren. Da ward wieder ein großes Feuer angemacht, und die Mutter sagte: »Bleibt nur da sitzen, ihr Kinder, und wenn ihr müde seid, könnt ihr ein wenig schlafen; wir gehen in den Wald und hauen Holz, und abends, wenn wir fertig sind, kommen wir und holen euch ab.« Als es Mittag war, teilte Gretel ihr Brot mit Hänsel, der sein Stück auf den Weg gestreut hatte. Dann schliefen sie ein, und der Abend verging, aber niemand kam zu den armen Kindern. Sie erwachten erst in der finstern Nacht, und Hänsel tröstete sein Schwesterchen und sagte: »Wart nur, Gretel, bis der Mond aufgeht, dann werden wir die Brotbröcklein sehen, die ich ausgestreut habe, die zeigen uns den Weg nach Haus.« Als der Mond kam, machten sie sich auf, aber sie fanden kein Bröcklein mehr, denn die vieltausend Vögel, die im Walde und im Felde umherfliegen, die hatten sie weggepickt. Hänsel sagte zu Gretel: »Wir werden den Weg schon finden«, aber sie fanden ihn nicht. Sie gingen die ganze Nacht und noch einen Tag von morgens bis abends, aber sie kamen aus dem Wald nicht heraus und waren so hungrig, denn sie hatten nichts als die paar Beeren, die auf der Erde standen. Und weil sie so müde waren, daß die Beine sie nicht

mehr tragen wollten, so legten sie sich unter einen Baum und schliefen ein.

Nun war's schon der dritte Morgen, daß sie ihres Vaters Haus verlassen hatten. Sie fingen wieder an zu gehen, aber sie gerieten immer tiefer in den Wald, und wenn nicht bald Hilfe kam, so mußten sie verschmachten. Als es Mittag war, sahen sie ein schönes schneeweißes Vöglein auf einem Ast sitzen, das sang so schön, daß sie stehen blieben und ihm zuhörten. Und als es fertig war, schwang es seine Flügel und flog vor ihnen her, und sie gingen ihm nach, bis sie zu einem Häuschen gelangten, auf dessen Dach es sich setzte, und als sie ganz nah herankamen, so sahen sie, daß das Häuslein aus Brot gebaut war und mit Kuchen gedeckt; aber die Fenster waren von hellem Zuk-

ker. »Da wollen wir uns dran machen«, sprach Hänsel, »und eine gesegnete Mahlzeit halten. Ich will ein Stück vom Dach essen, Gretel, du kannst vom Fenster essen, das schmeckt süß.« Hänsel reichte in die Höhe und brach sich ein wenig vom Dach ab, um zu versuchen wie es schmeckte, und Gretel stellte sich an die Scheiben und knuperte daran. Da rief eine feine Stimme aus der Stube heraus:

>»Knuper, knuper, kneischen,
>   wer knupert an meinem Häuschen?«

die Kinder antworteten:

>»Der Wind, der Wind,
>   das himmlische Kind«,

und aßen weiter, ohne sich irre machen zu lassen. Hänsel, dem das Dach sehr gut schmeckte, riß sich ein großes Stück davon herunter und Gretel stieß eine ganze runde Fensterscheibe heraus, setzte sich nieder und tat sich wohl damit. Da ging auf einmal die Türe auf und eine steinalte Frau, die sich auf eine Krücke stützte, kam herausgeschlichen. Hänsel und Gretel erschraken so gewaltig, daß sie fallen ließen, was sie in den Händen hielten. Die Alte aber wackelte mit dem Kopfe und sprach: »Ei, ihr lieben Kinder, wer hat euch hierher gebracht? Kommt nur herein und bleibt bei mir, es geschieht euch kein Leid.« Sie faßte beide an der Hand und führte sie in ihr Häuschen. Da ward gutes Essen aufgetragen, Milch und Pfannekuchen mit Zucker, Äpfel und Nüsse. Hernach wurden zwei Bettlein weiß gedeckt. Hänsel und Gretel legten sich hinein und meinten, sie wären im Himmel. Die Alte hatte sich nur so freundlich angestellt, sie war aber eine böse Hexe, die den Kindern auflauerte, und hatte das Brothäuslein bloß gebaut, um sie herbeizulocken. Wenn eins in ihre Gewalt kam, so machte sie es tot, kochte es und aß es, und das war ihr ein Festtag. Die Hexen haben rote Augen und können nicht weit sehen, aber sie haben eine feine Witterung, wie die Tiere, und merken's, wenn Menschen herankommen. Als Hänsel und Gretel in ihre Nähe kamen, da lachte sie boshaft und sprach höhnisch: »Die habe ich, die sollen mir nicht wieder entwischen.« Frühmorgens, ehe die Kinder erwacht waren, stand sie schon auf, und als sie beide so lieblich ruhen sah, mit den vollen roten Backen, so murmelte sie vor sich hin: »Das wird ein guter Bissen werden.« Da packte sie Hänsel mit ihrer dürren Hand und trug ihn in einen kleinen Stall und sperrte ihn mit einer Gittertüre ein; er

mochte schreien wie er wollte, es half ihm nichts. Dann ging sie zur Gretel, rüttelte sie wach und rief: »Steh auf, Faulenzerin, trag Wasser und koch deinem Bruder etwas Gutes, der sitzt draußen im Stall und soll fett werden. Wenn er fett ist, so will ich ihn essen.« Gretel fing an bitterlich zu weinen, aber es war alles vergeblich, sie mußte tun, was die böse Hexe verlangte.

Nun ward dem armen Hänsel das beste Essen gekocht, aber Gretel bekam nichts als Krebsschalen. Jeden Morgen schlich die Alte zu dem Ställchen und rief: »Hänsel, streck deine Finger heraus, damit ich fühle, ob du bald fett bist.« Hänsel streckte ihr aber ein Knöchlein heraus, und die Alte, die trübe Augen hatte, konnte es nicht sehen und meinte, es wären Hänsels Finger, und verwunderte sich, daß er gar nicht fett werden wollte. Als vier Wochen herum waren und Hänsel immer mager blieb, da übernahm sie die Ungeduld, und sie wollte nicht länger warten. »Heda, Gretel«, rief sie dem Mädchen zu, »sei flink und trag Wasser: Hänsel mag fett oder mager sein, morgen will ich ihn schlachten und kochen.« Ach, wie jammerte das arme Schwesterchen, als es das Wasser tragen mußte, und wie flossen ihm die Tränen über die Backen herunter! »Lieber Gott, hilf uns doch«, rief sie aus, »hätten uns nur die wilden Tiere im Wald gefressen, so wären wir doch zusammen gestorben.« – »Spar nur dein Geplärre«, sagte die Alte, »es hilft dir alles nichts.«

Frühmorgens mußte Gretel heraus, den Kessel mit Wasser aufhängen und Feuer anzünden. »Erst wollen wir backen«, sagte die Alte, »ich habe den Backofen schon eingeheizt und den Teig geknetet!« Sie stieß das arme Gretel hinaus zu dem Backofen, aus dem die Feuerflammen schon herausschlugen. »Kriech hinein«, sagte die Hexe, »und sieh zu, ob recht eingeheizt ist, damit wir das Brot hineinschieben können.« Und wenn Gretel darin war, wollte sie den Ofen zumachen, und Gretel sollte darin braten, und dann wollte sie's auch aufessen. Aber Gretel merkte, was sie im Sinn hatte und sprach: »Ich weiß nicht, wie ich's machen soll; wie komm ich da hinein?« – »Dumme Gans«, sagte die Alte, »die Öffnung ist groß genug, siehst du wohl, ich könnte selbst hinein«, krabbelte heran und steckte den Kopf in den Backofen. Da gab ihr Gretel einen Stoß, daß sie weit hineinfuhr, machte die eiserne Tür zu und schob den Riegel vor. Hu, da fing sie an zu heulen, ganz grauselig; aber Gretel lief fort, und die gottlose Hexe mußte elendiglich verbrennen.

Gretel aber lief schnurstracks zum Hänsel, öffnete sein Ställchen und rief: »Hänsel, wir sind erlöst, die alte Hexe ist tot!« Da sprang Hänsel heraus, wie ein Vogel aus dem Käfig, wenn ihm die Türe aufgemacht wird. Wie haben sie sich gefreut, sind sich um den Hals gefallen, sind herumgesprungen und haben sich geküßt! Und weil sie sich nicht mehr zu fürchten brauchten, so gingen sie in das Haus der Hexe hinein, da standen in allen Ecken Kasten mit Perlen und Edelsteinen. »Die sind noch besser als Kieselsteine«, sagte Hänsel und steckte in seine Taschen, was hineinwollte, und Gretel sagte: »Ich will auch etwas mit nach Haus bringen«, und füllte sich sein Schürzchen voll. »Aber jetzt wollen wir fort«, sagte Hänsel, »damit wir aus dem Hexenwald herauskommen.« Als sie aber ein paar Stunden gegangen waren, gelangten sie an ein großes Wasser. »Wir können nicht hinüber«, sprach Hänsel, »ich seh keinen Steg und keine Brücke.« – »Hier fährt auch kein Schiffchen«, antwortete Gretel, »aber da schwimmt eine weiße Ente, wenn ich die bitte, so hilft sie uns hinüber.« Da rief sie:

> »Entchen, Entchen,
> da steht Gretel und Hänsel.
> Kein Steg und keine Brücke,
> nimm uns auf deinen weißen Rücken.«

Das Entchen kam auch heran, und Hänsel setzte sich auf und bat sein Schwesterchen, sich zu ihm zu setzen. »Nein«, antwortete Gretel, »es

wird dem Entchen zu schwer, es soll uns nacheinander hinüberbringen.« Das tat das gute Tierchen, und als sie glücklich drüben waren und ein Weilchen fortgingen, da kam ihnen der Wald immer bekannter und immer bekannter vor, und endlich erblickten sie von weitem ihres Vaters Haus. Da fingen sie an zu laufen, stürzten in die Stube hinein und fielen ihrem Vater um den Hals. Der Mann hatte keine frohe Stunde gehabt, seitdem er die Kinder im Walde gelassen hatte, die Frau aber war gestorben. Gretel schüttete sein Schürzchen aus, daß die Perlen und Edelsteine in der Stube herumsprangen, und Hänsel warf eine Handvoll nach der andern aus seiner Tasche dazu. Da hatten alle Sorgen ein Ende, und sie lebten in lauter Freude zusammen. Mein Märchen ist aus, dort läuft eine Maus, wer sie fängt, darf sich eine große, große Pelzkappe daraus machen.   *Brüder Grimm*

 ## Das tapfere Schneiderlein

An einem Sommermorgen saß ein Schneiderlein auf seinem Tisch am Fenster, war guter Dinge und nähte aus Leibeskräften. Da kam eine Bauersfrau die Straße herab und rief: »Gut Mus feil! Gut Mus feil!« Das klang dem Schneiderlein lieblich in die Ohren, er steckte sein zartes Haupt zum Fenster hinaus und rief: »Hier herauf, liebe Frau, hier wird sie ihre Ware los.« Die Frau stieg die drei Treppen mit ihrem schweren Korbe zu dem Schneider herauf und mußte die Töpfe sämtlich vor ihm auspacken. Er besah sie alle, hob sie in die Höhe, hielt die Nase dran und sagte endlich: »Das Mus scheint mir gut, wieg sie mir doch vier Lot ab, liebe Frau, wenn's auch ein Viertelpfund ist, kommt es mir nicht darauf an.« Die Frau, welche gehofft hatte, einen guten Absatz zu finden, gab ihm, was er verlangte, ging aber ganz ärgerlich und brummig fort. »Nun, das Mus soll mir Gott segnen«, rief das Schneiderlein, »und soll mir Kraft und Stärke geben«, holte das Brot aus dem Schrank, schnitt sich ein Stück über den ganzen Laib und strich das Mus darüber. »Das wird nicht bitter schmecken«, sprach er, »aber erst will ich den Wams fertig machen, eh ich anbeiße.« Er legte das Brot neben sich, nähte

118

weiter und machte vor Freude immer größere Stiche. Indes stieg der Geruch von dem süßen Mus hinauf an die Wand, wo die Fliegen in großer Menge saßen, so daß sie herangelockt wurden und sich scharenweis darauf niederließen. »Ei, wer hat euch eingeladen?« sprach das Schneiderlein und jagte die ungebetenen Gäste fort. Die Fliegen aber, die kein Deutsch verstanden, ließen sich nicht abweisen, sondern kamen in immer größerer Gesellschaft wieder. Da lief dem Schneiderlein endlich, wie man sagt, die Laus über die Leber, es langte aus seiner Hölle nach einem Tuchlappen, und »Wart, ich will es euch geben!« schlug es unbarmherzig drauf. Als es abzog und zählte, so lagen nicht weniger als sieben vor ihm tot und streckten die Beine. »Bist du so ein Kerl?« sprach er, und mußte selbst seine Tapferkeit bewundern, »das soll die ganze Stadt erfahren.« Und in der Hast schnitt sich das Schneiderlein einen Gürtel, nähte ihn und stickte mit großen Buchstaben darauf: »Siebene auf einen Streich!« »Ei was Stadt!« sprach er weiter, »die ganze Welt soll's erfahren!« und sein Herz wackelte ihm vor Freude wie ein Lämmerschwänzchen.

Der Schneider band sich den Gürtel um den Leib und wollte in die Welt hinaus, weil er meinte, die Werkstätte sei zu klein für seine Tapferkeit. Eh er abzog, suchte er im Haus herum, ob nichts da wäre, was er mitnehmen könnte, er fand aber nichts als einen alten Käs, den steckte er ein. Vor dem Tore bemerkte er einen Vogel, der sich im Gesträuch gefangen hatte, der mußte zu dem Käse in die Tasche. Nun nahm er den Weg tapfer zwischen die Beine, und weil er leicht und behend war, fühlte er keine Müdigkeit. Der Weg führte ihn auf einen Berg, und als er den höchsten Gipfel erreicht hatte, so saß da ein gewaltiger Riese und schaute sich ganz gemächlich um. Das Schneiderlein ging beherzt auf ihn zu, redete ihn an und sprach: »Guten Tag, Kamerad, gelt, du sitzest da und besiehst dir die weitläufige Welt? Ich bin eben auf dem Wege dahin und will mich versuchen. Hast du Lust, mitzugehen?« Der Riese sah den Schneider verächtlich an und sprach: »Du Lump! Du miserabler Kerl!« – »Das wäre!« antwortete das Schneiderlein, knöpfte den Rock auf und zeigte dem Riesen den Gürtel, »da kannst du lesen, was ich für ein Mann bin.« Der Riese las »Siebene auf einen Streich«, meinte, das wären Menschen gewesen, die der Schneider erschlagen hätte, und kriegte ein wenig Respekt vor dem kleinen Kerl. Doch wollte er ihn erst prüfen, nahm einen Stein in die Hand und drückte ihn zusammen, daß das Wasser heraustropfte. »Das mach mir nach«, sprach der Riese, »wenn du Stärke hast.« –

»Ist's weiter nichts?« sagte das Schneiderlein, »das ist bei unsereinem
Spielwerk«, griff in die Tasche, holte den weichen Käs und drückte
ihn, daß der Saft herauslief. »Gelt«, sprach er, »das war ein wenig
besser?« Der Riese wußte nicht, was er sagen sollte, und konnte es von
dem Männlein nicht glauben. Da hob der Riese einen Stein auf und
warf ihn so hoch, daß man ihn mit Augen kaum noch sehen konnte:
»Nun, du Erpelmännchen, das tu mir nach.« – »Gut geworfen«, sagte
der Schneider, »aber der Stein hat doch wieder zur Erde herabfallen
müssen, ich will dir einen werfen, der soll gar nicht wiederkommen«,
griff in die Tasche, nahm den Vogel und warf ihn in die Luft. Der Vogel,
froh über seine Freiheit, stieg auf, flog fort und kam nicht wieder. »Wie
gefällt dir das Stückchen, Kamerad?« fragte der Schneider. »Werfen
kannst du wohl«, sagte der Riese, »aber nun wollen wir sehen ob du
imstande bist, etwas Ordentliches zu tragen.« Er führte das Schneiderlein zu einem mächtigen Eichbaum, der da gefällt auf dem Boden
lag, und sagte: »Wenn du stark genug bist, so hilf mir den Baum aus
dem Walde heraustragen.« – »Gern«, antwortete der kleine Mann,
»nimm du nur den Stamm auf deine Schulter, ich will die Äste mit
dem Gezweig aufheben und tragen, das ist doch das schwerste.« Der
Riese nahm den Stamm auf die Schulter, der Schneider aber setzte

sich auf einen Ast, und der Riese, der sich nicht umsehen konnte, mußte den ganzen Baum und das Schneiderlein noch obendrein forttragen. Es war da hinten ganz lustig und guter Dinge, pfiff das Liedchen »Es ritten drei Schneider zum Tore hinaus«, als wäre das Baumtragen ein Kinderspiel. Der Riese, nachdem er ein Stück Wegs die schwere Last fortgeschleppt hatte, konnte nicht weiter und rief: »Hör, ich muß den Baum fallen lassen.« Der Schneider sprang behendiglich herab, faßte den Baum mit beiden Armen, als wenn er ihn getragen hätte, und sprach zum Riesen: »Du bist ein so großer Kerl und kannst den Baum nicht einmal tragen.«

Sie gingen zusammen weiter, und als sie an einem Kirschbaum vorbeikamen, faßte der Riese die Krone des Baums, wo die zeitigsten Früchte hingen, bog sie herab, gab sie dem Schneider in die Hand und hieß ihn essen. Das Schneiderlein aber war viel zu schwach, um den Baum zu halten, und als der Riese losließ, fuhr der Baum in die Höhe, und der Schneider ward mit in die Luft geschnellt. Als er wieder ohne Schaden herabgefallen war, sprach der Riese: »Was ist das, hast du nicht Kraft, die schwache Gerte zu halten?« – »An der Kraft fehlt es nicht«, antwortete das Schneiderlein, »meinst du, das wäre etwas für einen, der siebene mit einem Streich getroffen hat? Ich bin über den Baum gesprungen, weil die Jäger da unten in das Gebüsch schießen. Spring nach, wenn du's vermagst.« Der Riese machte den Versuch, konnte aber nicht über den Baum kommen, sondern blieb in den Ästen hängen, also daß das Schneiderlein auch hier die Oberhand behielt.

Der Riese sprach: »Wenn du ein so tapferer Kerl bist, so komm mit in unsere Höhle und übernachte bei uns.« Das Schneiderlein war bereit und folgte ihm. Als sie in der Höhle anlangten, saßen da noch andere Riesen beim Feuer, und jeder hatte ein gebratenes Schaf in der Hand und aß davon. Das Schneiderlein sah sich um und dachte: »Es ist doch hier viel weitläufiger als in meiner Werkstatt.« Der Riese wies ihm ein Bett an und sagte, er sollte sich hineinlegen und ausschlafen. Dem Schneiderlein war aber das Bett zu groß, er legte sich nicht hinein, sondern kroch in eine Ecke. Als es Mitternacht war und der Riese meinte, das Schneiderlein läge in tiefem Schlafe, so stand er auf, nahm eine große Eisenstange und schlug das Bett mit einem Schlag durch, und meinte, er hätte dem Grashüpfer den Garaus gemacht. Mit dem frühsten Morgen gingen die Riesen in den Wald und hatten das Schneiderlein ganz vergessen, da kam es auf einmal ganz lustig und verwegen dahergeschritten. Die Riesen erschraken, fürchteten, es schlüge sie alle tot und liefen in einer Hast fort.

Das Schneiderlein zog weiter, immer seiner spitzen Nase nach. Nachdem es lange gewandert war, kam es in den Hof eines königlichen Palastes, und da es Müdigkeit empfand, so legte es sich ins Gras und schlief ein. Während es da lag, kamen die Leute, betrachteten es von  allen Seiten und lasen auf dem Gürtel »Siebene auf einen Streich«. »Ach«, sprachen sie, »was will der große Kriegsheld hier mitten im Frieden? Das muß ein mächtiger Herr sein.« Sie gingen und meldeten es dem König und meinten, wenn Krieg ausbrechen sollte, wäre das ein wichtiger und nützlicher Mann, den man um keinen Preis fortlassen dürfte. Dem König gefiel der Rat, und er schickte einen von seinen Hofleuten an das Schneiderlein ab, der sollte ihm, wenn es aufgewacht wäre, Kriegsdienste anbieten. Der Abgesandte blieb bei dem Schläfer stehen, wartete, bis er seine Glieder streckte und die Augen aufschlug, und brachte dann seinen Antrag vor. »Eben deshalb bin ich hierher gekommen«, antwortete er, »ich bin bereit, in des Königs Dienste zu treten.« Also ward er ehrenvoll empfangen und ihm eine besondere Wohnung angewiesen.

Die Kriegsleute aber waren dem Schneiderlein aufgesessen und wünschten, es wäre tausend Meilen weit weg. »Was soll daraus werden?« sprachen sie untereinander, »wenn wir Zank mit ihm kriegen und er haut zu, so fallen auf jeden Streich siebene. Da kann unsereiner nicht bestehen.« Also faßten sie einen Entschluß, begaben sich allesamt zum König und baten um ihren Abschied. »Wir sind nicht gemacht«, sprachen sie, »neben einem Mann auszuhalten, der siebene auf einen Streich schlägt.« Der König war traurig, daß er um des einen willen alle seine treuen Diener verlieren sollte, wünschte, daß seine Augen ihn nie gesehen hätten, und wäre ihn gerne wieder los gewesen. Aber er getrauete sich nicht, ihm den Abschied zu geben, weil er fürchtete, er möchte ihn samt seinem Volke totschlagen und sich auf den königlichen Thron setzen. Er sann lange hin und her, endlich fand er einen Rat. Er schickte zu dem Schneiderlein und ließ ihm sagen, weil er ein so großer Kriegsheld wäre, so wollte er ihm ein Anerbieten machen. In einem Walde seines Landes hausten zwei Riesen, die mit Rauben, Morden, Sengen und Brennen großen Schaden stifteten. Niemand dürfte sich ihnen nahen, ohne sich in Lebensgefahr zu setzen.

Wenn er diese beiden Riesen überwände und tötete, so wollte er ihm seine einzige Tochter zur Gemahlin geben und das halbe Königreich zur Ehesteuer; auch sollten hundert Reiter mitziehen und ihm Beistand leisten.

»Das wäre so etwas für einen Mann, wie du bist«, dachte das Schneiderlein, »eine schöne Königstochter und ein halbes Königreich wird einem nicht alle Tage angeboten.« – »O ja«, gab er zur Antwort, »die Riesen will ich schon bändigen und habe die hundert Reiter dabei nicht nötig: wer siebene auf einen Streich trifft, braucht sich vor zweien nicht zu fürchten.«

Das Schneiderlein zog aus, und die hundert Reiter folgten ihm. Als er zu dem Rand des Waldes kam, sprach er zu seinen Begleitern: »Bleibt hier nur halten, ich will schon allein mit den Riesen fertig werden.« Dann sprang er in den Wald hinein und schaute sich rechts und links um. Über ein Weilchen erblickte er beide Riesen: sie lagen unter einem Baume und schliefen und schnarchten dabei, daß sich die Äste auf und nieder bogen. Das Schneiderlein, nicht faul, las beide Taschen voll Steine und stieg damit auf den Baum. Als es in der Mitte war, rutschte es auf einen Ast, bis es gerade über die Schläfer zu sitzen kam, und ließ  dem einen Riesen einen Stein nach dem andern auf die Brust fallen. Der Riese spürte lange nichts, doch endlich wachte er auf, stieß seinen Gesellen an und sprach: »Was schlägst du mich?« – »Du träumst«, sagte der andere, »ich schlage dich nicht.« Sie legten sich wieder zum Schlaf, da warf der Schneider auf den zweiten einen Stein herab. »Was soll das?« rief der andere, »warum wirfst du mich.« – »Ich werfe dich nicht«, antwortete der erste und brummte. Sie zankten sich eine Weile herum, doch weil sie müde waren, ließen sie's gut sein, und die Augen fielen ihnen wieder zu. Das Schneiderlein fing sein Spiel von neuem an, suchte den dicksten Stein aus und warf ihn dem ersten Riesen mit aller Gewalt auf die Brust. »Das ist zu arg!« schrie er, sprang wie ein Unsinniger auf und stieß seinen Gesellen wider den Baum, daß dieser zitterte. Der andere zahlte mit gleicher Münze, und sie gerieten in solche Wut, daß sie Bäume ausrissen, aufeinander losschlugen, solang, bis sie endlich beide zugleich tot auf die Erde fielen. Nun sprang das Schneiderlein herab. »Ein Glück nur«, sprach es, »daß sie den Baum, auf dem ich saß, nicht ausgerissen haben, sonst hätte ich wie ein Eichhörnchen auf einen andern springen müssen; doch unsereiner ist flüchtig!« Es zog sein Schwert und versetzte jedem ein paar tüchtige Hiebe in die Brust, dann ging es hinaus zu den Reitern und sprach: »Die Arbeit ist getan, ich habe beiden den Garaus gemacht; aber hart ist es hergegangen, sie haben in der Not Bäume ausgerissen und sich gewehrt, doch das hilft alles nichts, wenn einer kommt wie ich, der siebene auf einen Streich schlägt.« – »Seid ihr denn nicht verwundet?« fragten die Reiter. »Das hat gute Wege«, antwortete der Schneider, »kein Haar haben sie mir gekrümmt.« Die Reiter wollten ihm keinen Glauben beimessen und ritten in den Wald hinein: Da fanden sie die Riesen in ihrem Blute schwimmend, und ringsherum lagen die ausgerissenen Bäume.

Das Schneiderlein verlangte von dem König die versprochene Belohnung, den aber reute sein Versprechen, und er sann aufs neue wie er sich den Helden vom Halse schaffen könnte. »Ehe du meine Tochter und das halbe Reich erhältst«, sprach er zu ihm, »mußt du noch eine Heldentat vollbringen. In dem Walde läuft ein Einhorn, das großen Schaden anrichtet, das mußt du erst einfangen.« – »Vor einem Einhorn fürchte ich mich noch weniger als vor zwei Riesen; sieben auf einen Streich, das ist meine Sache.« Er nahm sich einen Strick und eine Axt mit, ging hinaus in den Wald und hieß abermals die, welche ihm zugeordnet waren, außen warten. Er brauchte nicht lange zu suchen, das Einhorn kam bald daher und sprang geradezu auf den Schneider los, als wollte es ihn ohne Umstände aufspießen. »Sachte, sachte«, sprach er, »so geschwind geht das nicht«, blieb stehen und wartete, bis das Tier ganz nahe war, dann sprang er behendiglich hinter den Baum. Das Einhorn rannte mit aller Kraft gegen den Baum und spießte sein Horn so fest in den Stamm, daß es nicht Kraft genug hatte, es wieder heraus zu ziehen, und so war es gefangen. »Jetzt hab ich das Vöglein«, sagte der Schneider, kam hinter dem Baum hervor, legte dem Einhorn den Strick erst um den Hals, dann hieb er mit der Axt das Horn aus dem Baum, und als alles in Ordnung war, führte er das Tier ab und brachte es dem König.

Der König wollte ihm den verheißenen Lohn noch nicht gewähren und machte eine dritte Forderung. Der Schneider sollte ihm vor der Hochzeit erst ein Wildschwein fangen, das in dem Wald großen Schaden tat; die Jäger sollten ihm Beistand leisten. »Gerne«, sprach der Schneider, »das ist ein Kinderspiel.« Die Jäger nahm er nicht mit in den Wald, und sie waren's wohl zufrieden, denn das Wildschwein hatte sie schon mehrmals so empfangen daß sie keine Lust hatten, ihm

nachzustellen. Als das Schwein den Schneider erblickte, lief es mit schäumendem Munde und wetzenden Zähnen auf ihn zu und wollte ihn zur Erde werfen; der flüchtige Held aber sprang in eine Kapelle, die in der Nähe war, und gleich oben zum Fenster in einem Satze wieder hinaus. Das Schwein war hinter ihm hergelaufen, er aber hüpfte außen herum und schlug die Türe hinter ihm zu; da war das wütende Tier gefangen, das viel zu schwer und unbehilflich war, um zu dem Fenster hinauszuspringen. Das Schneiderlein rief die Jäger herbei, die mußten den Gefangenen mit eigenen Augen sehen; der Held aber begab sich zum Könige, der nun, er mochte wollen oder nicht, sein Versprechen halten mußte und ihm seine Tochter und das halbe Königreich übergab.

Hätte er gewußt, daß kein Kriegsheld, sondern ein Schneiderlein vor ihm stand, es wäre ihm noch mehr zu Herzen gegangen. Die Hochzeit ward also mit großer Pracht und kleiner Freude gehalten und aus einem Schneider ein König gemacht.

Nach einiger Zeit hörte die junge Königin in der Nacht, wie ihr Gemahl im Traume sprach: »Junge, mach mir den Wams und flick mir die Hosen, oder ich will dir die Elle über die Ohren schlagen.« Da merkte sie, in welcher Gasse der junge Herr geboren war, klagte am andern Morgen ihrem Vater ihr Leid und bat, er möchte ihr von dem Manne helfen, der nichts anders als ein Schneider wäre. Der König sprach ihr Trost zu und sagte: »Laß in der nächsten Nacht deine Schlafkammer offen, meine Diener sollen außen stehen und, wenn er eingeschlafen ist, hineingehen, ihn binden und auf ein Schiff tragen, das ihn in die weite Welt führt.« Die Frau war damit zufrieden, des Königs Waffenträger aber, der alles mit angehört hatte, war dem jungen Herrn gewogen und hinterbrachte ihm den ganzen Anschlag. »Dem Ding will ich einen Riegel vorschieben«, sagte das Schneiderlein. Abends

 legte es sich zu gewöhnlicher Zeit mit seiner Frau zu Bett; als sie glaubte, er sei eingeschlafen, stand sie auf, öffnete die Türe und legte sich wieder. Das Schneiderlein, das sich nur stellte, als wenn es schlief, fing an, mit heller Stimme zu rufen: »Junge, mach den Wams und flick mir die Hosen, oder ich will dir die Elle über die Ohren schlagen! Ich habe siebene mit einem Streich getroffen, zwei Riesen getötet, ein Einhorn fortgeführt und ein Wildschwein gefangen und sollte mich vor denen fürchten, die draußen vor der Kammer stehen!«

Als diese den Schneider also sprechen hörten, überkam sie eine große Furcht, sie liefen, als wenn das wilde Heer hinter ihnen wäre, und keiner wollte sich mehr an ihn wagen. Also war und blieb das Schneiderlein sein Lebtag ein König. *Brüder Grimm*

Aschenputtel

Einem reichen Manne, dem wurde seine Frau krank, und als sie fühlte, daß ihr Ende herankam, rief sie ihr einziges Töchterlein zu sich ans Bett und sprach: »Liebes Kind, bleib fromm und gut, so wird dir der liebe Gott immer beistehen, und ich will vom Himmel auf dich herabblicken und will um dich sein.« Darauf tat sie die Augen zu und verschied. Das Mädchen ging jeden Tag hinaus zu dem Grabe der Mutter und weinte, und blieb fromm und gut. Als der Winter kam, deckte der Schnee ein weißes Tüchlein auf das Grab, und als die Sonne im Frühjahr es wieder herabgezogen hatte, nahm sich der Mann eine andere Frau.
Die Frau hatte zwei Töchter mit ins Haus gebracht, die schön und weiß von Angesicht waren, aber garstig und schwarz von Herzen. Da ging eine schlimme Zeit für das arme Stiefkind an. »Soll die dumme Gans bei uns in der Stube sitzen?« sprachen sie, »wer Brot essen will, muß es verdienen: hinaus mit der Küchenmagd.« Sie nahmen ihm seine schönen Kleider weg, zogen ihm einen grauen alten Kittel an und gaben ihm hölzerne Schuhe. »Seht einmal die stolze Prinzessin, wie sie geputzt ist!« riefen sie, lachten und führten es in die Küche. Da mußte es von morgens bis abends schwere Arbeit tun, früh vor Tag aufstehn, Wasser tragen, Feuer anmachen, kochen und waschen. Obendrein taten ihm die Schwestern alles ersinnliche Herzeleid an, verspotteten es und schütteten ihm die Erbsen und Linsen in die Asche, so daß es sitzen und sie wieder auslesen mußte. Abends, wenn es sich müde gearbeitet hatte, kam es in kein Bett, sondern mußte sich neben den Herd in die Asche legen. Und weil es darum immer staubig und schmutzig aussah, nannten sie es Aschenputtel.

Es trug sich zu, daß der Vater einmal in die Messe ziehen wollte, da fragte er die beiden Stieftöchter, was er ihnen mitbringen sollte. »Schöne Kleider«, sagte die eine, »Perlen und Edelsteine« die zweite. »Aber du, Aschenputtel«, sprach er, »was willst du haben?« – »Vater, das erste Reis, das euch auf eurem Heimweg an den Hut stößt, das brecht für mich ab.« Er kaufte nun für die beiden Stiefschwestern schöne Kleider, Perlen und Edelsteine, und auf dem Rückweg, als er durch einen grünen Busch ritt, streifte ihn ein Haselreis und stieß ihm den Hut ab. Da brach er das Reis ab und nahm es mit. Als er nach Haus kam, gab er den Stieftöchtern, was sie sich gewünscht hatten, und dem Aschenputtel gab er das Reis von dem Haselbusch. Aschenputtel dankte ihm, ging zu seiner Mutter Grab und pflanzte das Reis darauf und weinte so sehr, daß die Tränen darauf niederfielen und es begossen. Es wuchs aber und ward ein schöner Baum. Aschenputtel ging alle Tage dreimal darunter, weinte und betete, und allemal kam ein weißes Vöglein auf den Baum, und wenn es einen Wunsch aussprach, so warf ihm das Vöglein herab, was es sich gewünscht hatte.

Es begab sich aber, daß der König ein Fest anstellte, das drei Tage dauern sollte und wozu alle schönen Jungfrauen im Lande eingeladen wurden, damit sich sein Sohn eine Braut aussuchen möchte. Die zwei Stiefschwestern, als sie hörten, daß sie auch dabei erscheinen sollten, waren guter Dinge, riefen Aschenputtel und sprachen: »Nimm uns die Haare, bürste uns die Schuhe und mach uns die Schnallen fest, wir gehen zur Hochzeit auf des Königs Schloß.« Aschenputtel gehorchte, weinte aber, weil es auch gern zum Tanz mitgegangen wäre, und bat die Stiefmutter, sie möchte es ihm erlauben. »Du Aschenputtel«, sprach sie, »bist voll Staub und Schmutz und willst zur Hochzeit? Du hast keine Kleider und Schuhe und willst tanzen!« Als es aber mit Bitten anhielt, sprach sie endlich: »Da habe ich dir eine Schüssel Linsen in die Asche geschüttet, wenn du die Linsen in zwei Stunden wieder ausgelesen hast, so sollst du mitgehen.«

Das Mädchen ging durch die Hintertür nach dem Garten und rief: »Ihr zahmen Täubchen, ihr Turteltäubchen, all ihr Vöglein unter dem Himmel, kommt und helft mir lesen,

> die guten ins Töpfchen,
> die schlechten ins Kröpfchen.«

Da kamen zum Küchenfenster zwei weiße Täubchen herein und danach die Turteltäubchen, und endlich schwirrten und schwärmten alle Vöglein unter dem Himmel herein und ließen sich um die Asche nieder. Und die Täubchen nickten mit den Köpfchen und fingen an, pick, pick, pick, pick, und da fingen die übrigen auch an, pick, pick, pick, pick, und lasen alle guten Körnlein in die Schüssel. Kaum war eine Stunde herum, so waren sie schon fertig und flogen alle wieder hinaus. Da brachte das Mädchen die Schüssel der Stiefmutter, freute sich und glaubte, es dürfte nun mit auf die Hochzeit gehen. Aber sie sprach: »Nein, Aschenputtel, du hast keine Kleider, und kannst nicht tanzen: du wirst nur ausgelacht.« Als es nun weinte, sprach sie: »Wenn du mir zwei Schüsseln voll Linsen in einer Stunde aus der Asche rein lesen kannst, so sollst du mitgehen«, und dachte: »Das kann es ja nimmermehr.« Als sie die zwei Schüsseln Linsen in die Asche geschüttet hatte, ging das Mädchen durch die Hintertür nach dem Garten und rief: »Ihr zahmen Täubchen, ihr Turteltäubchen, all ihr Vöglein unter dem Himmel, kommt und helft mir lesen,

> die guten ins Töpfchen,
> die schlechten ins Kröpfchen.«

Da kamen zum Küchenfenster zwei weiße Täubchen herein und danach die Turteltäubchen, und endlich schwirrten und schwärmten alle Vögel unter dem Himmel herein, und ließen sich um die Asche nieder. Und die Täubchen nickten mit ihren Köpfchen und fingen an, pick, pick, pick, pick, und da fingen die übrigen auch an, pick, pick, pick, pick, und lasen alle guten Körner in die Schüsseln. Und ehe eine halbe Stunde herum war, waren sie schon fertig, und flogen alle wieder hinaus. Da trug das Mädchen die Schüsseln zu der Stiefmutter, freute sich und glaubte, nun dürfte es mit auf die Hochzeit gehen. Aber sie sprach: »Es hilft dir alles nichts: du kommst nicht mit, denn du hast keine Kleider und kannst nicht tanzen; wir müßten uns deiner schämen.« Darauf kehrte sie ihm den Rücken zu und eilte mit ihren zwei stolzen Töchtern fort.

Als nun niemand mehr daheim war, ging Aschenputtel zu seiner Mutter Grab unter den Haselbaum und rief:

> »Bäumchen, rüttel dich und schüttel dich,
> wirf Gold und Silber über mich.«

Da warf ihm der Vogel ein golden und silbern Kleid herunter und mit Seide und Silber ausgestickte Pantoffeln. In aller Eile zog es das Kleid an und ging zur Hochzeit. Seine Schwestern aber und die Stiefmutter

kannten es nicht und meinten, es müsse eine fremde Königstochter sein, so schön sah es in dem goldenen Kleide aus. An Aschenputtel dachten sie gar nicht und dachten, es säße daheim im Schmutz und suchte die Linsen aus der Asche.

Der Königssohn kam ihm entgegen, nahm es bei der Hand und tanzte mit ihm. Er wollte auch sonst mit niemand tanzen, also daß er ihm die Hand nicht los ließ, und wenn ein anderer kam, es aufzufordern, sprach er: »Das ist meine Tänzerin.«

Es tanzte, bis es Abend war, da wollte es nach Haus gehen. Der Königssohn aber sprach: »Ich gehe mit und begleite dich«, denn er wollte sehen, wem das schöne Mädchen angehörte. Sie entwischte ihm aber und sprang in das Taubenhaus. Nun wartete der Königssohn, bis der Vater kam, und sagte ihm, das fremde Mädchen wäre in das Taubenhaus gesprungen. Der Alte dachte: »Sollte es Aschenputtel sein?« Und sie mußten ihm Axt und Hacken bringen, damit er das Taubenhaus entzweischlagen konnte; aber es war niemand darin. Und als sie ins Haus kamen, lag Aschenputtel in seinen schmutzigen Kleidern in der Asche, und ein trübes Öllämpchen brannte im Schornstein; denn Aschenputtel war geschwind aus dem Taubenhaus hinten herabgesprungen und war zu dem Haselbäumchen gelaufen; da hatte es die schönen Kleider abgezogen und aufs Grab gelegt, und der Vogel hatte sie wieder weggenommen, und dann hatte es sich in seinem grauen Kittelchen in die Küche zur Asche gesetzt.

Am andern Tag, als das Fest von neuem anhub, und die Eltern und Stiefschwestern wieder fort waren, ging Aschenputtel zu dem Haselbaum und sprach:

>»Bäumchen, rüttel dich und schüttel dich,
>   wirf Gold und Silber über mich.«

Da warf der Vogel ein noch viel stolzeres Kleid herab als am vorigen Tag. Und als es mit diesem Kleide auf der Hochzeit erschien, erstaunte jedermann über seine Schönheit. Der Königssohn aber hatte gewartet, bis es kam, nahm es gleich bei der Hand und tanzte nur allein mit ihm. Wenn die andern kamen und es aufforderten, sprach er: »Das ist meine Tänzerin.« Als es nun Abend war, wollte es fort, und der Königssohn ging ihm nach und wollte sehen, in welches Haus es ging; aber es sprang ihm fort und in den Garten hinter dem Haus. Darin stand ein schöner großer Baum, an dem die herrlichsten Birnen hingen, es kletterte so behend wie ein Eichhörnchen zwischen die Äste, und der

Königssohn wußte nicht, wo es hingekommen war. Er wartete aber, bis der Vater kam, und sprach zu ihm: »Das fremde Mädchen ist mir entwischt, und ich glaube, es ist auf den Birnbaum gesprungen.« Der Vater dachte: »Sollte es Aschenputtel sein?«, ließ sich die Axt holen und hieb den Baum um, aber es war niemand darauf. Und als sie in die Küche kamen, lag Aschenputtel da in der Asche wie sonst auch, denn es war auf der andern Seite vom Baum herabgesprungen, hatte dem Vogel auf dem Haselbäumchen die schönen Kleider wiedergebracht und sein graues Kittelchen angezogen.

Am dritten Tag, als die Eltern und Schwestern fort waren, ging Aschenputtel wieder zu seiner Mutter Grab und sprach zu dem Bäumchen:

>»Bäumchen, rüttel dich und schüttel dich,
> wirf Gold und Silber über mich.«

Nun warf ihm der Vogel ein Kleid herab, das war so prächtig und glänzend, wie es noch keins gehabt hatte, und die Pantoffeln waren ganz golden. Als es in dem Kleid zu der Hochzeit kam, wußten sie alle nicht, was sie vor Verwunderung sagen sollten. Der Königssohn tanzte ganz allein mit ihm, und wenn es einer aufforderte, sprach er: »Das ist meine Tänzerin.«

Als es nun Abend war, wollte Aschenputtel fort, und der Königssohn wollte es begleiten, aber es entsprang ihm so geschwind, daß er nicht folgen konnte. Der Königssohn hatte aber eine List gebraucht und hatte die ganze Treppe mit Pech bestreichen lassen: da war, als es hinabsprang, der linke Pantoffel des Mädchens hängen geblieben. Der Königssohn hob ihn auf, und er war klein und zierlich und ganz golden. Am nächsten Morgen ging er damit zu dem Mann und sagte zu

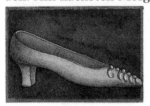

ihm: »Keine andere soll meine Gemahlin werden als die, an deren Fuß dieser goldene Schuh paßt.« Da freuten sich die beiden Schwestern, denn sie hatten schöne Füße. Die älteste ging mit dem Schuh in die Kammer und wollte ihn anprobieren, und die Mutter stand dabei. Aber sie konnte mit der großen Zehe nicht hineinkommen, und der Schuh war ihr zu klein, da reichte ihr die Mutter ein Messer und sprach: »Hau die Zehe ab; wenn du Königin bist, so brauchst du nicht mehr zu Fuß zu gehen.« Das Mädchen hieb die Zehe ab, zwängte den Fuß in den Schuh, verbiß den Schmerz und ging heraus zum Königssohn. Da nahm er sie als seine Braut aufs Pferd und ritt mit ihr fort. Sie mußten aber an dem Grabe vorbei, da saßen die zwei Täubchen auf dem Haselbäumchen, und riefen:

>»Rucke di guck, rucke di guck,
Blut ist im Schuck:
Der Schuck ist zu klein,
die rechte Braut sitzt noch daheim.«

Da blickte er auf ihren Fuß und sah, wie das Blut herausquoll. Er wendete sein Pferd um, brachte die falsche Braut wieder nach Haus und sagte, das wäre nicht die rechte, die andere Schwester solle den Schuh anziehen. Da ging diese in die Kammer und kam mit den Zehen glücklich in den Schuh, aber die Ferse war zu groß. Da reichte ihr die Mutter ein Messer und sprach: »Hau ein Stück von der Ferse ab; wann

du Königin bist, brauchst du nicht mehr zu Fuß zu gehen.« Das Mädchen hieb ein Stück von der Ferse ab, zwängte den Fuß in den Schuh, verbiß den Schmerz und ging heraus zum Königssohn. Da nahm er sie als seine Braut aufs Pferd und ritt mit ihr fort. Als sie an dem Haselbäumchen vorbeikamen, saßen die zwei Täubchen darauf und riefen:

> »Rucke di guck, rucke di guck,
> Blut ist im Schuck:
> Der Schuck ist zu klein,
> die rechte Braut sitzt noch daheim.«

Er blickte nieder auf ihren Fuß und sah, wie das Blut aus dem Schuh quoll und an den weißen Strümpfen ganz rot heraufgestiegen war. Da wendete er sein Pferd und brachte die falsche Braut wieder nach Haus. »Das ist auch nicht die rechte«, sprach er, »habt ihr keine andere Tochter?« – »Nein«, sagte der Mann, »nur von meiner verstorbenen Frau ist noch ein kleines verbuttetes Aschenputtel da; das kann unmöglich die Braut sein.« Der Königssohn sprach, er sollte es heraufschicken, die Mutter aber antwortete: »Ach nein, das ist viel zu schmutzig, das darf sich nicht sehen lassen.« Er wollte es aber durchaus haben, und Aschenputtel mußte gerufen werden. Da wusch es sich erst Hände und Angesicht rein, ging dann hin und neigte sich vor dem Königssohn, der ihm den goldenen Schuh reichte. Dann setzte es sich auf einen Schemel, zog den Fuß aus dem schweren Holzschuh und steckte ihn in den Pantoffel, der war wie angegossen. Und als es sich in die Höhe richtete und der König ihm ins Gesicht sah, so erkannte er das schöne Mädchen, das mit ihm getanzt hatte, und rief: »Das ist die rechte Braut!« Die Stiefmutter und die beiden Schwestern erschraken und wurden bleich vor Ärger; er aber nahm Aschenputtel aufs Pferd und ritt mit ihm fort. Als sie an dem Haselbäumchen vorbei kamen, riefen die zwei weißen Täubchen:

> »Rucke di guck, rucke di guck,
> kein Blut im Schuck:
> Der Schuck ist nicht zu klein,
> die rechte Braut, die führt er heim.«

Und als sie das gerufen hatten, kamen sie beide herabgeflogen und setzten sich dem Aschenputtel auf die Schultern, eins rechts, das andere links, und blieben da sitzen.
Als die Hochzeit mit dem Königssohn sollte gehalten werden, kamen

die falschen Schwestern, wollten sich einschmeicheln und Teil an seinem Glück nehmen. Als die Brautleute nun zur Kirche gingen, war die Älteste zur rechten, die Jüngste zur linken Seite: da pickten die Tauben einer jeden das eine Auge aus. Hernach, als sie heraus gingen, war die Älteste zur linken und die Jüngste zur rechten: da pickten die Tauben einer jeden das andere Auge aus. Und waren sie also für ihre Bosheit und Falschheit mit Blindheit auf ihr Lebtag gestraft.

Brüder Grimm

Frau Holle

Eine Witwe hatte zwei Töchter, davon war die eine schön und fleißig, die andere häßlich und faul. Sie hatte aber die häßliche und faule, weil sie ihre rechte Tochter war, viel lieber, und die andere mußte alle Arbeit tun und das Aschenputtel im Hause sein. Das arme Mädchen mußte sich täglich auf die große Straße bei einem Brunnen setzen und mußte so viel spinnen, daß ihm das Blut aus den Fingern sprang. Nun trug es sich zu, daß die Spule einmal ganz blutig war, da bückte es sich damit in den Brunnen und wollte sie abwaschen; sie sprang ihm aber aus der Hand und fiel hinab. Es weinte, lief zur Stiefmutter und erzählte ihr das Unglück. Sie schalt es aber so heftig und war so unbarmherzig, daß sie sprach: »Hast du die Spule hinunterfallen lassen, so hol sie auch wieder herauf.« Da ging das Mädchen zu dem Brunnen zurück und wußte nicht, was es anfangen sollte; und in seiner Herzensangst sprang es in den Brunnen hinein, um die Spule zu holen. Es verlor die Besinnung, und als es erwachte und wieder zu sich selber kam, war es auf einer schönen Wiese, wo die Sonne schien und tausend Blumen standen. Auf dieser Wiese ging es fort und kam zu einem Backofen, der war voller Brot; das Brot aber rief: »Ach, zieh mich raus, zieh mich raus, sonst verbrenn ich; ich bin schon längst ausgebacken.« Da trat es herzu und holte mit dem Brotschieber alles nacheinander heraus. Danach ging es weiter und kam zu einem Baum, der hing voll Äpfel und rief ihm zu: »Ach schüttel mich, schüttel mich, wir Äpfel sind alle miteinander reif.« Da schüttelte es den Baum, daß die Äpfel fielen, als regneten sie, und schüttelte, bis

keiner mehr oben war; und als es alle in einen Haufen zusammenge-
legt hatte, ging es wieder weiter. Endlich kam es zu einem kleinen
Haus, daraus guckte eine alte Frau, weil sie aber so große Zähne hatte,
ward ihm angst, und es wollte fortlaufen. Die alte Frau aber rief ihm
nach: »Was fürchtest du dich, liebes Kind? Bleib bei mir, wenn du alle
Arbeit im Hause ordentlich tun willst, so soll dir's gut gehn. Du mußt
nur achtgeben, daß du mein Bett gut machst und es fleißig aufschüt-
telst, daß die Federn fliegen, dann schneit es in der Welt*; ich bin die
Frau Holle.« Weil die Alte ihm so gut zusprach, so faßte sich das Mädchen ein Herz, willigte ein und begab sich in ihren Dienst. Es besorgte

* Darum sagt man in Hessen, wenn es schneit, die Frau Holle macht ihr Bett.

auch alles nach ihrer Zufriedenheit und schüttelte ihr das Bett immer gewaltig auf, daß die Federn wie Schneeflocken umherflogen; dafür hatte es auch ein gut Leben bei ihr, kein böses Wort, und alle Tage Gesottenes und Gebratenes. Nun war es eine Zeitlang bei der Frau Holle, da ward es traurig und wußte anfangs selbst nicht, was ihm fehlte, endlich merkte es, daß es Heimweh war; ob es ihm hier gleich viel tausendmal besser ging als zu Haus, so hatte es doch ein Verlangen dahin. Endlich sagte es zu ihr: »Ich habe den Jammer nach Haus kriegt, und wenn es mir auch noch so gut hier unten geht, so kann ich doch nicht länger bleiben, ich muß wieder hinauf zu den Meinigen.« Die Frau Holle sagte: »Es gefällt mir, daß du wieder nach Hause verlangst, und weil du mir so treu gedient hast, so will ich dich selbst wieder hinauf bringen.« Sie nahm es darauf bei der Hand und führte es vor ein großes Tor. Das Tor ward aufgetan, und wie das Mädchen gerade darunter stand, fiel ein gewaltiger Goldregen, und alles Gold blieb an ihm hängen, so daß es über und über davon bedeckt war. »Das sollst du haben, weil du so fleißig gewesen bist«, sprach die Frau Holle und gab ihm auch die Spule wieder, die ihm in den Brunnen gefallen war. Darauf ward das Tor verschlossen, und das Mädchen befand sich oben auf der Welt, nicht weit von seiner Mutter Haus; und als es in den Hof kam, saß der Hahn auf dem Brunnen und rief:

>»Kikeriki,
>   unsere goldene Jungfrau ist wieder hie.«

Da ging es hinein zu seiner Mutter, und weil es so mit Gold bedeckt ankam, ward es von ihr und der Schwester gut aufgenommen.

Das Mädchen erzählte alles, was ihm begegnet war, und als die Mutter hörte, wie es zu dem großen Reichtum gekommen war, wollte sie der andern häßlichen und faulen Tochter gerne dasselbe Glück verschaffen. Sie mußte sich an den Brunnen setzen und spinnen; und damit ihre Spule blutig ward, stach sie sich in den Finger und stieß sich die Hand in die Dornhecke. Dann warf sie die Spule in den Brunnen und sprang selber hinein. Sie kam, wie die andere, auf die schöne Wiese und ging auf demselben Pfade weiter. Als sie zu dem Backofen gelangte, schrie das Brot wieder: »Ach, zieh mich raus, zieh mich raus, sonst verbrenn ich, ich bin schon längst ausgebacken.« Die Faule aber antwortete: »Da hätt ich Lust, mich schmutzig zu machen«, und ging fort. Bald kam sie zu dem Apfelbaum, der rief: »Ach schüttel mich, schüttel mich, wir Äpfel sind alle miteinander reif.« Sie antwortete

137

aber: »Du kommst mir recht, es könnte mir einer auf den Kopf fallen«, und ging damit weiter. Als sie vor der Frau Holle Haus kam, fürchtete sie sich nicht, weil sie von ihren großen Zähnen schon gehört hatte, und verdingte sich gleich zu ihr. Am ersten Tag tat sie sich Gewalt an, war fleißig und folgte der Frau Holle, wenn sie ihr etwas sagte, denn sie dachte an das viele Gold, das sie ihr schenken würde; am zweiten Tag aber fing sie schon an zu faulenzen, am dritten noch mehr, da wollte sie morgens gar nicht aufstehen. Sie machte auch der Frau Holle das Bett nicht wie sich's gebührte und schüttelte es nicht, daß die Federn aufflogen. Das ward die Frau Holle bald müde und sagte ihr den Dienst auf. Die Faule war das wohl zufrieden und meinte, nun würde der Goldregen kommen; die Frau Holle führte sie auch zu dem Tor, als sie aber darunter stand, ward statt des Goldes ein großer Kessel voll Pech ausgeschüttet. »Das ist zur Belohnung deiner Dienste«, sagte die Frau Holle und schloß das Tor zu. Da kam die Faule heim, aber sie war ganz mit Pech bedeckt, und der Hahn auf dem Brunnen, als er sie sah, rief:

> »Kikeriki,
> unsere schmutzige Jungfrau ist wieder hie.«

Das Pech aber blieb fest an ihr hängen und wollte, so lange sie lebte, nicht abgehen.   *Brüder Grimm*

Rotkäppchen

Es war einmal eine kleine süße Dirn, die hatte jedermann lieb, der sie nur ansah, am allerliebsten aber ihre Großmutter, die wußte gar nicht, was sie alles dem Kinde geben sollte. Einmal schenkte sie ihm ein Käppchen von rotem Samt, und weil ihm das so wohl stand und es nichts anders mehr tragen wollte, hieß es nur das Rotkäppchen. Eines Tages sprach seine Mutter zu ihm: »Komm, Rotkäppchen, da hast du ein Stück Kuchen und eine Flasche Wein, bring das der Großmutter hinaus; sie ist krank und schwach und wird sich daran laben. Mach dich auf, bevor es heiß wird, und wenn du hinauskommst, so geh hübsch sittsam und lauf nicht vom Weg ab,

sonst fällst du und zerbrichst das Glas und die Großmutter hat nichts. Und wenn du in ihre Stube kommst, so vergiß nicht guten Morgen zu sagen und guck nicht erst in alle Ecken herum.«

»Ich will schon alles gut machen«, sagte Rotkäppchen zur Mutter und gab ihr die Hand darauf. Die Großmutter aber wohnte draußen im Wald, eine halbe Stunde vom Dorf. Wie nun Rotkäppchen in den Wald kam, begegnete ihm der Wolf. Rotkäppchen aber wußte nicht, was das für ein böses Tier war und fürchtete sich nicht vor ihm. »Guten Tag, Rotkäppchen«, sprach er. »Schönen Dank, Wolf.« – »Wo hinaus so früh, Rotkäppchen?« – »Zur Großmutter.« – »Was trägst du unter der Schürze?« – »Kuchen und Wein: gestern haben wir gebacken, da soll sich die kranke und schwache Großmutter etwas zugut tun und sich damit stärken.« – »Rotkäppchen, wo wohnt deine Großmutter?« – »Noch eine gute Viertelstunde weiter im Wald, unter den drei großen Eichbäumen, da steht ihr Haus, unten sind die Nußhecken, das wirst du ja wissen«, sagte Rotkäppchen. Der Wolf dachte bei sich: »Das junge zarte Ding, das ist ein fetter Bissen, der wird noch besser schmecken als die Alte: du mußt es listig anfangen, damit du beide erschnappst.« Da ging er ein Weilchen neben Rotkäppchen her, dann sprach er: »Rotkäppchen, sieh einmal die schönen Blumen, die ringsumher stehen, warum guckst du dich nicht um? Ich glaube du hörst gar nicht, wie die Vöglein so lieblich singen? Du gehst ja für dich hin, als wenn du zur Schule gingst, und ist so lustig haußen in dem Wald.«

Rotkäppchen schlug die Augen auf, und als es sah, wie die Sonnenstrahlen durch die Bäume hin und her tanzten und alles voll schöner Blumen stand, dachte es: »Wenn ich der Großmutter einen frischen Strauß mitbringe, der wird ihr auch Freude machen; es ist so früh am Tag, daß ich doch zu rechter Zeit ankomme«, lief vom Wege ab in den Wald hinein und suchte Blumen. Und wenn es eine gebrochen hatte, meinte es, weiter hinaus stände eine schönere und lief danach und geriet immer tiefer in den Wald hinein. Der Wolf aber ging geradeswegs nach dem Haus der Großmutter und klopfte an die Türe. »Wer ist draußen?« – »Rotkäppchen, das bringt Kuchen und Wein, mach auf.« – »Drück nur auf die Klinke«, rief die Großmutter, »ich bin zu schwach und kann nicht aufstehen.« Der Wolf drückte auf die Klinke, die Türe sprang auf und er ging, ohne ein Wort zu sprechen, gerade zum Bett der Großmutter und verschluckte sie. Dann tat er ihre Kleider an, setzte ihre Haube auf, legte sich in ihr Bett und zog die Vorhänge vor.

Rotkäppchen aber war nach den Blumen herumgelaufen, und als es so viel zusammen hatte, daß es keine mehr tragen konnte, fiel ihm die Großmutter wieder ein und es machte sich auf den Weg zu ihr. Es wunderte sich, daß die Türe aufstand, und wie es in die Stube trat, so kam es ihm so seltsam darin vor, daß es dachte: »Ei, du mein Gott, wie ängstlich wird mir's heute zumut, und bin sonst so gerne bei der Großmutter!« Es rief »Guten Morgen«, bekam aber keine Antwort. Darauf ging es zum Bett und zog die Vorhänge zurück: da lag die Großmutter und hatte die Haube tief ins Gesicht gesetzt und sah so wunderlich aus. »Ei, Großmutter, was hast du für große Ohren!« – »Daß ich dich besser hören kann.« – »Ei, Großmutter, was hast du für große Augen!« – »Daß ich dich besser sehen kann.« – »Ei, Großmutter, was hast du für große Hände!« – »Daß ich dich besser packen kann.« – »Aber, Großmutter, was hast du für ein entsetzlich großes Maul!« – »Daß ich dich besser fressen kann.« Kaum hatte der Wolf das gesagt, so tat er einen Satz aus dem Bette und verschlang das arme Rotkäppchen.

Wie der Wolf sein Gelüsten gestillt hatte, legte er sich wieder ins Bett, schlief ein und fing an, überlaut zu schnarchen. Der Jäger ging eben an dem Haus vorbei und dachte: »Wie die alte Frau schnarcht, du mußt doch sehen, ob ihr etwas fehlt.« Da trat er in die Stube, und wie er vor das Bette kam, so sah er, daß der Wolf darin lag. »Finde ich dich hier, du alter Sünder«, sagte er, »ich habe dich lange gesucht.« Nun wollte er seine Büchse anlegen, da fiel ihm ein, der Wolf könnte die Großmutter gefressen haben und sie wäre noch zu retten, schoß nicht, sondern nahm eine Schere und fing an, dem schlafenden Wolf den Bauch aufzuschneiden. Wie er ein paar Schnitte getan hatte, da sah er das rote Käppchen leuchten, und noch ein paar Schnitte, da sprang das Mädchen heraus und rief: »Ach wie war ich erschrocken, wie war's so dunkel in dem Wolf seinem Leib!« Und dann kam die alte Großmutter auch noch lebendig heraus und konnte kaum atmen. Rotkäppchen aber holte geschwind große Steine, damit füllten sie dem Wolf den Leib, und wie er aufwachte, wollte er fortspringen, aber die Steine waren so schwer, daß er gleich niedersank und sich totfiel.

Da waren alle drei vergnügt; der Jäger zog dem Wolf den Pelz ab und ging damit heim, die Großmutter aß den Kuchen und trank den Wein, den Rotkäppchen gebracht hatte, und erholte sich wieder, Rotkäppchen aber dachte: »Du willst dein Lebtag nicht wieder allein vom Wege ab in den Wald laufen, wenn dir's die Mutter verboten hat.«

Brüder Grimm

Die Bremer Stadtmusikanten

Es hatte ein Mann einen Esel, der schon lange Jahre die Säcke unverdrossen zur Mühle getragen hatte, dessen Kräfte aber nun zu Ende gingen, so daß er zur Arbeit immer untauglicher ward. Da dachte der Herr daran, ihn aus dem Futter zu schaffen, aber der Esel merkte, daß kein guter Wind wehte, lief fort und machte sich auf den Weg nach Bremen; dort, meinte er, könnte er ja Stadtmusikant werden. Als er ein Weilchen fortgegangen war, fand er einen Jagdhund auf dem Wege liegen, der jappte wie einer, der sich müde gelaufen hat. »Nun, was jappst du so, Packan?« fragte der Esel. »Ach«, sagte der Hund, »weil ich alt bin und jeden Tag schwächer werde, auch auf der Jagd nicht mehr fortkann, hat mich mein Herr wollen totschlagen, da hab ich Reißaus genommen; aber womit soll ich nun mein Brot verdienen?« – »Weißt du was?« sprach der Esel, »ich gehe nach Bremen und werde dort Stadtmusikant, geh mit und laß dich auch bei der Musik annehmen. Ich spiele die Laute, und du schlägst die Pauken.« Der Hund war's zufrieden, und sie gingen weiter. Es dauerte nicht lange, so saß da eine Katze an dem Weg und machte ein Gesicht wie drei Tage Regenwetter. »Nun, was ist dir in die Quere gekommen, alter Bartputzer?« sprach der Esel. »Wer kann da lustig sein, wenn's einem an den Kragen geht«, antwortete die Katze, »weil ich nun zu Jahren komme, meine Zähne stumpf werden und ich lieber hinter dem Ofen sitze und spinne als nach Mäusen herum jage, hat mich meine Frau ersäufen wollen; ich habe mich zwar noch fortgemacht, aber nun ist guter Rat teuer: wo soll ich hin?« – »Geh mit uns nach Bremen, du verstehst dich doch auf die Nachtmusik, da kannst du ein Stadtmusikant werden.« Die Katze hielt das für gut und ging mit. Darauf kamen die drei Landesflüchtigen an einem Hof vorbei, da saß auf dem Tor der Haushahn und schrie aus Leibeskräften. »Du schreist einem durch Mark und Bein«, sprach der Esel, »was hast du vor?« – »Da hab ich gut Wetter prophezeit«, sprach der Hahn, »weil unserer lieben Frauen Tag ist, wo sie dem Christkindlein die Hemdchen gewaschen hat und sie trocknen will; aber weil Morgen zum Sonntag Gäste kommen, so hat die Hausfrau doch kein Erbarmen und hat der Köchin gesagt, sie wollte mich morgen in der Suppe essen, und da soll ich mir heut abend den Kopf abschneiden lassen. Nun schrei ich aus vollem Hals, so lang ich noch kann.« – »Ei was, du Rotkopf«, sagte der Esel, »zieh lieber mit uns fort, wir gehen nach Bremen, etwas besseres als den Tod findest zu überall; du hast eine gute Stimme, und wenn wir zusammen musizieren, so muß es eine Art haben.«

Der Hahn ließ sich den Vorschlag gefallen, und sie gingen alle viere zusammen fort.

Sie konnten aber die Stadt Bremen in einem Tag nicht erreichen und kamen abends in einen Wald, wo sie übernachten wollten. Der Esel und der Hund legten sich unter einen großen Baum, die Katze und der Hahn machten sich in die Äste, der Hahn aber flog bis in die Spitze, wo es am sichersten für ihn war. Ehe er einschlief, sah er sich noch einmal nach allen vier Winden um, da deuchte ihn, er sähe in der Ferne ein Fünkchen brennen und rief seinen Gesellen zu, es müßte nicht gar weit ein Haus sein, denn es scheine ein Licht. Sprach der Esel: »So müssen wir uns aufmachen und noch hingehen, denn hier ist die Herberge schlecht.« Der Hund meinte, ein paar Knochen und etwas Fleisch dran täten ihm auch gut. Also machten sie sich auf den Weg nach der Gegend, wo das Licht war, und sahen es bald heller schimmern, und es ward immer größer, bis sie vor ein hell erleuchtetes Räuberhaus kamen. Der Esel, als der größte, näherte sich dem Fenster und schaute hinein. »Was siehst du, Grauschimmel?« fragte der Hahn.

»Was ich sehe?« antwortete der Esel, »einen gedeckten Tisch mit schönem Essen und Trinken, und Räuber sitzen daran und lassen's sich wohl sein.« – »Das wäre was für uns«, sprach der Hahn. »Ja, ja, ach, wären wir da!« sagte der Esel. Da ratschlagten die Tiere wie sie es anfangen müßten, um die Räuber hinauszujagen, und fanden endlich ein Mittel. Der Esel mußte sich mit den Vorderfüßen auf das Fenster stellen, der Hund auf des Esels Rücken springen, die Katze auf den Hund klettern, und endlich flog der Hahn hinauf und setzte sich der Katze auf den Kopf. Wie das geschehen war, fingen sie auf ein Zeichen insgesamt an, ihre Musik zu machen: der Esel schrie, der Hund bellte, die Katze miaute und der Hahn krähte; dann stürzten sie durch das Fenster in die Stube hinein, daß die Scheiben klirrten. Die Räuber fuhren bei dem entsetzlichen Geschrei in die Höhe, meinten nicht anders, als ein Gespenst käme herein, und flohen in größter Furcht in den Wald hinaus.

Nun setzten sich die vier Gesellen an den Tisch, nahmen mit dem vorlieb, was übriggeblieben war, und aßen, als wenn sie vier Wochen hungern sollten.

Wie die vier Spielleute fertig waren, löschten sie das Licht aus und suchten sich eine Schlafstätte, jeder nach seiner Natur und Bequemlichkeit. Der Esel legte sich auf den Mist, der Hund hinter die Türe, die Katze auf den Herd bei die warme Asche, und der Hahn setzte sich auf den Hahnenbalken; und weil sie müde waren von ihrem langen Weg, schliefen sie auch bald ein. Als Mitternacht vorbei war und die Räuber von weitem sahen, daß kein Licht mehr im Haus brannte, auch alles ruhig schien, sprach der Hauptmann: »Wir hätten uns doch nicht sollen ins Bockshorn jagen lassen«, und hieß einen hingehen und das Haus untersuchen. Der Abgeschickte fand alles still, ging in die Küche, ein Licht anzuzünden, und weil er die glühenden, feurigen Augen der Katze für lebendige Kohlen ansah, hielt er ein Schwefelhölzchen daran daß es Feuer fangen sollte. Aber die Katze verstand keinen Spaß, sprang ihm ins Gesicht, spie und kratzte. Da erschrak er gewaltig, lief und wollte zur Hintertüre hinaus, aber der Hund, der da lag, sprang auf und biß ihn ins Bein; und als er über den Hof an dem Miste vorbei rannte, gab ihm der Esel noch einen tüchtigen Schlag mit dem Hinterfuß; der Hahn aber, der vom Lärmen aus dem Schlaf geweckt und munter geworden war, rief vom Balken herab »Kikeriki!« Da lief der Räuber, was er konnte, zu seinem Hauptmann zurück und sprach: »Ach, in dem Haus sitzt eine greuliche Hexe, die hat mich angehaucht

144

und mit ihren langen Fingern mir das Gesicht zerkratzt; und vor der Türe steht ein Mann mit einem Messer, der hat mich ins Bein gestochen; und auf dem Hof liegt ein schwarzes Ungetüm, das hat mit einer Holzkeule auf mich losgeschlagen; und oben auf dem Dache, da sitzt der Richter, der rief: Bringt mir den Schelm her. Da machte ich, daß ich fortkam.« Von nun an getrauten sich die Räuber nicht weiter in das Haus, den vier Bremer Musikanten gefiel's aber so wohl darin, daß sie nicht wieder heraus wollten. Und der das zuletzt erzählt hat, dem ist der Mund noch warm. *Brüder Grimm*

Der singende Knochen

Es war einmal in einem Lande große Klage über ein Wildschwein, das den Bauern die Äcker umwühlte, das Vieh tötete und den Menschen mit seinen Hauern den Leib aufriß. Der König versprach einem jeden, der das Land von dieser Plage befreien würde, eine große Belohnung; aber das Tier war so groß und stark, daß sich niemand in die Nähe des Waldes wagte, worin es hauste. Endlich ließ der König bekannt machen, wer das Wildschwein einfange oder töte, solle seine einzige Tochter zur Gemahlin haben. Nun lebten zwei Brüder in dem Lande, Söhne eines armen Mannes, die meldeten sich und wollten das Wagnis übernehmen. Der älteste, der listig und klug war, tat es aus Hochmut, der jüngste, der unschuldig und dumm war, aus gutem Herzen. Der König sagte: »Damit ihr desto sicherer das Tier findet, so sollt ihr von entgegengesetzten Seiten in den Wald gehen.« Da ging der Älteste von Abend und der Jüngste von Morgen hinein. Und als der Jüngste ein Weilchen gegangen war, so trat ein kleines Männlein zu ihm, das hielt einen schwarzen Spieß in der Hand und sprach: »Diesen Spieß gebe ich dir, weil dein Herz unschuldig und gut ist; damit kannst du getrost auf das wilde Schwein eingehen, es wird dir keinen Schaden zufügen.« Er dankte dem Männlein, nahm den Spieß auf die Schulter und ging ohne Furcht weiter. Nicht lange, so erblickte er das Tier, das auf ihn losrannte, er hielt ihm aber den Spieß entgegen, und in seiner blinden Wut rannte es so gewaltig hinein, daß ihm das Herz entzwei geschnitten ward. Da nahm er das Ungetüm auf die Schulter, ging heimwärts und wollte es dem Könige bringen.

Als er auf der andern Seite des Waldes heraus kam, stand da am Eingang ein Haus, wo die Leute sich mit Tanz und Wein lustig machten. Sein ältester Bruder war da eingetreten und hatte gedacht, das Schwein liefe ihm doch nicht fort, erst wollte er sich einen rechten Mut trinken. Als er nun den Jüngsten erblickte, der mit seiner Beute beladen aus dem Wald kam, so ließ ihm sein neidisches und boshaftes Herz keine Ruhe. Er rief ihm zu: »Komm doch herein, lieber Bruder, ruhe dich aus und stärke dich mit einem Becher Wein.« Der Jüngste, der nichts Arges dahinter vermutete, ging hinein und erzählte ihm von dem guten Männlein, das ihm einen Spieß gegeben, womit er das Schwein getötet hätte. Der Älteste hielt ihn bis zum Abend zurück, da gingen sie zusammen fort. Als sie aber in der Dunkelheit zu der Brücke über einen Bach kamen, ließ der Älteste den Jüngsten vorangehen, und als er mitten über dem Wasser war, gab er ihm von hinten einen Schlag, daß er tot hinabstürzte. Er begrub ihn unter der Brücke, nahm dann das Schwein und brachte es dem König mit dem Vorgeben, er hätte es getötet; worauf er die Tochter des Königs zur Gemahlin erhielt. Als der jüngste Bruder nicht wiederkommen wollte, sagte er: »Das Schwein wird ihm den Leib aufgerissen haben«, und das glaubte jedermann.

Weil aber vor Gott nichts verborgen bleibt, sollte auch diese schwarze Tat ans Licht kommen. Nach langen Jahren trieb ein Hirt einmal seine Herde über die Brücke und sah unten im Sande ein schneeweißes Knöchlein liegen und dachte, das gäbe ein gutes Mundstück. Da stieg er herab, hob es auf und schnitzte ein Mundstück daraus für sein Horn. Als er zum erstenmal darauf geblasen hatte, so fing das Knöchlein zu großer Verwunderung des Hirten von selbst an zu singen:

> »Ach, du liebes Hirtelein,
> du bläst auf meinem Knöchelein,
> mein Bruder hat mich erschlagen,
> unter der Brücke begraben,
> um das wilde Schwein,
> für des Königs Töchterlein.«

»Was für ein wunderliches Hörnchen«, sagte der Hirt, »das von selber singt, das muß ich dem Herrn König bringen.« Als er damit vor den

146

König kam, fing das Hörnchen abermals an sein Liedchen zu singen. Der König verstand es wohl, und ließ die Erde unter der Brücke aufgraben, da kam das ganze Gerippe des Erschlagenen zum Vorschein. Der böse Bruder konnte die Tat nicht leugnen, ward in einen Sack genäht und lebendig ersäuft, die Gebeine des Gemordeten aber wurden auf den Kirchhof in ein schönes Grab zur Ruhe gelegt.

Brüder Grimm

Der Teufel mit den drei goldenen Haaren

Es war einmal eine arme Frau, die gebar ein Söhnlein, und weil es eine Glückshaut umhatte, als es zur Welt kam, so ward ihm geweissagt, es werde im vierzehnten Jahr die Tochter des Königs zur Frau haben. Es trug sich zu, daß der König bald darauf ins Dorf kam, und niemand wußte, daß es der König war, und als er die Leute fragte, was es Neues gäbe, so antworteten sie: »Es ist in diesen Tagen ein Kind mit einer Glückshaut geboren; was so einer unternimmt, das schlägt ihm zum Glück aus. Es ist ihm auch vorausgesagt, in seinem vierzehnten Jahre solle er die Tochter des Königs zur Frau haben.« Der König, der ein böses Herz hatte und über die Weissagung sich ärgerte, ging zu den Eltern, tat ganz freundlich und sagte: »Ihr armen Leute, überlaßt mir euer Kind, ich will es versorgen.« Anfangs weigerten sie sich, da aber der fremde Mann schweres Geld dafür bot, und sie dachten, es ist ein Glückskind, es muß doch zu seinem Besten ausschlagen, so willigten sie endlich ein und gaben ihm das Kind.

Der König legte es in eine Schachtel und ritt damit weiter, bis er zu einem tiefen Wasser kam; da warf er die Schachtel hinein und dachte: »Von dem unerwarteten Freier habe ich meine Tochter geholfen.« Die Schachtel aber ging nicht unter, sondern schwamm wie ein Schiffchen, und es drang auch kein Tröpfchen Wasser hinein. So schwamm sie bis zwei Meilen von des Königs Hauptstadt, wo eine Mühle war, an dessen Wehr sie hängenblieb. Ein Mahlbursche, der glücklicherweise da stand und sie bemerkte, zog sie mit einem Haken heran und meinte

148

große Schätze zu finden, als er sie aber aufmachte, lag ein schöner Knabe darin, der ganz frisch und munter war. Er brachte ihn zu den Müllersleuten, und weil diese keine Kinder hatten, freuten sie sich und sprachen: »Gott hat es uns beschert.« Sie pflegten den Fündling wohl, und er wuchs in allen Tugenden heran.

Es trug sich zu, daß der König einmal bei einem Gewitter in die Mühle trat und die Müllersleute fragte, ob der große Junge ihr Sohn wäre. »Nein«, antworteten sie, »es ist ein Fündling, er ist vor vierzehn Jahren in einer Schachtel ans Wehr geschwommen, und der Mahlbursche hat ihn aus dem Wasser gezogen.« Da merkte der König, daß es niemand anders als das Glückskind war, das er ins Wasser geworfen hatte, und sprach: »Ihr guten Leute, könnte der Junge nicht einen Brief an die Frau Königin bringen, ich will ihm zwei Goldstücke zum Lohn geben.« – »Wie der Herr König gebietet«, antworteten die Leute und hießen den Jungen sich bereit halten. Da schrieb der König einen Brief an die Königin, worin stand: »Sobald der Knabe mit diesem Schreiben angelangt ist, soll er getötet und begraben werden, und das alles soll geschehen sein, ehe ich zurückkomme.«

Der Knabe machte sich mit diesem Briefe auf den Weg, verirrte sich aber und kam abends in einen großen Wald. In der Dunkelheit sah er ein kleines Licht, ging darauf zu und gelangte zu einem Häuschen. Als er hineintrat, saß eine alte Frau beim Feuer ganz allein. Sie erschrak, als sie den Knaben erblickte, und sprach: »Wo kommst du her und wo willst du hin?« – »Ich komme von der Mühle«, antwortete er, »und will zur Frau Königin, der ich einen Brief bringen soll; weil ich mich aber in dem Walde verirrt habe, so wollte ich hier gerne übernachten.« – »Du armer Junge«, sprach die Frau, »du bist in ein Räuberhaus geraten, und wenn sie heimkommen, so bringen sie dich um.« – »Mag kommen wer will«, sagte der Junge, »ich fürchte mich nicht; ich bin aber so müde, daß ich nicht weiter kann«, streckte sich auf eine Bank, und schlief ein. Bald hernach kamen die Räuber und fragten zornig, was da für ein fremder Knabe läge. »Ach«, sagte die Alte, »es ist ein unschuldiges Kind, es hat sich im Walde verirrt, und ich habe ihn aus Barmherzigkeit aufgenommen; er soll einen Brief an die Frau Königin bringen.« – Die Räuber erbrachen den Brief und lasen ihn, und es stand darin, daß der Knabe sogleich, wie er ankäme, sollte ums Leben gebracht werden. Da empfanden die hartherzigen Räuber Mitleid, und der Anführer zerriß den Brief und schrieb einen andern, und es stand darin, sowie der Knabe ankäme, sollte er sogleich mit der Königstochter vermählt werden. Sie ließen ihn dann ruhig bis zum andern Morgen auf der Bank liegen, und als er aufgewacht war, gaben sie ihm den Brief und zeigten ihm den rechten Weg. Die Königin aber, als sie den Brief empfangen und gelesen hatte, tat, wie darin stand, hieß ein prächtiges Hochzeitsfest anstellen, und die Königstochter ward mit dem Glückskind vermählt; und da der Jüngling schön und freundlich war, so lebte sie vergnügt und zufrieden mit ihm.

Nach einiger Zeit kam der König wieder in sein Schloß und sah, daß die Weissagung erfüllt und das Glückskind mit seiner Tochter ver-

mählt war. »Wie ist das zugegangen?« sprach er, »ich habe in meinem Brief einen ganz andern Befehl erteilt.« Da reichte ihm die Königin den Brief und sagte, er möchte selbst sehen, was darin stände. Der König las den Brief und merkte wohl, daß er mit einem andern war vertauscht worden. Er fragte den Jüngling, wie es mit dem anvertrauten Briefe zugegangen wäre, warum er einen andern dafür gebracht hätte. »Ich weiß von nichts«, antwortete er, »er muß mir in der Nacht vertauscht sein, als ich im Walde geschlafen habe.« Voll Zorn sprach der König: »So leicht soll es dir nicht werden, wer meine Tochter haben will, der muß mir aus der Hölle drei goldene Haare von dem Haupte des Teufels holen; bringst du mir, was ich verlange, so sollst du meine Tochter behalten.« Damit hoffte der König ihn auf immer los zu werden. Das Glückskind aber antwortete: »Die goldenen Haare will ich wohl holen, ich fürchte mich vor dem Teufel nicht.« Darauf nahm er Abschied und begann seine Wanderschaft.

Der Weg führte ihn zu einer großen Stadt, wo ihn der Wächter an dem Tore ausfragte, was für ein Gewerbe er verstände und was er wüßte. »Ich weiß alles«, antwortete das Glückskind. »So kannst du uns einen Gefallen tun«, sagte der Wächter, »wenn du uns sagst, warum unser Marktbrunnen, aus dem sonst Wein quoll, trocken geworden ist und nicht einmal mehr Wasser gibt.« – »Das sollt ihr erfahren«, antwortete er, »wartet nur, bis ich wiederkomme.« Da ging er weiter und kam vor eine andere Stadt, da fragte der Torwächter wiederum, was für ein Gewerb er verstünde und was er wüßte. »Ich weiß alles«, antwortete er. »So kannst du uns einen Gefallen tun und uns sagen, warum ein Baum in unserer Stadt, der sonst goldene Äpfel trug, jetzt nicht einmal Blätter hervortreibt.« – »Das sollt ihr erfahren, antwortete er, »wartet nur, bis ich wiederkomme.« Da ging er weiter, und kam an ein großes

Wasser, über das er hinüber mußte. Der Fährmann fragte ihn, was er für ein Gewerb verstände und was er wüßte. »Ich weiß alles«, antwortete er. »So kannst du mir einen Gefallen tun«, sprach der Fährmann, »und mir sagen, warum ich immer hin und her fahren muß und niemals abgelöst werde?« – »Das sollst du erfahren«, antwortete er, »warte nur, bis ich wiederkomme.«

Als er über das Wasser hinüber war, so fand er den Eingang zur Hölle. Es war schwarz und rußig darin, und der Teufel war nicht zu Haus, aber seine Ellermutter saß da in einem breiten Sorgenstuhl. »Was willst du?« sprach sie zu ihm, sah aber gar nicht so böse aus. »Ich wollte gerne drei goldene Haare von des Teufels Kopf«, antwortete er, »sonst kann ich meine Frau nicht behalten.« – »Das ist viel verlangt«, sagte sie, »wenn der Teufel heimkommt und findet dich, so geht dir's an den Kragen; aber du dauerst mich, ich will sehen, ob ich dir helfen kann.« Sie verwandelte ihn in eine Ameise und sprach: »Kriech in meine Rockfalten, da bist du sicher.« – »Ja«, antwortete er, »das ist schon gut, aber drei Dinge möchte ich gerne noch wissen, warum ein Brunnen, aus dem sonst Wein quoll, trocken geworden ist, jetzt nicht einmal mehr Wasser gibt; warum ein Baum, der sonst goldene Äpfel trug, nicht einmal mehr Laub treibt, und warum ein Fährmann immer herüber und hinüber fahren muß und nicht abgelöst wird.« – »Das sind schwere Fragen«, antwortete sie, »aber halte dich nur still und ruhig, und hab acht, was der Teufel spricht, wann ich ihm die drei goldenen Haare ausziehe.«

Als der Abend einbrach, kam der Teufel nach Haus. Kaum war er eingetreten, so merkte er, daß die Luft nicht rein war. »Ich rieche, rieche Menschenfleisch«, sagte er, »es ist hier nicht richtig.« Dann guckte er in alle Ecken und suchte, konnte aber nichts finden. Die Ellermutter schalt ihn aus: »Eben ist erst gekehrt«, sprach sie, »und alles in Ordnung gebracht, nun wirfst du mir's wieder untereinander; immer hast du Menschenfleisch in der Nase! Setze dich nieder und iß dein Abendbrot.« Als er gegessen und getrunken hatte, war er müde, legte der Ellermutter seinen Kopf in den Schoß und sagte, sie sollte ihn ein wenig lausen. Es dauerte nicht lange, so schlummerte er ein, blies und schnarchte. Da faßte die Alte ein goldenes Haar, riß es aus und legte es neben sich. »Autsch!« schrie der Teufel, »was hast du vor?« – »Ich habe einen schweren Traum gehabt«, antwortete die Ellermutter, »da hab ich dir in die Haare gefaßt.« – »Was hat dir denn geträumt?« fragte der Teufel. »Mir hat geträumt, ein Marktbrunnen, aus dem

sonst Wein quoll, sei versiegt, und es habe nicht einmal Wasser daraus quellen wollen, was ist Schuld daran?« – »He, wenn sie's wüßten!« antwortete der Teufel, »es sitzt eine Kröte unter einem Stein im Brunnen, wenn sie die töten, so wird der Wein wieder fließen.«

Die Ellermutter lauste ihn wieder, bis er einschlief und schnarchte, daß die Fenster zitterten. Da riß sie ihm das zweite Haar aus. »Hu! Was machst du?« schrie der Teufel zornig. »Nimm's nicht übel«, antwortete sie, »ich habe es im Traum getan.« – »Was hat dir wieder geträumt?« fragte er. »Mir hat geträumt, in einem Königreiche ständ ein Obstbaum, der hätte sonst goldene Äpfel getragen und wollte jetzt nicht einmal Laub treiben. Was war wohl die Ursache davon?« – »He, wenn sie's wüßten!« antwortete der Teufel, »an der Wurzel nagt eine Maus, wenn sie die töten, so wird er schon wieder goldene Äpfel tragen, nagt sie aber noch länger, so verdorrt der Baum gänzlich. Aber laß mich mit deinen Träumen in Ruhe, wenn du mich noch einmal im Schlafe störst, so kriegst du eine Ohrfeige.« Die Ellermutter sprach ihn zu gut, und lauste ihn wieder, bis er eingeschlafen war und schnarchte. Da faßte sie das dritte goldene Haar und riß es ihm aus. Der Teufel fuhr in die Höhe, schrie und wollte übel mit ihr wirtschaften, aber sie besänftigte ihn nochmals und sprach: »Wer kann für böse Träume!« – »Was hat dir denn geträumt?« fragte er, und war doch neugierig. »Mir hat von einem Fährmann geträumt, der sich beklagte, daß er immer hin und her fahren müßte, und nicht abgelöst würde. Was ist wohl schuld?« – »He, der Dummbart!« antwortete der Teufel, »wenn einer kommt und will überfahren, so muß er ihm die Stange in die Hand geben, dann muß der andere überfahren und er ist frei.« Da die Ellermutter ihm die drei goldenen Haare ausgerissen hatte und die drei Fragen beantwortet waren, so ließ sie den alten Drachen in Ruhe, und er schlief, bis der Tag anbrach.

Als der Teufel wieder fortgezogen war, holte die Alte die Ameise aus der Rockfalte und gab dem Glückskind die menschliche Gestalt zurück. »Da hast du die drei goldenen Haare«, sprach sie, »was der Teufel zu deinen drei Fragen gesagt hat, wirst du wohl gehört haben.« – »Ja«, antwortete er, »ich habe es gehört und will's wohl behalten.« – »So ist dir geholfen«, sagte sie, »und nun kannst du deiner Wege ziehen.« Er bedankte sich bei der Alten für die Hilfe in der Not, verließ die Hölle, und war vergnügt, daß ihm alles so wohl geglückt war. Als er zu dem Fährmann kam, sollte er ihm die versprochene Antwort geben. »Fahr mich erst hinüber«, sprach das Glückskind, »so will ich dir sagen, wie

du erlöst wirst«, und als er auf dem jenseitigen Ufer angelangt war, gab er ihm des Teufels Rat, »wenn wieder einer kommt und will übergefahren sein, so gib ihm nur die Stange in die Hand.« Er ging weiter und kam zu der Stadt, worin der unfruchtbare Baum stand, und wo der Wächter auch Antwort haben wollte. Da sagte er ihm, wie er vom Teufel gehört hatte: »Tötet die Maus, die an seiner Wurzel nagt, so wird er wieder goldene Äpfel tragen.« Da dankte ihm der Wächter und gab ihm zur Belohnung zwei mit Gold beladene Esel, die mußten ihm nachfolgen. Zuletzt kam er zu der Stadt, deren Brunnen versiegt war. Da sprach er zu dem Wächter, wie der Teufel gesprochen hatte: »Es sitzt eine Kröte im Brunnen unter einem Stein, die müßt ihr aufsuchen und töten, so wird er wieder reichlich Wein geben.« Der Wächter dankte und gab ihm ebenfalls zwei mit Gold beladene Esel.

Endlich langte das Glückskind daheim bei seiner Frau an, die sich herzlich freute, als sie ihn wiedersah, und hörte, wie wohl ihm alles gelungen war. Dem König brachte er, was er verlangt hatte, die drei goldenen Haare des Teufels, und als dieser die vier Esel mit dem Golde sah, ward er ganz vergnügt und sprach: »Nun sind alle Bedingungen erfüllt, und du kannst meine Tochter behalten. Aber, lieber Schwiegersohn, sage mir doch, woher ist das viele Gold? Das sind ja gewaltige Schätze!« – »Ich bin über einen Fluß gefahren«, antwortete er, »und da habe ich es mitgenommen, es liegt dort statt des Sandes am Ufer.« –

»Kann ich mir auch davon holen?« sprach der König und war ganz begierig. »So viel ihr nur wollt«, antwortete er, »es ist ein Fährmann auf dem Fluß, von dem laßt euch überfahren, so könnt ihr drüben eure Säcke füllen.« Der habsüchtige König machte sich in aller Eile auf den Weg, und als er zu dem Fluß kam, so winkte er dem Fährmann, der sollte ihn übersetzen. Der Fährmann kam und hieß ihn einsteigen, und als sie an das jenseitige Ufer kamen, gab er ihm die Ruderstange in die Hand und sprang davon. Der König aber mußte von nun an fahren zur Strafe für seine Sünden.

»Fährt er wohl noch?« – »Was denn? Es wird ihm niemand die Stange abgenommen haben.« *Brüder Grimm*

Die kluge Else

Es war ein Mann, der hatte eine Tochter, die hieß die kluge Else. Als sie nun erwachsen war, sprach der Vater: »Wir wollen sie heiraten lassen.« – »Ja«, sagte die Mutter, »wenn nur einer käme, der sie haben wollte.« Endlich kam von weither einer, der hieß Hans und hielt um sie an, er machte aber die Bedingung, daß die kluge Else auch recht gescheit wäre. »O«, sprach der Vater, »die hat Zwirn im Kopf«, und die Mutter sagte: »Ach, die sieht den Wind auf der Gasse laufen und hörte die Fliegen husten.« – »Ja«, sprach der Hans, »wenn sie nicht recht gescheit ist, so nehm ich sie nicht.« Als sie nun zu Tisch saßen und gegessen hatten, sprach die Mutter: »Else, geh in den Keller und hol Bier.« Da nahm die kluge Else den Krug von der Wand, ging in den Keller und klappte unterwegs brav mit dem Deckel, damit ihr die Zeit ja nicht lang würde. Als sie unten war, holte sie ein Stühlchen und stellte es vors Faß, damit sie sich nicht zu bücken brauchte und ihrem Rücken etwa nicht wehtäte und unverhofften Schaden nähme. Dann stellte sie die Kanne vor sich und drehte den Hahn auf, und während der Zeit, daß das Bier hineinlief, wollte sie doch ihre Augen nicht müßig lassen, sah oben an die Wand hinauf und erblickte nach vielem Hin- und Herschauen eine Kreuzhacke gerade über sich, welche die Maurer da aus Versehen hatten stecken lassen. Da fing die kluge Else an zu weinen und sprach: »Wenn ich den Hans kriege, und wir kriegen ein Kind, und das ist groß, und wir schicken das Kind in den Keller, daß es hier soll Bier zapfen, so fällt ihm die Kreuzhacke auf den Kopf und schlägt's tot.« Da saß sie und weinte und schrie aus Leibeskräften über das bevorstehende Unglück. Die oben warteten auf den Trank, aber die kluge Else kam immer nicht. Da sprach die Frau zur Magd: »Geh doch hinunter in den Keller und sieh, wo die Else bleibt.« Die Magd ging und fand sie vor dem Fasse sitzend und laut schreiend. »Else, was weinst du?« fragte die Magd. »Ach«, antwortete sie, »soll ich nicht weinen? Wenn ich den Hans kriege, und wir kriegen ein Kind, und das ist groß, und soll hier Trinken zapfen, so fällt ihm vielleicht die Kreuzhacke auf den Kopf und schlägt es tot.« Da sprach die Magd: »Was haben wir für eine kluge Else!« setzte sich zu ihr und fing auch an über das Unglück zu weinen. Über eine Weile, als die Magd nicht wiederkam und die droben durstig nach dem Trank waren, sprach der Mann zum Knecht: »Geh doch hinunter in den Keller und sieh, wo die Else und die Magd bleibt.« Der Knecht ging hinab, da saß die kluge Else und die Magd und weinten beide zusammen. Da fragte er: »Was weint ihr denn?« – »Ach«, sprach die Else, »soll ich nicht weinen? Wenn ich den Hans kriege, und wir kriegen ein Kind, und das ist groß und soll hier Trinken zapfen, so fällt ihm die Kreuzhacke auf den Kopf und schlägt's tot.« Da sprach der Knecht: »Was haben wir für eine kluge Else!« setzte sich zu ihr und fing auch an laut zu heulen. Oben warteten sie auf den Knecht, als er aber immer nicht kam, sprach der Mann zur Frau: »Geh doch hinunter in den Keller und sieh, wo die Else bleibt.« Die Frau ging hinab und fand alle drei in Wehklagen und fragte nach der Ursache, da erzählte ihr die Else auch, daß ihr zukünftiges Kind wohl würde von der Kreuzhacke totgeschlagen werden, wenn es erst groß wäre und Bier zapfen sollte und die Kreuzhacke fiele herab. Da sprach die Mutter gleichfalls: »Ach, was haben wir für eine kluge Else!« setzte sich hin und weinte mit. Der Mann oben wartete noch ein Weilchen, als aber seine Frau nicht wieder kam und sein Durst immer stärker ward, sprach er: »Ich muß nur selber in den Keller gehn und sehen, wo die Else bleibt.« Als er aber in den Keller kam und alle da beieinander aßen und weinten und er die Ursache hörte, daß das Kind der Else schuld wäre, das sie vielleicht einmal zur Welt brächte und von der Kreuzhacke könnte totgeschlagen werden, wenn es gerade zur Zeit, wo sie herabfiele, darunter säße, Bier zu zapfen, da rief er: »Was für eine kluge Else!«

setzte sich und weinte auch mit. Der Bräutigam blieb lange oben allein, da niemand wiederkommen wollte, dachte er: »Sie werden unten auf dich warten, du mußt auch hingehen und sehen, was sie vorhaben.« Als er hinabkam, saßen da fünfe und schrien und jammerten ganz erbärmlich, einer immer besser als der andere. »Was für ein Unglück ist denn geschehen?« fragte er. »Ach, lieber Hans«, sprach die Else, »wann wir einander heiraten und haben ein Kind, und es ist groß, und wir schicken's vielleicht hierher, Trinken zu zapfen, da kann ihm ja die Kreuzhacke, die da oben ist stecken geblieben, wenn sie herabfallen sollte, den Kopf zerschlagen, daß es liegen bleibt; sollen wir da nicht weinen?« – »Nun«, sprach Hans, »mehr Verstand ist für meinen Haushalt nicht nötig; weil du so eine kluge Else bist, so will ich dich haben«, packte sie bei der Hand und nahm sie mit hinauf und hielt Hochzeit mit ihr.

Als sie den Hans eine Weile hatte, sprach er: »Frau, ich will ausgehen arbeiten und uns Geld verdienen, geh du ins Feld und schneid das Korn, daß wir Brot haben.« – »Ja, mein lieber Hans, das will ich tun.« Nachdem der Hans fort war, kochte sie sich einen guten Brei und nahm ihn mit ins Feld. Als sie vor den Acker kam, sprach sie zu sich selbst: »Was tu ich? Schneid ich eher oder eß ich eher? Hei, ich will erst essen.« Nun aß sie ihren Topf mit Brei aus, und als sie dick satt war, sprach sie wieder: »Was tu ich? Schneid ich eher oder schlaf ich eher? Hei, ich will erst schlafen.« Da legte sie sich ins Korn und schlief ein. Der Hans war längst zu Haus, aber die Else wollte nicht kommen, da sprach er: »Was hab ich für eine kluge Else, die ist so fleißig, daß sie nicht einmal nach Haus kommt und ißt.« Als sie aber noch immer ausblieb und es Abend ward, ging der Hans hinaus und wollte sehen, was sie geschnitten hätte; aber es war nichts geschnitten, sondern sie lag im Korn und schlief. Da eilte Hans geschwind heim und holte ein Vogelgarn mit kleinen Schellen und hängte es um sie herum; und sie schlief noch immer fort. Dann lief er heim, schloß die Haustüre zu und setzte sich auf seinen Stuhl und arbeitete. Endlich, als es schon ganz dunkel war, erwachte die kluge Else, und als sie aufstand, rappelte es um sie herum, und die Schellen klingelten bei jedem Schritte, den sie tat. Da erschrak sie, ward irre, ob sie auch wirklich die kluge Else wäre und sprach: »Bin ich's, oder bin ich's nicht?« Sie wußte aber nicht, was sie darauf antworten sollte, und stand eine Zeitlang zweifelhaft; endlich dachte sie: »Ich will nach Haus gehen und fragen, ob ich's bin oder ob ich's nicht bin, die werden's ja wissen.« Sie lief vor ihre Haustüre, aber die war verschlossen; da klopfte sie an das Fenster und rief: »Hans, ist die Else drinnen?« – »Ja«, antwortete Hans, »sie ist drinnen.« Da erschrak sie und sprach: »Ach Gott, dann bin ich's nicht«, und ging vor eine andere Tür; als aber die Leute das Klingeln der Schellen hörten, wollten sie nicht aufmachen, und sie konnte nirgend unterkommen. Da lief sie fort zum Dorfe hinaus, und niemand hat sie wieder gesehen. *Brüder Grimm*

Tischchen deck dich, Goldesel und Knüppel aus dem Sack

Vor Zeiten war ein Schneider, der drei Söhne hatte und nur eine einzige Ziege. Aber die Ziege, weil sie alle zusammen mit ihrer Milch ernährte, mußte ihr gutes Futter haben und täglich hinaus auf die Weide geführt werden. Die Söhne taten das auch nach der Reihe. Einmal brachte sie der älteste auf den Kirchhof, wo die schönsten Kräuter standen, ließ sie da fressen und herumspringen. Abends, als es Zeit war heimzugehen, fragte er: »Ziege, bist du satt?« Die Ziege antwortete:

> »Ich bin so satt,
> ich mag kein Blatt: meh! meh!«

»So komm nach Haus«, sprach der Junge, faßte sie am Strickchen, führte sie in den Stall und band sie fest. »Nun«, sagte der alte Schneider, »hat die Ziege ihr gehöriges Futter?« – »O«, antwortete der Sohn, »die ist so satt, sie mag kein Blatt.« Der Vater aber wollte sich selbst überzeugen, ging hinab in den Stall, streichelte das liebe Tier und fragte »Ziege, bist du auch satt?« Die Ziege antwortete:

> »Wovon sollt ich satt sein?
> Ich sprang nur über Gräbelein,
> und fand kein einzig Blättelein: meh! meh!«

»Was muß ich hören!« rief der Schneider, lief hinauf und sprach zu dem Jungen: »Ei, du Lügner, sagst, die Ziege wäre satt, und hast sie hungern lassen?« Und in seinem Zorne nahm er die Elle von der Wand und jagte ihn mit Schlägen hinaus.

Am andern Tag war die Reihe am zweiten Sohn, der suchte an der Gartenhecke einen Platz aus, wo lauter gute Kräuter standen, und die Ziege fraß sie rein ab. Abends, als er heimwollte, fragte er: »Ziege, bist du satt?« Die Ziege antwortete:

> »Ich bin so satt,
> ich mag kein Blatt: meh! meh!«

»So komm nach Haus«, sprach der Junge, zog sie heim und band sie im Stall fest. »Nun«, sagte der alte Schneider, »hat die Ziege ihr gehöriges Futter?« – »O«, antwortete der Sohn, »die ist so satt, sie mag kein Blatt.« Der Schneider wollte sich darauf nicht verlassen, ging hinab in den Stall und fragte: »Ziege, bist du auch satt?« Die Ziege antwortete:

> »Wovon sollt ich satt sein?
> Ich sprang nur über Gräbelein,
> und fand kein einzig Blättelein: meh! meh!«

»Der gottlose Bösewicht!« schrie der Schneider, »so ein frommes Tier hungern zu lassen!« lief hinauf und schlug mit der Elle den Jungen zur Haustüre hinaus.

Die Reihe kam jetzt an den dritten Sohn, der wollte seine Sache gut machen, suchte Buschwerk mit dem schönsten Laube aus und ließ die Ziege daran fressen. Abends, als er heim wollte, fragte er: »Ziege, bist du auch satt?« Die Ziege antwortete:

> »Ich bin so satt,
> ich mag kein Blatt: meh! meh!«

»So komm nach Haus«, sagte der Junge, führte sie in den Stall und band sie fest. »Nun«, sagte der alte Schneider, »hat die Ziege ihr gehöriges Futter?« – »O«, antwortete der Sohn, »die ist so satt, sie mag kein Blatt.« Der Schneider traute nicht, ging hinab und fragte: »Ziege, bist du auch satt?« Das boshafte Tier antwortete:

> »Wovon sollt ich satt sein?
> Ich sprang nur über Gräbelein,
> und fand kein einzig Blättelein: meh! meh!«

»O die Lügenbrut!« rief der Schneider, »einer so gottlos und pflichtvergessen wie der andere! Ihr sollt mich nicht länger zum Narren haben!« Und vor Zorn ganz außer sich sprang er hinauf und gerbte dem armen Jungen mit der Elle den Rücken so gewaltig, daß er zum Haus hinaus sprang.

Der alte Schneider war nun mit seiner Ziege allein. Am andern Morgen ging er hinab in den Stall, liebkoste die Ziege und sprach: »Komm, mein liebes Tierlein, ich will dich selbst zur Weide führen.« Er nahm sie am Strick und brachte sie zu grünen Hecken und unter Schafrippe und was sonst die Ziegen gerne fressen. »Da kannst du dich einmal nach Herzenslust sättigen«, sprach er zu ihr und ließ sie weiden bis zum Abend. Da fragte er: »Ziege, bist du satt?« Sie antwortete:

> »Ich bin so satt,
> ich mag kein Blatt: meh! meh!«

»So komm nach Haus«, sagte der Schneier, führte sie in den Stall und band sie fest. Als er wegging, kehrte er sich noch einmal um, und sagte: »Nun bist du doch einmal satt!« Aber die Ziege machte es ihm nicht besser und rief:

> »Wie sollt ich satt sein?
> Ich sprang nur über Gräbelein,
> und fand kein einzig Blättelein: meh! meh!«

Als der Schneider das hörte, stutzte er und sah wohl, daß er seine drei

160

Söhne ohne Ursache verstoßen hatte. »Wart«, rief er, »du undankbares Geschöpf, dich fortzujagen ist noch zu wenig, ich will dich zeichnen, daß du dich unter ehrbaren Schneidern nicht mehr darfst sehen lassen.« In einer Hast sprang er hinauf, holte sein Bartmesser, seifte der Ziege den Kopf ein, und schor sie so glatt wie seine flache Hand. Und weil die Elle zu ehrenvoll gewesen wäre, holte er die Peitsche und versetzte ihr solche Hiebe, daß sie in gewaltigen Sprüngen davonlief. Der Schneider, als er so ganz einsam in seinem Hause saß, verfiel in große Traurigkeit und hätte seine Söhne gerne wiedergehabt, aber niemand wußte, wo sie hingeraten waren. Der älteste war zu einem Schreiner in die Lehre gegangen, da lernte er fleißig und unverdrossen, und als seine Zeit herum war, daß er wandern sollte, schenkte ihm der Meister ein Tischchen, das gar kein besonderes Ansehen hatte und von gewöhnlichem Holz war; aber es hatte eine gute Eigenschaft. Wenn man es hinstellte und sprach: »Tischchen, deck dich«, so war das gute Tischchen auf einmal mit einem saubern Tüchlein bedeckt und stand da ein Teller, und Messer und Gabel daneben und Schüsseln mit Gesottenem und Gebratenem, so viel Platz hatten, und ein großes Glas mit rotem Wein leuchtete, daß einem das Herz lachte. Der junge Gesell dachte: »Damit hast du genug für dein Lebtag«, zog guter Dinge in der Welt umher und bekümmerte sich gar nicht darum, ob ein Wirtshaus gut oder schlecht und ob etwas darin zu finden war oder nicht. Wenn es ihm gefiel, so kehrte er gar nicht ein, sondern im Felde, im Wald, auf einer Wiese, wo er Lust hatte, nahm er sein Tischchen vom Rücken, stellte es vor sich und sprach: »Deck dich«, so war alles da, was sein Herz begehrte. Endlich kam es ihm in den Sinn, er wollte zu seinem Vater zurückkehren, sein Zorn würde sich gelegt haben, und mit dem Tischchendeckdich würde er ihn gerne wieder aufnehmen. Es trug sich zu, daß er auf dem Heimweg abends in ein Wirtshaus kam, das mit Gästen angefüllt war; sie hießen ihn willkommen und luden ihn ein, sich zu ihnen zu setzen und mit ihnen zu essen, sonst würde er schwerlich noch etwas bekommen. »Nein«, antwortete der Schreiner, »die paar Bissen will ich euch nicht vor dem Munde nehmen, lieber sollt ihr meine Gäste sein.« Sie lachten und meinten, er triebe seinen Spaß mit ihnen. Er aber stellte sein hölzernes Tischchen mitten in die Stube und sprach: »Tischchen, deck dich.« Augenblicklich war es mit Speisen besetzt, so gut wie sie der Wirt nicht hätte herbeischaffen können und wovon der Geruch den Gästen lieblich in die Nase stieg. »Zugegriffen, liebe Freunde«, sprach der Schreiner, und die Gäste, als sie sahen, wie es gemeint war, ließen sich nicht zweimal bitten, rückten heran, zogen ihre Messer und griffen tapfer zu. Und was sie am meisten verwunderte: wenn eine Schüssel leer geworden war, so stellte sich gleich von selbst eine volle an ihren Platz. Der Wirt stand in einer Ecke und sah dem Dinge zu; er wußte gar nicht was er sagen sollte, dachte aber: »Einen solchen Koch könntest du in deiner Wirtschaft wohl brauchen.« Der Schreiner und seine Gesellschaft waren lustig bis in die späte Nacht, endlich legten sie sich schlafen, und der junge Geselle ging auch zu Bett und stellte sein Wünschtischchen an die Wand. Dem Wirte aber ließen seine Gedanken keine Ruhe, es fiel ihm ein, daß in seiner Rumpelkammer ein altes Tischchen stände, das geradeso aussähe; das holte er ganz sachte herbei und vertauschte es mit dem Wünschtischchen. Am andern Morgen zahlte der Schreiner sein Schlafgeld, packte sein Tischchen auf, dachte gar nicht daran, daß er ein falsches hätte, und ging seiner Wege. Zu Mittag kam er bei seinem Vater an, der ihn mit großer Freude empfing. »Nun, mein lieber Sohn, was hast du gelernt?« sagte er zu ihm. »Vater, ich bin ein Schreiner geworden.« – »Ein gutes Handwerk«, erwiderte der Alte, »aber was hast du von deiner Wanderschaft mitgebracht?« – »Vater, das beste, was ich mitgebracht habe, ist das Tischchen.« Der Schneider betrachtete es von allen Seiten und sagte: »Daran hast du kein Meisterstück gemacht, das ist ein altes und schlechtes Tischchen.« – »Aber es ist ein Tischchendeckdich«, antwortete der Sohn, »wenn ich es hinstelle und sage ihm, es solle sich decken, so stehen gleich die schönsten Gerichte darauf und ein Wein dabei, der das Herz erfreut. Ladet nur alle Verwandte und Freunde ein, die sollen sich einmal laben und erquicken, denn das Tischchen macht sie alle satt.« Als die Gesellschaft beisammen war, stellte er sein Tischchen mitten in die Stube und sprach »Tischchen, deck dich.« Aber das Tischchen regte sich nicht und blieb so leer wie ein anderer Tisch, der die Sprache nicht versteht. Da merkte der arme Geselle, daß ihm das Tischchen vertauscht war, und schämte sich, daß er wie ein Lügner dastand. Die Verwandten aber lachten ihn aus und mußten ungetrunken und ungegessen wieder heimwandern. Der Vater holte seine Lappen wieder herbei und schneiderte fort, der Sohn aber ging bei einem Meister in die Arbeit.

Der zweite Sohn war zu einem Müller gekommen und bei ihm in die Lehre gegangen. Als er seine Jahre herum hatte, sprach der Meister: »Weil du dich so wohl gehalten hast, so schenke ich dir einen Esel von einer besondern Art, er zieht nicht am Wagen und trägt auch keine Säcke.« – »Wozu ist er denn nütze?« fragte der junge Geselle. »Er speit Gold«, antwortete der Müller, »wenn du ihn auf ein Tuch stellst und

sprichst ›Bricklebrit‹, so speit dir das gute Tier Goldstücke aus, hinten und vorn.« »Das ist eine schöne Sache«, sprach der Geselle, dankte dem Meister und zog in die Welt. Wenn er Gold nötig hatte, brauchte er nur zu seinem Esel »Bricklebrit« zu sagen, so regnete es Goldstücke, und er hatte weiter keine Mühe, als sie von der Erde aufzuheben. Wo er hinkam, war ihm das Beste gut genug, und je teurer, je lieber, denn er hatte immer einen vollen Beutel. Als er sich eine Zeit lang in der Welt umgesehen hatte, dachte er: »Du mußt deinen Vater aufsuchen, wenn du mit dem Goldesel kommst, so wird er seinen Zorn vergessen und dich gut aufnehmen.« Es trug sich zu, daß er in dasselbe Wirtshaus geriet, in welchem seinem Bruder das Tischchen vertauscht war. Er führte seinen Esel an der Hand, und der Wirt wollte ihm das Tier abnehmen und anbinden, der junge Geselle aber sprach: »Gebt euch keine Mühe, meinen Grauschimmel führe ich selbst in den Stall und binde ihn auch selbst an, denn ich muß wissen, wo er steht.« Dem Wirt kam das wunderlich vor, und er meinte, einer, der seinen Esel selbst besorgen müßte, hätte nicht viel zu verzehren; als aber der Fremde in die Tasche griff, zwei Goldstücke herausholte und sagte, er sollte nur etwas Gutes für ihn einkaufen, so machte er große Augen, lief und suchte das Beste, das er auftreiben konnte. Nach der Mahlzeit fragte der Gast, was er schuldig wäre, der Wirt wollte die doppelte Kreide nicht sparen und sagte, noch ein paar Goldstücke müßte er zulegen. Der Geselle griff in die Tasche, aber sein Gold war eben zu Ende. »Wartet einen Augenblick, Herr Wirt«, sprach er, »ich will nur gehen und Gold holen«, nahm aber das Tischtuch mit. Der Wirt wußte nicht, was das heißen sollte, war neugierig, schlich ihm nach, und da der Gast die Stalltüre zuriegelte, so guckte er durch ein Astloch. Der

Fremde breitete unter dem Esel das Tuch aus, rief »Bricklebrit«, und augenblicklich fing das Tier an Gold zu speien von hinten und vorn, daß es ordentlich auf die Erde herabregnete. »Ei der tausend«, sagte der Wirt, »da sind die Dukaten bald geprägt! So ein Geld-

beutel ist nicht übel!« Der Gast bezahlte seine Zeche und legte sich schlafen, der Wirt aber schlich in der Nacht herab in den Stall, führte den Münzmeister weg und band einen andern Esel an seine Stelle. Den folgenden Morgen in der Frühe zog der Geselle mit seinem Esel ab und meinte, er hätte seinen Goldesel. Mittags kam er bei seinem Vater an, der sich freute, als er ihn wieder sah, und ihn gerne aufnahm. »Was ist aus dir geworden, mein Sohn?« fragte der Alte. »Ein Müller, lieber Vater«, antwortete er. »Was hast du von deiner Wanderschaft mitgebracht?« – »Weiter nichts als einen Esel.« – »Esel gibt's hier genug«, sagte der Vater, »da wäre mir doch eine gute Ziege lieber gewesen.« – »Ja«, antwortete der Sohn, »aber es ist kein gemeiner Esel, sondern ein Goldesel; wenn ich sage ›Bricklebrit‹, so speit euch das gute Tier ein ganzes Tuch voll Goldstücke. Laßt nur alle Verwandte herbeirufen, ich mache sie alle zu reichen Leuten.« – »Das laß ich mir gefallen«, sagte der Schneider, »dann brauch ich mich mit der Nadel nicht weiter zu quälen«, sprang selbst fort und rief die Verwandten herbei. Sobald sie beisammen waren, hieß sie der Müller Platz machen, breitete sein Tuch aus und brachte den Esel in die Stube. »Jetzt gebt acht«, sagte er und rief »Bricklebrit«, aber es waren keine Goldstücke, was herabfiel, und es zeigte sich, daß das Tier nichts von der Kunst verstand, denn es bringt's nicht jeder Esel so weit. Da machte der arme Müller ein langes Gesicht, sah, daß er betrogen war und bat die Verwandten um Verzeihung, die so arm heimgingen als sie gekommen waren. Es blieb nichts übrig, der Alte mußte wieder nach der Nadel greifen und der Junge sich bei einem Müller verdingen.

Der dritte Bruder war zu einem Drechsler in die Lehre gegangen, und weil es ein kunstreiches Handwerk ist, mußte er am längsten lernen. Seine Brüder aber meldeten ihm in einem Briefe, wie schlimm es ihnen ergangen wäre und wie sie der Wirt noch am letzten Abende um ihre schönen Wünschdinge gebracht hätte. Als der Drechsler nun ausgelernt hatte und wandern sollte, so schenkte ihm sein Meister, weil er sich so wohl gehalten, einen Sack, und sagte: »Es liegt ein Knüppel darin.« – »Den Sack kann ich umhängen, und er kann mir gute Dienste leisten, aber was soll der Knüppel darin? Der macht ihn nur schwer.« – »Das will ich dir sagen«, antwortete der Meister, »hat dir jemand etwas zuleid getan, so sprich nur: ›Knüppel, aus dem Sack‹, so springt dir der Knüppel heraus unter die Leute und tanzt ihnen so lustig auf dem Rücken herum, daß sie sich acht Tage lang nicht regen und bewegen können; und eher läßt er nicht ab, als bis du sagst: ›Knüppel, in den Sack.‹ Der Gesell dankte ihm, hing den Sack um, und wenn ihm jemand zu nahe kam und auf den Leib wollte, so sprach er: »Knüppel, aus dem Sack«, alsbald sprang der Knüppel heraus und klopfte einem nach dem andern den Rock oder das Wams gleich auf dem Rücken aus und wartete nicht erst, bis er ihn ausgezogen hatte; und das ging so geschwind, daß, eh sich's einer versah, die Reihe schon

an ihm war. Der junge Drechsler langte zur Abendzeit in dem Wirtshaus an, wo seine Brüder waren betrogen worden. Er legte seinen Ranzen vor sich auf den Tisch und fing an zu erzählen, was er alles Merkwürdiges in der Welt gesehen habe. »Ja«, sagte er, »man findet wohl ein Tischchendeckdich, einen Goldesel und dergleichen: lauter gute Dinge, die ich nicht verachte, aber das ist alles nichts gegen den Schatz, den ich mir erworben habe und mit mir da in meinem Sack führe.« Der Wirt spitzte die Ohren: »Was in aller Welt mag das sein?« dachte er, »der Sack ist wohl mit lauter Edelsteinen angefüllt; den sollte ich billig auch noch haben, denn aller guten Dinge sind drei.«

Als Schlafenszeit war, streckte sich der Gast auf die Bank und legte seinen Sack als Kopfkissen unter. Der Wirt, als er meinte, der Gast läge in tiefem Schlaf, ging herbei, rückte und zog ganz sachte und vorsichtig an dem Sack, ob er ihn vielleicht wegziehen und einen andern unterlegen könnte. Der Drechsler aber hatte schon lange darauf gewartet, wie nun der Wirt eben einen herzhaften Ruck tun wollte, rief er: »Knüppel, aus dem Sack!« Alsbald fuhr das Knüppelchen heraus, dem Wirt auf den Leib, und rieb ihm die Nähte, daß es eine Art hatte. Der Wirt schrie zum Erbarmen, aber je lauter er schrie, desto kräftiger schlug der Knüppel ihm den Takt dazu auf dem Rücken, bis er endlich erschöpft zur Erde fiel. Da sprach der Drechsler: »Wo du das Tischchendeckdich und den Goldesel nicht wieder herausgibst, so soll der Tanz vom neuen angehen.« – »Ach nein«, rief der Wirt ganz kleinlaut, »ich gebe alles gerne wieder heraus, laßt nur den verwünschten Kobold wieder in den Sack kriechen.« Da sprach der Geselle: »Ich will Gnade für Recht ergehen lassen, aber hüte dich vor Schaden!« Dann rief er: »Knüppel, in den Sack!« und ließ ihn ruhen.

Der Drechsler zog am andern Morgen mit dem Tischchendeckdich und dem Goldesel heim zu seinem Vater. Der Schneider freute sich, als er ihn wiedersah, und fragte auch ihn, was er in der Fremde gelernt hätte. »Lieber Vater«, antwortete er, »ich bin ein Drechsler geworden.« – »Ein kunstreiches Handwerk«, sagte der Vater, »was hast du von der Wanderschaft mitgebracht?« – »Ein kostbares Stück, lieber Vater«, antwortete der Sohn, »einen Knüppel in dem Sack.« – »Was!« rief der Vater, »einen Knüppel! Das ist der Mühe wert! Den kannst du dir von jedem Baume abhauen.« – »Aber einen solchen nicht, lieber Vater; sage ich: ›Knüppel, aus dem Sack‹, so springt der Knüppel heraus und macht mit dem, der es nicht gut mit mir meint, einen schlimmen

Tanz, und läßt nicht eher nach, als bis er auf der Erde liegt und um gut Wetter bittet. Seht ihr, mit diesem Knüppel habe ich das Tischchendeckdich und den Goldesel wieder herbeigeschafft, die der diebische Wirt meinen Brüdern abgenommen hatte. Jetzt laßt sie beide rufen und ladet alle Verwandten ein, ich will sie speisen und tränken und will ihnen die Taschen noch mit Gold füllen.« Der alte Schneider wollte nicht recht trauen, brachte aber doch die Verwandten zusammen. Da deckte der Drechsler ein Tuch in die Stube, führte den Goldesel herein und sagte zu seinem Bruder: »Nun, lieber Bruder, sprich mit ihm.« Der Müller sagte »Bricklebrit«, und augenblicklich sprangen die Goldstücke auf das Tuch herab, als käme ein Platzregen, und der Esel hörte nicht eher auf als bis alle soviel hatten, daß sie nicht mehr tragen konnten. (Ich sehe dir's an, du wärst auch gerne dabei gewesen.) Dann holte der Drechsler das Tischchen und sagte: »Lieber Bruder, nun sprich mit ihm.« Und kaum hatte der Schreiner »Tischchen, deck dich« gesagt, so war es gedeckt und mit den schönsten Schüsseln reichlich besetzt. Da ward eine Mahlzeit gehalten, wie der gute Schneider noch keine in seinem Hause erlebt hatte, und die ganze Verwandtschaft blieb beisammen bis in die Nacht, und waren alle lustig und vergnügt. Der Schneider verschloß Nadel und Zwirn, Elle und Bügeleisen in einen Schrank und lebte mit seinen drei Söhnen in Freude und Herrlichkeit.

Wo ist aber die Ziege hingekommen, die Schuld war daß der Schneider seine drei Söhne fortjagte? Das will ich dir sagen. Sie schämte sich, daß sie einen kahlen Kopf hatte, lief in eine Fuchshöhle und verkroch sich hinein. Als der Fuchs nach Haus kam, funkelten ihm ein paar große  Augen aus der Dunkelheit entgegen, daß er erschrak und wieder zurücklief. Der Bär begegnete ihm, und da der Fuchs ganz verstört aussah, so sprach er: »Was ist dir, Bruder Fuchs, was machst du für ein Gesicht?« – »Ach«, antwortete der Rote, »ein grimmig Tier sitzt in meiner Höhle und hat mich mit feurigen Augen angeglotzt.« – »Das wollen wir bald austreiben«, sprach der Bär, ging mit zu der Höhle und schaute hinein; als er aber die feurigen Augen erblickte, wandelte ihn ebenfalls Furcht an: er wollte mit dem grimmigen Tiere nichts zu tun haben und nahm Reißaus. Die Biene begegnete ihm, und da sie merkte, daß es ihm in seiner Haut nicht wohl zumute war, sprach sie: »Bär, du machst ja ein gewaltig verdrießlich Gesicht,

wo ist deine Lustigkeit geblieben?« – »Du hast gut reden«, antwortete
der Bär, »es sitzt ein grimmiges Tier mit Glotzaugen in dem Hause des
Roten, und wir können es nicht herausjagen.« Die Biene sprach: »Du
dauerst mich, Bär, ich bin ein armes schwaches Geschöpf, das ihr im
Wege nicht anguckt, aber ich glaube doch, daß ich euch helfen kann.«
Sie flog in die Fuchshöhle, setzte sich der Ziege auf den glatten ge-
schorenen Kopf und stach sie so gewaltig, daß sie aufsprang, »Meh!
Meh!« schrie und wie toll in die Welt hineinlief; und weiß niemand
auf diese Stunde, wo sie hingelaufen ist.   *Brüder Grimm*

Der Gevatter Tod

Es hatte ein armer Mann zwölf Kinder
und mußte Tag und Nacht arbeiten, damit er ihnen nur Brot geben konnte. Als
nun das dreizehnte zur Welt kam, wußte
er sich in seiner Not nicht zu helfen, lief
hinaus auf die große Landstraße und
wollte den ersten, der ihm begegnete, zu Gevatter bitten. Der erste,
der ihm begegnete, das war der liebe Gott, der wußte schon, was er auf
dem Herzen hatte und sprach zu ihm: »Armer Mann, du dauerst mich,
ich will dein Kind aus der Taufe heben, will für es sorgen und es
glücklich machen auf Erden.« – Der Mann sprach: »Wer bist du?« –
»Ich bin der liebe Gott.« – »So begehr ich dich nicht zu Gevatter«,
sagte der Mann, »du gibst dem Reichen und lässest den Armen hungern.« Das sprach der Mann, weil er nicht wußte, wie weislich Gott
Reichtum und Armut verteilt. Also wendete er sich von dem Herrn
und ging weiter. Da trat der Teufel zu ihm und sprach: »Was suchst du?
Willst du mich zum Paten deines Kindes nehmen, so will ich ihm Gold
die Hülle und Fülle und alle Lust der Welt dazu geben.« Der Mann
fragte: »Wer bist du?« – »Ich bin der Teufel.« – »So begehr ich dich
nicht zum Gevatter«, sprach der Mann, »du betrügst und verführst die
Menschen.« Er ging weiter, da kam der dürrbeinige Tod auf ihn zuge-
schritten und sprach: »Nimm mich zu Gevatter.« Der Mann fragte:
»Wer bist du?« – »Ich bin der Tod, der alle gleich macht.« Da sprach der
Mann: »Du bist der rechte, du holst den Reichen wie den Armen ohne

Unterschied, du sollst mein Gevattersmann sein.« Der Tod antworte-te: »Ich will dein Kind reich und berühmt machen, denn wer mich zum Freunde hat, dem kann's nicht fehlen.« Der Mann sprach: »Künf-tigen Sonntag ist die Taufe, da stelle dich zu rechter Zeit ein.«
Der Tod erschien, wie er versprochen hatte, und stand ganz ordentlich Gevatter.
Als der Knabe zu Jahren gekommen war, trat zu einer Zeit der Pate ein und hieß ihn mitgehen. Er führte ihn hinaus in den Wald, zeigte ihm ein Kraut, das da wuchs, und sprach: »Jetzt sollst du dein Paten-geschenk empfangen. Ich mache dich zu einem berühmten Arzt. Wenn du zu einem Kranken gerufen wirst, so will ich dir jedesmal erscheinen: steh ich zu Häupten des Kranken, so kannst du keck spre-chen, du wolltest ihn wieder gesund machen, und gibst du ihm dann von jenem Kraut ein, so wird er genesen; steh ich aber zu Füßen des Kranken, so ist er mein, und du mußt sagen, alle Hilfe sei umsonst und kein Arzt in der Welt könne ihn retten. Aber hüte dich, daß du das Kraut nicht gegen meinen Willen gebrauchst, es könnte dir schlimm ergehen.«
Es dauerte nicht lange, so war der Jüngling der berühmteste Arzt auf der ganzen Welt. »Er braucht nur den Kranken anzusehen, so weiß er schon, wie es steht, ob er wieder gesund wird, oder ob er sterben muß«, so hieß es von ihm, und weit und breit kamen die Leute herbei, holten ihn zu den Kranken und gaben ihm so viel Gold, daß er bald ein reicher Mann war. Nun trug es sich zu, daß der König erkrankte: der Arzt ward gerufen und sollte sagen, ob Genesung möglich wäre. Wie er aber zu dem Bette trat, so stand der Tod zu den Füßen des Kranken, und da war für ihn kein Kraut mehr gewachsen. »Wenn ich doch einmal den Tod überlisten könnte«, dachte der Arzt, »er wird's freilich übelnehmen, aber da ich sein Pate bin, so drückt er wohl ein Auge zu; ich will's wagen.« Er faßte also den Kranken und legte ihn verkehrt, so daß der Tod zu Häupten desselben zu stehen kam. Dann gab er ihm von dem Kraute ein, und der König erholte sich und ward wieder gesund. Der Tod aber kam zu dem Arzte, machte ein böses und finsteres Gesicht, drohte mit dem Finger und sagte: »Du hast mich hinter das Licht geführt: diesmal will ich dir's nachsehen, weil du mein Pate bist, aber wagst du das noch einmal, so geht dir's an den Kragen, und ich nehme dich selbst mit fort.«
Bald hernach verfiel die Tochter des Königs in eine schwere Krankheit. Sie war sein einziges Kind, er weinte Tag und Nacht, daß ihm die

Augen erblindeten, und ließ bekannt machen, wer sie vom Tode er-
rettete, der sollte ihr Gemahl werden und die Krone erben. Der Arzt,
als er zu dem Bette der Kranken kam, erblickte den Tod zu ihren
Füßen. Er hätte sich der Warnung seines Paten erinnern sollen, aber
die große Schönheit der Königstochter und das Glück, ihr Gemahl zu
werden, betörten ihn so, daß er alle Gedanken in den Wind schlug. Er
sah nicht, daß der Tod ihm zornige Blicke zuwarf, die Hand in die
Höhe hob und mit der dürren Faust drohte; er hob die Kranke auf und
legte ihr Haupt dahin, wo die Füße gelegen hatten. Dann gab er ihr das
Kraut ein, und alsbald röteten sich ihre Wangen, und das Leben regte
sich von neuem.

Der Tod, als er sich zum zweitenmal um sein Eigentum betrogen sah,
ging mit langen Schritten auf den Arzt zu und sprach: »Es ist aus mit
dir, und die Reihe kommt nun an dich«, packte ihn mit seiner eiskal-
ten Hand so hart, daß er nicht widerstehen konnte, und führte ihn in

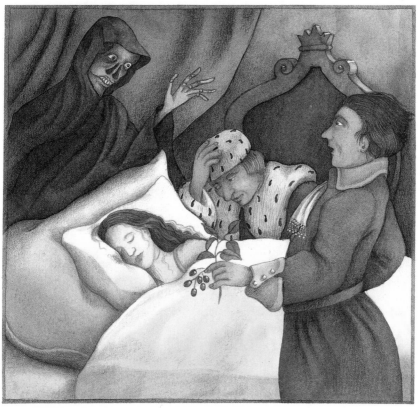

eine unterirdische Höhle. Da sah er, wie tausend und tausend Lichter in unübersehbaren Reihen brannten, einige groß, andere halbgroß, andere klein. Jeden Augenblick verloschen einige, und andere brannten wieder auf, also daß die Flämmchen in beständigem Wechsel hin und her zu hüpfen schienen. »Siehst du«, sprach der Tod, »das sind die Lebenslichter der Menschen. Die großen gehören Kindern, die halbgroßen Eheleuten in ihren besten Jahren, die kleinen gehören Greisen. Doch auch Kinder und junge Leute haben oft nur ein kleines Lichtchen.« – »Zeige mir mein Lebenslicht«, sagte der Arzt und meinte, es wäre noch recht groß. Der Tod deutete auf ein kleines Endchen, das eben auszugehen drohte, und sagte: »Siehst du, da ist es.« – »Ach, lieber Pate«, sagte der erschrockene Arzt, »zündet mir ein neues an, tut mir's zuliebe, damit ich meines Lebens genießen kann, König werde und Gemahl der schönen Königstochter.« – »Ich kann nicht«, antwortete der Tod, »erst muß eins verlöschen, eh ein neues anbrennt.« – »So setzt das alte auf ein neues, das gleich fortbrennt, wenn jenes zu Ende ist«, bat der Arzt. Der Tod stellte sich, als ob er seinen Wunsch erfüllen wollte, langte ein frisches großes Licht herbei; aber weil er sich rächen wollte, versah er's beim Umstecken absichtlich, und das Stückchen fiel um und verlosch. Alsbald sank der Arzt zu Boden und war nun selbst in die Hand des Todes geraten.

Brüder Grimm

Dornröschen

Vor Zeiten war ein König und eine Königin, die sprachen jeden Tag: »Ach, wenn wir doch ein Kind hätten!« und kriegten immer keins. Da trug sich zu, als die Königin einmal im Bade saß, daß ein Frosch aus dem Wasser ans Land kroch und zu ihr sprach: »Dein Wunsch wird erfüllt werden, ehe ein Jahr vergeht, wirst du eine Tochter zur Welt bringen.« Was der Frosch gesagt hatte, das geschah, und die Königin gebar ein Mädchen, das war so schön, daß der König vor Freude sich nicht zu lassen wußte und ein großes Fest anstellte. Er lud nicht bloß seine Verwandte, Freunde und Bekannte, sondern auch die weisen Frauen dazu ein, damit sie dem Kind hold und gewogen wären. Es waren ihrer dreizehn in seinem Reiche, weil er aber nur zwölf goldene Teller hatte, von welchen sie essen sollten, so mußte eine von ihnen daheimbleiben. Das Fest ward mit aller Pracht gefeiert, und als es zu Ende war, beschenkten die weisen Frauen das Kind mit ihren Wundergaben: die eine mit Tugend, die andere mit Schönheit, die dritte mit Reichtum, und so mit allem, was auf der Welt zu wünschen ist. Als elfe ihre Sprüche eben getan hatten, trat plötzlich die dreizehnte herein. Sie wollte sich dafür rächen, daß sie nicht eingeladen war, und ohne jemand zu grüßen oder nur anzusehen, rief sie mit lauter Stimme: »Die Königstochter soll sich in ihrem fünfzehnten Jahr an einer Spindel stechen und tot hinfallen.« Und ohne ein Wort weiter zu sprechen kehrte sie sich um und verließ den Saal. Alle waren erschrocken, da trat die zwölfte hervor, die ihren Wunsch noch übrig hatte, und weil sie den bösen Spruch nicht aufheben, sondern nur ihn mildern konnte, so sagte sie: »Es soll aber kein Tod sein, sondern ein hundertjähriger tiefer Schlaf, in welchen die Königstochter fällt.«

Der König, der sein liebes Kind vor dem Unglück gern bewahren wollte, ließ den Befehl ausgehen, daß alle Spindeln im ganzen Königreiche sollten verbrannt werden. An dem Mädchen aber wurden die Gaben der weisen Frauen sämtlich erfüllt, denn es war so schön, sittsam, freundlich und verständig, daß es jedermann, der es ansah, liebhaben mußte. Es geschah, daß an dem Tage, wo es gerade fünfzehn Jahr alt ward, der König und die Königin nicht zu Haus waren und das Mädchen ganz allein im Schloß zurückblieb. Da ging es aller Orten herum, besah Stuben und Kammern, wie es Lust hatte, und kam endlich auch an einen alten Turm. Es stieg die enge Wendeltreppe hinauf und gelangte zu einer kleinen Türe. In dem Schloß steckte ein verrosteter Schlüssel, und als es umdrehte, sprang die Tür auf und saß da in einem kleinen Stübchen eine alte Frau mit einer Spindel und spann emsig ihren Flachs. »Guten Tag, du altes Mütterchen«, sprach die Königstochter, »was machst du da?« – »Ich spinne«, sagte die Alte und nickte mit dem Kopf. »Was ist das für ein Ding, das so lustig herumspringt?« sprach das Mädchen, nahm die Spindel und wollte auch spinnen. Kaum hatte sie aber die Spindel angerührt, so ging der Zauberspruch in Erfüllung, und sie stach sich damit in den Finger.

In dem Augenblick aber, wo sie den Stich empfand, fiel sie auf das Bett nieder, das da stand, und lag in einem tiefen Schlaf. Und dieser Schlaf

verbreitete sich über das ganze Schloß: der König und die Königin, die eben heimgekommen waren und in den Saal getreten waren, fingen an einzuschlafen, und der ganze Hofstaat mit ihnen. Da schliefen auch die Pferde im Stall, die Hunde im Hofe, die Tauben auf dem Dache, die Fliegen an der Wand, ja, das Feuer, das auf dem Herde flackerte, ward still und schlief ein, und der Braten hörte auf zu brutzeln, und der Koch, der den Küchenjungen, weil er etwas versehen hatte, in den Haaren ziehen wollte, ließ ihn los und schlief. Und der Wind legte sich, und auf den Bäumen vor dem Schloß regte sich kein Blättchen mehr.

Rings um das Schloß aber begann eine Dornenhecke zu wachsen, die jedes Jahr höher ward, und endlich das ganze Schloß umzog, und darüber hinaus wuchs, daß gar nichts mehr davon zu sehen war, selbst nicht die Fahne auf dem Dach. Es ging aber die Sage in dem Land von dem schönen schlafenden Dornröschen, denn so ward die Königstochter genannt, also daß von Zeit zu Zeit Königssöhne kamen und durch die Hecke in das Schloß dringen wollten. Es war ihnen aber nicht möglich, denn die Dornen, als hätten sie Hände, hielten fest zusammen, und die Jünglinge blieben darin hängen, konnten sich nicht wieder los machen und starben eines jämmerlichen Todes.

Nach langen, langen Jahren kam wieder einmal ein Königssohn in das Land und hörte, wie ein alter Mann von der Dornhecke erzählte, es sollte ein Schloß dahinter stehen, in welchem eine wunderschöne Königstochter, Dornröschen genannt, schon seit hundert Jahren schliefe, und mit ihr schliefe der König und die Königin und der ganze Hofstaat. Er wußte auch von seinem Großvater, daß schon viele Königssöhne gekommen wären und versucht hätten, durch die Dornenhecke zu dringen, aber sie wären darin hängengeblieben und eines traurigen Todes gestorben. Da sprach der Jüngling: »Ich fürchte mich nicht, ich will hinaus und das schöne Dornröschen sehen.« Der gute Alte mochte ihm abraten, wie er wollte, er hörte nicht auf seine Worte. Nun waren aber gerade die hundert Jahre verflossen, und der Tag war gekommen, wo Dornröschen wieder erwachen sollte. Als der Königssohn sich der Dornenhecke näherte, waren es lauter schöne große Blumen, die taten sich von selbst auseinander und ließen ihn unbeschädigt hindurch, und hinter ihm taten sie sich wieder als eine Hecke zusammen. Im Schloßhof sah er die Pferde und scheckigen Jagdhunde

liegen und schlafen, auf dem Dache saßen die Tauben und hatten das Köpfchen unter den Flügel gesteckt. Und als er ins Haus kam, schliefen die Fliegen an der Wand, der Koch in der Küche hielt noch die Hand, als wollte er den Jungen anpacken, und die Magd saß vor dem schwarzen Huhn, das sollte gerupft werden. Da ging er weiter und sah im Saale den ganzen Hofstaat liegen und schlafen, und oben bei dem Throne lag der König und die Königin. Da ging er noch weiter, und alles war so still, daß einer seinen Atem hören konnte, und endlich kam er zu dem Turm und öffnete die Türe zu der kleinen Stube, in welcher Dornröschen schlief. Da lag es und war so schön, daß er die Augen nicht abwenden konnte, und er bückte sich und gab ihm einen Kuß. Wie er es mit dem Kuß berührt hatte, schlug Dornröschen die Augen auf, erwachte und blickte ihn ganz freundlich an. Da gingen sie zusammen herab, und der König erwachte und die Königin und der ganze Hofstaat, und sahen einander mit großen Augen an. Und die Pferde im Hof standen auf und rüttelten sich; die Jagdhunde sprangen und wedelten; die Tauben auf dem Dache zogen das Köpfchen unterm Flügel hervor, sahen umher und flogen ins Feld; die Fliegen an den Wänden krochen weiter; das Feuer in der Küche erhob sich, flackerte und kochte das Essen; der Braten fing wieder an zu brutzeln und der Koch gab dem Jungen eine Ohrfeige, daß er schrie, und die Magd rupfte das Huhn fertig. Und da wurde die Hochzeit des Königssohns mit dem Dornröschen in aller Pracht gefeiert, und sie lebten vergnügt bis an ihr Ende. *Brüder Grimm*

Sneewittchen

Es war einmal mitten im Winter, und die Schneeflocken fielen wie Federn vom Himmel herab, da saß eine Königin an einem Fenster, das einen Rahmen von schwarzem Ebenholz hatte, und nähte. Und wie sie so nähte und nach dem Schnee aufblickte, stach sie sich mit der Nadel in den Finger, und es fielen drei Tropfen Blut in den Schnee. Und weil das Rote im weißen Schnee so schön aussah, dachte sie bei sich: »Hätt ich ein Kind so weiß wie Schnee, so rot wie Blut und so schwarz wie das Holz an dem Rahmen.« Bald darauf bekam sie ein Töchterlein, das war so weiß wie Schnee, so rot wie Blut und so schwarzhaarig wie Ebenholz, und ward darum das Sneewittchen (Schneeweißchen) genannt. Und wie das Kind geboren war, starb die Königin.

Über ein Jahr nahm sich der König eine andere Gemahlin. Es war eine schöne Frau, aber sie war stolz und übermütig und konnte nicht leiden, daß sie an Schönheit von jemand sollte übertroffen werden. Sie hatte einen wunderbaren Spiegel, wenn sie vor den trat und sich darin beschaute, sprach sie:

> »Spieglein, Spieglein an der Wand,
>   wer ist die Schönste im ganzen Land?«

so antwortete der Spiegel:

> »Frau Königin, Ihr seid die Schönste im Land.«

Da war sie zufrieden, denn sie wußte, daß der Spiegel die Wahrheit sagte.

Sneewittchen aber wuchs heran und wurde immer schöner, und als es sieben Jahr alt war, war es so schön wie der klare Tag, und schöner als die Königin selbst. Als diese einmal ihren Spiegel fragte:

> »Spieglein, Spieglein an der Wand,
>   wer ist die Schönste im ganzen Land?«

so antwortete er:

> »Frau Königin, Ihr seid die Schönste hier,
>   aber Sneewittchen ist tausendmal schöner als Ihr.«

Da erschrak die Königin und ward gelb und grün vor Neid. Von Stund an, wenn sie Sneewittchen erblickte, kehrte sich ihr das Herz im Leibe herum, so haßte sie das Mädchen. Und der Neid und Hochmut wuchsen wie ein Unkraut in ihrem Herzen immer höher, daß sie Tag und Nacht keine Ruhe mehr hatte. Da rief sie einen Jäger und sprach: »Bring das Kind hinaus in den Wald, ich will's nicht mehr vor meinen Augen sehen. Du sollst es töten und mir Lunge und Leber zum Wahrzeichen mitbringen.« Der Jäger gehorchte und führte es hinaus, und als er den Hirschfänger gezogen hatte und Sneewittchens unschuldiges Herz durchbohren wollte, fing es an zu weinen und sprach: »Ach, lieber Jäger, laß mir mein Leben; ich will in den wilden Wald laufen und nimmermehr wieder heim kommen.« Und weil es so schön war, hatte der Jäger Mitleiden und sprach: »So lauf hin, du armes Kind.« – »Die wilden Tiere werden dich bald gefressen haben«, dachte er, und doch war's ihm, als wär ein Stein von seinem Herzen gewälzt, weil er es nicht zu töten brauchte. Und als gerade ein junger Frischling daher gesprungen kam, stach er ihn ab, nahm Lunge und Leber heraus und brachte sie als Wahrzeichen der Königin mit. Der Koch mußte sie in Salz kochen, und das boshafte Weib aß sie auf und meinte, sie hätte Sneewittchens Lunge und Leber gegessen.

Nun war das arme Kind in dem großen Wald mutterseelig allein, und ward ihm so angst, daß es alle Blätter an den Bäumen ansah und nicht wußte, wie es sich helfen sollte. Da fing es an zu laufen und lief über die spitzen Steine und durch die Dornen, und die wilden Tiere sprangen an ihm vorbei, aber sie taten ihm nichts. Es lief so lange nur die Füße noch fortkonnten, bis es bald Abend werden wollte, da sah es ein kleines Häuschen und ging hinein sich zu ruhen. In dem Häuschen war alles klein, aber so zierlich und reinlich, daß es nicht zu sagen ist. Da stand ein weißgedecktes Tischlein mit sieben kleinen Tellern, jedes Tellerlein mit seinem Löffelein, ferner sieben Messerlein und Gäblein und sieben Becherlein. An der Wand waren sieben Bettlein nebeneinander aufgestellt und schneeweiße Laken darüber gedeckt. Sneewittchen, weil es so hungrig und durstig war, aß von jedem Tellerlein ein wenig Gemüs und Brot und trank aus jedem Becherlein einen Tropfen Wein; denn es wollte nicht einem allein alles wegnehmen. Hernach, weil es so müde war, legte es sich in ein Bettchen, aber keins paßte; das eine war zu lang, das andere zu kurz, bis endlich das siebente recht war; und darin blieb es liegen, befahl sich Gott und schlief ein.

Als es ganz dunkel geworden war, kamen die Herren von dem Häuslein, das waren die sieben Zwerge, die in den Bergen nach Erz hackten und gruben. Sie zündeten ihre sieben Lichtlein an, und wie es nun hell im Häuslein ward, sahen sie, daß jemand darin gewesen war, denn es stand nicht alles so in der Ordnung, wie sie es verlassen hatten. Der erste sprach: »Wer hat auf meinem Stühlchen gesessen?« Der zweite: »Wer hat von meinem Tellerchen gegessen?« Der dritte: »Wer hat von meinem Brötchen genommen?« Der vierte: »Wer hat von meinem Gemüschen gegessen?« Der fünfte: »Wer hat mit meinem Gäbelchen gestochen?« Der sechste: »Wer hat mit meinem Messerchen geschnitten?« Der siebente: »Wer hat aus meinem Becherlein getrunken?«

Dann sah sich der erste um und sah, daß auf seinem Bett eine kleine Delle war, da sprach er: »Wer hat in mein Bettchen getreten?« Die andern kamen gelaufen und riefen: »In meinem hat auch jemand gelegen.« Der siebente aber, als er in sein Bett sah, erblickte Sneewittchen, das lag darin und schlief. Nun rief er die andern, die kamen herbeigelaufen und schrien vor Verwunderung, holten ihre sieben Lichtlein und beleuchteten Sneewittchen. »Ei, du mein Gott! Ei, du mein Gott!« riefen sie, »was ist das Kind so schön!« und hatten so große Freude, daß sie es nicht aufweckten, sondern im Bettlein fortschlafen ließen. Der siebente Zwerg aber schlief bei seinen Gesellen, bei jedem eine Stunde, da war die Nacht herum.

Als es Morgen war, erwachte Sneewittchen, und wie es die sieben Zwerge sah, erschrak es. Sie waren aber freundlich und fragten: »Wie heißt du?« – »Ich heiße Sneewittchen«, antwortete es. »Wie bist du in unser Haus gekommen?« sprachen weiter die Zwerge. Da erzählte es ihnen, daß seine Stiefmutter es hätte wollen umbringen lassen, der Jäger hätte ihm aber das Leben geschenkt, und da wär es gelaufen den ganzen Tag, bis es endlich ihr Häuslein gefunden hätte. Die Zwerge

sprachen: »Willst du unsern Haushalt versehen, kochen, betten, waschen, nähen und stricken, und willst du alles ordentlich und reinlich halten, so kannst du bei uns bleiben, und es soll dir an nichts fehlen.« – »Ja«, sagte Sneewittchen, »von Herzen gern«, und blieb bei ihnen. Es hielt ihnen das Haus in Ordnung: Morgens gingen sie in die Berge und suchten Erz und Gold, abends kamen sie wieder, und da mußte ihr Essen bereit sein. Den Tag über war das Mädchen allein, da warnten es die guten Zwerglein und sprachen: »Hüte dich vor deiner Stiefmutter, die wird bald wissen, daß du hier bist; laß ja niemand herein.«
Die Königin aber, nachdem sie Sneewittchens Lunge und Leber glaubte gegessen zu haben, dachte nicht anders als sie wäre wieder die Erste und Allerschönste, trat vor ihren Spiegel und sprach:

> »Spieglein, Spieglein an der Wand,
>   wer ist die Schönste im ganzen Land?«

Da antwortete der Spiegel:

> »Frau Königin, Ihr seid die Schönste hier,
>   aber Sneewittchen über den Bergen
>   bei den sieben Zwergen
>   ist noch tausendmal schöner als Ihr.«

Da erschrak sie, denn sie wußte, daß der Spiegel keine Unwahrheit sprach, und merkte, daß der Jäger sie betrogen hatte und Sneewittchen noch am Leben war. Und da sann und sann sie aufs neue, wie sie es umbringen wollte; denn so lange sie nicht die Schönste war im ganzen Land, ließ ihr der Neid keine Ruhe. Und als sie sich endlich etwas ausgedacht hatte, färbte sie sich das Gesicht und kleidete sich wie eine alte Krämerin und war ganz unkenntlich. In dieser Gestalt ging sie über die sieben Berge zu den sieben Zwergen, klopfte an die Türe und rief: »Schöne Ware feil, feil!« Sneewittchen guckte zum Fenster heraus und rief: »Guten Tag, liebe Frau, was habt Ihr zu verkaufen?« – »Gute Ware, schöne Ware«, antwortete sie, »Schnürriemen von allen Farben«, und holte einen hervor, der aus bunter Seide geflochten war. »Die ehrliche Frau kann ich herein lassen«, dachte Sneewittchen, riegelte die Türe auf und kaufte sich den hübschen Schnürriemen. »Kind«, sprach die Alte, »wie du aussiehst! Komm, ich will dich einmal ordentlich schnüren.« Sneewittchen hatte kein Arg, stellte sich vor sie, und ließ sich mit dem neuen Schnürriemen schnüren; aber die Alte schnürte geschwind und schnürte so fest, daß dem Sneewittchen der Atem verging und es für tot hinfiel. »Nun bist du die Schönste gewesen«, sprach sie, und eilte hinaus.

Nicht lange darauf, zur Abendzeit, kamen die sieben Zwerge nach Haus, aber wie erschraken sie, als sie ihr liebes Sneewittchen auf der Erde liegen sahen; und es regte und bewegte sich nicht, als wäre es tot. Sie hoben es in die Höhe, und weil sie sahen daß es zu fest geschnürt war, schnitten sie den Schnürriemen entzwei: da fing es an ein wenig zu atmen, und ward nach und nach wieder lebendig. Als die Zwerge hörten, was geschehen war, sprachen sie: »Die alte Krämerfrau war niemand als die gottlose Königin: hüte dich und laß keinen Menschen herein, wenn wir nicht bei dir sind.«

Das böse Weib aber, als es nach Haus gekommen war, ging vor den Spiegel und fragte:

>»Spieglein, Spieglein an der Wand,
>   wer ist die Schönste im ganzen Land?«

Da antwortete er wie sonst:

>»Frau Königin, Ihr seid die Schönste hier,
>   aber Sneewittchen über den Bergen
>   bei den sieben Zwergen
>   ist noch tausendmal schöner als Ihr.«

Als sie das hörte, lief ihr alles Blut zum Herzen, so erschrak sie, denn sie sah wohl, daß Sneewittchen wieder lebendig worden war. »Nun aber«, sprach sie, »will ich etwas aussinnen, das dich zu Grunde richten soll«, und mit Hexenkünsten, die sie verstand, machte sie einen giftigen Kamm. Dann verkleidete sie sich und nahm die Gestalt eines andern alten Weibes an. So ging sie hin über die sieben Berge zu den sieben Zwergen, klopfte an die Türe und rief: »Gute Ware feil, feil!« Sneewittchen schaute heraus und sprach: »Geht nur weiter, ich darf niemand hereinlassen.« – »Das Ansehen wird dir doch erlaubt sein«, sprach die Alte, zog den giftigen Kamm heraus und hielt ihn in die Höhe. Da gefiel er dem Kinde so gut, daß es sich betören ließ und die Türe öffnete. Als sie des Kaufs einig waren, sprach die Alte: »Nun will ich dich einmal ordentlich kämmen.« Das arme Sneewittchen dachte an nichts und ließ die Alte gewähren, aber kaum hatte sie den Kamm in die Haare gesteckt, als das Gift darin wirkte und das Mädchen ohne Besinnung niederfiel. »Du Ausbund von Schönheit«, sprach das boshafte Weib, »jetzt ist's um dich geschehen«, und ging fort. Zum Glück aber war es bald Abend, wo die sieben Zwerglein nach Haus kamen. Als sie Sneewittchen wie tot auf der Erde liegen sahen, hatten sie gleich die Stiefmutter in Verdacht, suchten nach und fanden den giftigen Kamm, und kaum hatten sie ihn herausgezogen, so kam Sneewittchen wieder zu sich, und erzählte, was vorgegangen war. Da warnten sie es noch einmal, auf seiner Hut zu sein und niemand die Türe zu öffnen.

Die Königin stellte sich daheim vor den Spiegel und sprach:

>>Spieglein, Spieglein an der Wand,
wer ist die Schönste im ganzen Land?<<

Da antwortete er, wie vorher:

>>Frau Königin, Ihr seid die Schönste hier,
aber Sneewittchen über den Bergen
bei den sieben Zwergen
ist doch noch tausendmal schöner als Ihr.<<

Als sie den Spiegel so reden hörte, zitterte und bebte sie vor Zorn. >>Sneewittchen soll sterben<<, rief sie, >>und wenn es mein eignes Leben kostet.<< Darauf ging sie in eine ganz verborgene einsame Kammer, wo niemand hinkam, und machte da einen giftigen, giftigen Apfel. Äußerlich sah er schön aus, weiß mit roten Backen, daß jeder, der ihn erblickte, Lust danach bekam, aber wer ein Stückchen davon aß, der mußte sterben. Als der Apfel fertig war, färbte sie sich das Gesicht und verkleidete sich in eine Bauersfrau, und so ging sie über die sieben Berge zu den sieben Zwergen. Sie klopfte an, Sneewittchen streckte den Kopf zum Fenster heraus und sprach: >>Ich darf keinen Menschen einlassen, die sieben Zwerge haben mir's verboten.<< – >>Mir auch recht<<, antwortete die Bäuerin, >>meine Äpfel will ich schon los werden. Da, einen will ich dir schenken.<< >>Nein<<, sprach Sneewittchen, >>ich darf nichts annehmen.<< – >>Fürchtest du dich vor Gift?<< sprach die Alte, >>siehst du, da schneide ich den Apfel in zwei Teile; den roten Backen iß du, den weißen will ich essen.<< Der Apfel war aber so künstlich gemacht, daß der rote Backen allein vergiftet war. Sneewittchen lusterte den schönen Apfel an, und als es sah, daß die Bäuerin davon aß, so konnte es nicht länger widerstehen, streckte die Hand hinaus und nahm die giftige Hälfte. Kaum aber hatte es einen Bissen davon im Mund, so fiel es tot zur Erde nieder. Da betrachtete es die Königin mit grausigen Blicken und lachte überlaut und sprach: >>Weiß

wie Schnee, rot wie Blut, schwarz wie Ebenholz! Diesmal können dich
die Zwerge nicht wieder erwecken.«
Und als sie daheim den Spiegel befragte,

> »Spieglein, Spieglein an der Wand,
> wer ist die Schönste im ganzen Land?«

so antwortete er endlich:

> »Frau Königin, Ihr seid die Schönste im Land.«

Da hatte ihr neidisches Herz Ruhe, so gut ein neidisches Herz Ruhe
haben kann.

Die Zwerglein, wie sie abends nach Haus kamen, fanden Sneewittchen auf der Erde liegen, und es ging kein Atem mehr aus seinem
Mund, und es war tot. Sie hoben es auf, suchten, ob sie was Giftiges
fänden, schnürten es auf, kämmten ihm die Haare, wuschen es mit
Wasser und Wein, aber es half alles nichts; das liebe Kind war tot und
blieb tot. Sie legten es auf eine Bahre und setzten sich alle siebene
daran und beweinten es, und weinten drei Tage lang. Da wollten sie es
begraben, aber es sah noch so frisch aus wie ein lebender Mensch, und
hatte noch seine schönen roten Backen. Sie sprachen: »Das können
wir nicht in die schwarze Erde versenken«, und ließen einen durch-
sichtigen Sarg von Glas machen, daß man es von allen Seiten sehen
konnte, legten es hinein und schrieben mit goldenen Buchstaben seinen Namen darauf, und daß es eine Königstochter wäre. Dann setzten
sie den Sarg hinaus auf den Berg, und einer von ihnen blieb immer
dabei und bewachte ihn. Und die Tiere kamen auch und beweinten
Sneewittchen, erst eine Eule, dann ein Rabe, zuletzt ein Täubchen.
Nun lag Sneewittchen lange lange Zeit in dem Sarg und verweste
nicht, sondern sah aus, als wenn es schliefe, denn es war noch so weiß
als Schnee, so rot als Blut, und so schwarzhaarig wie Ebenholz. Es
geschah aber, daß ein Königssohn in den Wald geriet und zu dem
Zwergenhaus kam, da zu übernachten. Er sah auf dem Berg den Sarg,
und das schöne Sneewittchen darin, und las, was mit goldenen Buch-
staben darauf geschrieben war. Da sprach er zu den Zwergen: »Laßt
mir den Sarg, ich will euch geben, was ihr dafür haben wollt.« Aber die
Zwerge antworteten: »Wir geben ihn nicht um alles Gold in der Welt.«
Da sprach er: »So schenkt mir ihn, denn ich kann nicht leben ohne
Sneewittchen zu sehen, ich will es ehren und hochachten wie mein
Liebstes.« Wie er so sprach, empfanden die guten Zwerglein Mitleiden

mit ihm und gaben ihm den Sarg. Der Königssohn ließ ihn nun von seinen Dienern auf den Schultern forttragen. Da geschah es, daß sie über einen Strauch stolperten, und von dem Schüttern fuhr der giftige Apfelgrütz, den Sneewittchen abgebissen hatte, aus dem Hals. Und nicht lange, so öffnete es die Augen, hob den Deckel vom Sarg in die Höhe und richtete sich auf und war wieder lebendig. »Ach Gott, wo bin ich?« rief es. Der Königssohn sagte voll Freude: »Du bist bei mir«, und erzählte, was sich zugetragen hatte und sprach: »Ich habe dich lieber als alles auf der Welt; komm mit mir in meines Vaters Schloß, du sollst meine Gemahlin werden. Da war ihm Sneewittchen gut und ging mit ihm, und ihre Hochzeit ward mit großer Pracht und Herrlichkeit angeordnet.

Zu dem Fest wurde aber auch Sneewittchens gottlose Stiefmutter eingeladen. Wie sie sich nun mit schönen Kleidern angetan hatte, trat sie vor den Spiegel und sprach:

>>Spieglein, Spieglein an der Wand,
wer ist die Schönste im ganzen Land?«

Der Spiegel antwortete:

>>Frau Königin, Ihr seid die Schönste hier,
aber die junge Königin ist tausendmal schöner als Ihr.«

Da stieß das böse Weib einen Fluch aus und ward ihr so angst, so angst, daß sie sich nicht zu lassen wußte. Sie wollte zuerst gar nicht auf die Hochzeit kommen; doch ließ es ihr keine Ruhe, sie mußte fort und die junge Königin sehen. Und wie sie hineintrat, erkannte sie Sneewittchen, und vor Angst und Schrecken stand sie da und konnte sich nicht regen. Aber es waren schon eiserne Pantoffeln über Kohlenfeuer gestellt und wurden mit Zangen hereingetragen und vor sie hingestellt. Da mußte sie in die rotglühenden Schuhe treten und so lange tanzen, bis sie tot zur Erde fiel. *Brüder Grimm*

Rumpelstilzchen

Es war einmal ein Müller, der war arm, aber er hatte eine schöne Tochter. Nun traf es sich, daß er mit dem König zu sprechen kam, und um sich ein Ansehen zu geben, sagte er zu ihm: »Ich habe eine Tochter, die kann Stroh zu Gold spinnen.« Der König sprach zum Müller: »Das ist eine Kunst, die mir wohlgefällt, wenn deine Tochter so geschickt ist, wie du sagst, so bring sie morgen in mein Schloß, da will ich sie auf die Probe stellen.« Als nun das Mädchen zu ihm gebracht ward, führte er es in eine Kammer, die ganz voll Stroh lag, gab ihr Rad und Haspel und sprach: »Jetzt mach dich an die Arbeit, und wenn du diese Nacht durch bis morgen früh dieses Stroh nicht zu Gold versponnen hast, so mußt du sterben.« Darauf schloß er die Kammer selbst zu, und sie blieb allein darin. Da saß nun die arme Müllerstochter und wußte um ihr Leben keinen Rat: sie verstand gar nichts davon, wie man Stroh zu Gold spinnen konnte, und ihre Angst ward immer größer, daß sie endlich zu weinen anfing. Da ging auf einmal die Türe auf, und trat ein kleines Männchen herein und sprach: »Guten Abend, Jungfer Müllerin, warum weint sie so sehr?« – »Ach«, antwortete das Mädchen, »ich soll Stroh zu Gold spinnen und verstehe das nicht.« Sprach das Männchen: »Was gibt du mir, wenn ich dir's spinne?« – »Mein Halsband« sagte das Mädchen. Das Männchen nahm das Halsband, setzte sich vor das Mädchen, und schnurr, schnurr, schnurr, dreimal gezogen, war die Spule voll. Dann steckte es eine andere auf, und schnurr, schnurr, schnurr, dreimal gezogen, war auch die zweite voll; und so ging's fort bis zum Morgen, da war alles Stroh versponnen, und alle Spulen waren voll Gold. Bei Sonnenaufgang kam schon der König, und als er das Gold erblickte, erstaunte er und freute sich, aber sein Herz ward nur noch goldgieriger. Er ließ die Müllerstochter in eine andere Kammer voll Stroh bringen, die noch viel größer war, und befahl ihr, das auch in einer Nacht zu spinnen, wenn ihr das Leben lieb wäre. Das Mädchen wußte sich nicht zu helfen und weinte, da ging abermals die Türe auf und das kleine Männchen erschien und sprach: »Was gibst du mir, wenn ich dir das Stroh zu Gold spinne?« – »Meinen  Ring von dem Finger«, antwortete das Mädchen. Das Männchen nahm den Ring, fing wieder an zu schnurren mit dem Rade und hatte bis zum Morgen alles Stroh zu glänzendem Gold gesponnen. Der König freute sich über die Maßen bei dem Anblick, war aber noch immer nicht Goldes satt, sondern ließ die Müllerstochter in eine noch größere Kammer voll Stroh bringen und sprach: »Die mußt du noch in dieser Nacht verspinnen; gelingt dir's aber, so sollst du meine Gemahlin werden.« – »Wenn's auch eine Müllerstochter ist«, dachte er, »eine reichere Frau finde ich in der ganzen Welt nicht.« Als das Mädchen allein war, kam das Männlein zum drittenmal wieder und sprach: »Was gibst du mir, wenn ich dir noch diesmal das Stroh spinne?« – »Ich habe nichts mehr, das ich geben könnte«, antwortete das Mädchen. »So versprich mir, wenn du Königin wirst, dein erstes Kind.« – »Wer weiß, wie das noch geht«, dachte die Müllerstochter und wußte sich auch in der Not nicht anders zu helfen; sie versprach also dem Männchen was es verlangte und das Männchen spann dafür noch einmal das Stroh zu Gold. Und als am Morgen der König kam und alles fand, wie er gewünscht hatte, so hielt er Hochzeit mit ihr und die schöne Müllerstochter ward eine Königin.

Über ein Jahr brachte sie ein schönes Kind zur Welt und dachte gar nicht mehr an das Männchen; da trat es plötzlich in ihre Kammer und sprach: »Nun gib mir, was du versprochen hast.« Die Königin erschrak und bot dem Männchen alle Reichtümer des Königreichs an, wenn es ihr das Kind lassen wollte; aber das Männchen sprach: »Nein, etwas Lebendes ist mir lieber als alle Schätze der Welt.« Da fing die Königin so an zu jammern und zu weinen, daß das Männchen Mitleiden mit ihr hatte: »Drei Tage will ich dir Zeit lassen«, sprach er,

»wenn du bis dahin meinen Namen weißt, so sollst du dein Kind behalten.«

Nun besann sich die Königin die ganze Nacht über auf alle Namen, die sie jemals gehört hatte, und schickte einen Boten über Land, der sollte sich erkundigen weit und breit, was es sonst noch für Namen gäbe. Als am andern Tag das Männchen kam, fing sie an mit Caspar, Melchior, Balzer und sagte alle Namen, die sie wußte, nach der Reihe her, aber bei jedem sprach das Männlein: »So heiß ich nicht.« Den zweiten Tag ließ sie in der Nachbarschaft herumfragen, wie die Leute da genannt würden, und sagte dem Männlein die ungewöhnlichsten und seltsamsten Namen vor: »Heißt du vielleicht Rippenbiest oder Hammelswade oder Schnürbein?« Aber es antwortete immer: »So heiß ich nicht.« Den dritten Tag kam der Bote wieder zurück und erzählte: »Neue Namen habe ich keinen einzigen finden können, aber wie ich an einen hohen Berg um die Waldecke kam, wo Fuchs und Has sich gute Nacht sagen, so sah ich da ein kleines Haus, und vor dem Haus brannte ein Feuer, und um das Feuer sprang ein gar zu lächerliches Männchen, hüpfte auf einem Bein und schrie:

> Heute back ich, morgen brau ich,
> übermorgen hol ich der Königin ihr Kind;
> ach, wie gut ist, daß niemand weiß
> daß ich Rumpelstilzchen heiß!

Da könnt ihr denken, wie die Königin froh war, als sie den Namen hörte, und als bald hernach das Männlein hereintrat und fragte: »Nun, Frau Königin, wie heiß ich?« fragte sie erst: »Heißest du Kunz?« – »Nein.« – »Heißt du Heinz?« – »Nein.« – »Heißt du etwa Rumpelstilzchen?« – »Das hat dir der Teufel gesagt! Das hat dir der Teufel gesagt!« schrie das Männlein und stieß mit dem rechten Fuß so tief in die Erde, daß es bis an den Leib hineinfuhr, dann packte es in seiner Wut den linken Fuß mit beiden Händen und riß sich selbst mitten entzwei.   *Brüder Grimm*

Hans im Glück

Hans hatte sieben Jahre bei seinem Herrn gedient, da sprach er zu ihm: »Herr, meine Zeit ist herum, nun wollte ich gerne wieder heim zu meiner Mutter, gebt mir meinen Lohn.« Der Herr antwortete: »Du hast mir treu und ehrlich gedient, wie der Dienst war, so soll der Lohn sein«, und gab ihm ein Stück Gold, das so groß als Hansens Kopf war. Hans zog sein Tüchlein aus der Tasche, wickelte den Klumpen hinein, setzte ihn auf die Schulter und machte sich auf den Weg nach Haus. Wie er so dahin ging und immer ein Bein vor das andere setzte, kam ihm ein Reiter in die Augen, der frisch und fröhlich auf einem muntern Pferd vorbeitrabte. »Ach«, sprach Hans ganz laut, »was ist das Reiten ein schönes Ding! Da sitzt einer wie auf einem Stuhl, stößt sich an keinen Stein, spart die Schuh, und kommt fort, er weiß nicht wie.« Der Reiter, der das gehört hatte, hielt an und rief: »Ei, Hans, warum läufst du auch zu Fuß?« – »Ich muß ja wohl«, antwortete er, »da habe ich einen Klumpen heim zu tragen; es ist zwar Gold, aber ich kann den Kopf dabei nicht geradhalten, auch drückt mir's auf die Schulter.« – »Weißt du was«, sagte der Reiter, »wir wollen tauschen: ich gebe dir mein Pferd, und du gibst mir deinen Klumpen.« – »Von Herzen gern«, sprach Hans, »aber ich sage euch, ihr müßt euch damit schleppen.« Der Reiter stieg ab, nahm das Gold und half dem Hans hinauf, gab ihm die Zügel fest in die Hände und sprach: »Wenn's nun recht geschwind soll gehen, so mußt du mit der Zunge schnalzen und Hopphopp rufen.«

Hans war seelenfroh, als er auf dem Pferde saß und so frank und frei dahinritt. Über ein Weilchen fiel's ihm ein, es sollte noch schneller gehen, und fing an mit der Zunge zu schnalzen und Hopphopp zu rufen. Das Pferd setzte sich in starken Trab, und ehe sich's Hans versah, war er abgeworfen und lag in einem Graben, der die Äcker von der Landstraße trennte. Das Pferd wäre auch durchgegangen, wenn es nicht ein Bauer aufgehalten hätte, der des Weges kam und eine Kuh vor sich her trieb. Hans suchte seine Glieder zusammen und machte sich wieder auf die Beine. Er war aber verdrießlich und sprach zu dem Bauer: »Es ist ein schlechter Spaß, das Reiten, zumal, wenn man auf so eine Mähre gerät wie diese, die stößt und einen herabwirft, daß man den Hals brechen kann; ich setze mich nun und nimmermehr wieder auf. Da lob ich mir eure Kuh, da kann einer mit Gemächlichkeit hinterher gehen und hat obendrein seine Milch, Butter und Käse jeden Tag gewiß. Was gäb ich darum, wenn ich so eine Kuh hätte!« – »Nun«, sprach der Bauer, »geschieht euch so ein großer Gefallen, so will ich euch die Kuh für das Pferd vertauschen.« Hans willigte mit tausend Freuden ein; der Bauer schwang sich aufs Pferd und ritt davon.
Hans trieb seine Kuh ruhig vor sich her und bedachte den glücklichen Handel. »Hab ich nur ein Stück Brot, und daran wird mir's doch nicht fehlen, so kann ich, so oft mir's beliebt, Butter und Käse dazu essen; hab ich Durst, so melk ich meine Kuh und trinke Milch. Herz, was verlangst du mehr?« Als er zu einem Wirtshaus kam, machte er halt, aß in der großen Freude alles, was er bei sich hatte, sein Mittags- und Abendbrot, rein auf, und ließ sich für seine letzten paar Heller ein halbes Glas Bier einschenken. Dann trieb er seine Kuh weiter, immer nach dem Dorfe seiner Mutter zu. Die Hitze ward drückender, je näher der Mittag kam, und Hans befand sich in einer Heide, die wohl noch eine Stunde dauerte. Da ward es ihm ganz heiß, so daß ihm vor Durst die Zunge am Gaumen klebte.« »Dem Ding ist zu helfen«, dachte Hans, »jetzt will ich meine Kuh melken und mich an der Milch laben.« Er band sie an einen dürren Baum, und da er keinen Eimer hatte, so stellte er seine Ledermütze unter, aber wie er sich auch bemühte, es kam kein Tropfen Milch zum Vorschein. Und weil er sich ungeschickt dabei anstellte, so gab ihm das ungeduldige Tier endlich mit einem der Hinterfüße einen solchen Schlag vor den Kopf, daß er zu Boden taumelte und eine Zeitlang sich gar nicht besinnen konnte, wo er war. Glücklicherweise kam gerade ein Metzger des Weges, der auf einem Schubkarren ein junges Schwein liegen hatte. »Was sind das für Strei-

che!« rief er und half dem guten Hans auf. Hans erzählte, was vorgefallen war. Der Metzger reichte ihm seine Flasche und sprach: »Da, trinkt einmal und erholt euch. Die Kuh will wohl keine Milch geben, das ist ein altes Tier, das höchstens noch zum Ziehen taugt oder zum Schlachten.« – »Ei, ei«, sprach Hans, und strich sich die Haare über den Kopf, »wer hätte das gedacht! Es ist freilich gut, wenn man so ein Tier ins Haus abschlachten kann, was gibt's für Fleisch! Aber ich mache mir aus dem Kuhfleisch nicht viel, es ist mir nicht saftig genug. Ja, wer so ein junges Schwein hätte! Das schmeckt anders, dabei noch die Würste.« – »Hört, Hans«, sprach da der Metzger, »euch zuliebe will ich tauschen und will euch das Schwein für die Kuh lassen.« – »Gott lohn euch eure Freundschaft«, sprach Hans, übergab ihm die Kuh, ließ sich das Schweinchen vom Karren losmachen und den Strick, woran es gebunden war, in die Hand geben.

Hans zog weiter und überdachte, wie ihm doch alles nach Wunsch ginge, begegnete ihm ja eine Verdrießlichkeit, so würde sie doch gleich wieder gutgemacht. Es gesellte sich danach ein Bursch zu ihm, der trug eine schöne weiße Gans unter dem Arm. Sie boten einander die

Zeit, und Hans fing an von seinem Glück zu erzählen und wie er immer so vorteilhaft getauscht hätte. Der Bursch erzählte ihm, daß er die Gans zu einem Kindtaufschmaus brächte. »Hebt einmal«, fuhr er fort, und packte sie bei den Flügeln, »wie schwer sie ist, die ist aber auch acht Wochen lang genudelt worden. Wer in den Braten beißt, muß sich das Fett von beiden Seiten abwischen.« – »Ja«, sprach Hans und wog sie mit der einen Hand, »die hat ihr Gewicht, aber mein Schwein ist auch keine Sau.« Indessen sah sich der Bursch nach allen Seiten ganz bedenklich um, schüttelte auch wohl mit dem Kopf. »Hört«, fing er darauf an, »mit eurem Schweine mag's nicht ganz richtig sein. In dem Dorfe, durch das ich gekommen bin, ist eben dem Schulzen eins aus dem Stall gestohlen worden. Ich fürchte, ich fürchte, ihr habt's da in der Hand. Sie haben Leute ausgeschickt, und es wäre ein schlimmer Handel, wenn sie euch mit dem Schweine erwischten; das geringste ist, daß ihr ins finstere Loch gesteckt werdet.« Dem guten Hans ward bang. »Ach Gott«, sprach er, »helft mir aus der Not, ihr wißt hier herum bessern Bescheid, nehmt mein Schwein da und laßt mir eure Gans.« – »Ich muß schon etwas aufs Spiel setzen«, antwortete der Bursche, »aber ich will doch nicht schuld sein, daß ihr ins Unglück geratet.« Er nahm also das Seil in die Hand und trieb das Schwein schnell auf einen Seitenweg fort; der gute Hans aber ging, seiner Sorgen entledigt, mit der Gans unter dem Arme der Heimat zu. »Wenn ich's recht überlege«, sprach er mit sich selbst, »habe ich noch Vorteil bei dem Tausch: erstlich den guten Braten, hernach die Menge von Fett, die herausträufeln wird, das gibt Gänsefettbrot auf ein Vierteljahr: und endlich die schönen weißen Federn, die laß ich mir in mein Kopfkissen stopfen, und darauf will ich wohl ungewiegt einschlafen. Was wird meine Mutter eine Freude haben!«
Als er durch das letzte Dorf gekommen war, stand da ein Scherenschleifer mit seinem Karren, sein Rad schnurrte, und er sang dazu:

> »Ich schleife die Schere und drehe geschwind,
> und hänge mein Mäntelchen nach dem Wind.«

Hans blieb stehen und sah ihm zu; endlich redete er ihn an und sprach: »Euch geht's wohl, weil ihr so lustig bei eurem Schleifen seid.« – »Ja«, antwortete der Scherenschleifer, »das Handwerk hat einen güldenen Boden. Ein rechter Schleifer ist ein Mann, der, so oft er in die Tasche greift, auch Geld darin findet. Aber wo habt ihr die schöne Gans gekauft?« – »Die hab ich nicht gekauft, sondern für mein Schwein eingetauscht.« – »Und das Schwein?« – »Das hab ich für eine Kuh gekriegt.« – »Und die Kuh?« – »Die hab ich für ein Pferd bekommen.« – »Und das Pferd?« – »Dafür hab ich einen Klumpen Gold, so groß als mein Kopf, gegeben.« – »Und das Gold?« – »Ei, das war mein Lohn für sieben Jahre Dienst.« – »Ihr habt euch jederzeit zu helfen gewußt«, sprach der Schleifer, »könnt ihr's nun dahin bringen, daß ihr das Geld in der Tasche springen hört, wenn ihr aufsteht, so habt ihr euer Glück gemacht.« – »Wie soll ich das anfangen?« sprach Hans. »Ihr müßt ein Schleifer werden, wie ich; dazu gehört eigentlich nichts als ein Wetzstein, das andere findet sich schon von selbst. Da hab ich einen, der ist zwar ein wenig schadhaft, dafür sollt ihr mir aber auch weiter nichts als eure Gans geben; wollt ihr das?« – »Wie könnt ihr noch fragen«, antwortete Hans, »ich werde ja zum glücklichsten Menschen auf Erden; habe ich Geld, so oft ich in die Tasche greife, was brauche ich da länger zu sorgen?«, reichte ihm die Gans hin und nahm den Wetzstein in Empfang. »Nun«, sprach der Schleifer und hob einen gewöhnlichen schweren Feldstein, der neben ihm lag, auf, »da habt ihr noch einen tüchtigen Stein dazu, auf dem sich's gut schlagen läßt und ihr eure alten Nägel gerade klopfen könnt. Nehmt ihn und hebt ihn ordentlich auf.«

Hans lud den Stein auf und ging mit vergnügtem Herzen weiter; seine Augen leuchteten vor Freude. »Ich muß in einer Glückshaut geboren sein«, rief er aus, »alles, was ich wünsche, trifft mir ein, wie einem Sonntagskind.« Indessen, weil er seit Tagesanbruch auf den Beinen gewesen war, begann er müde zu werden; auch plagte ihn der Hunger, da er allen Vorrat auf einmal in der Freude über die erhandelte Kuh aufgezehrt hatte. Er konnte endlich nur mit Mühe weitergehen und mußte jeden Augenblick haltmachen; dabei drückten ihn die Steine ganz erbärmlich. Da konnte er sich des Gedankens nicht erwehren, wie gut es wäre, wenn er sie gerade jetzt nicht zu tragen brauchte. Wie eine Schnecke kam er zu einem Feldbrunnen geschlichen, wollte da ruhen und sich mit einem frischen Trunk laben; damit er aber die Steine im Niedersitzen nicht beschädigte, legte er sie bedächtig neben sich auf den Rand des Brunnens. Darauf setzte er sich nieder und wollte sich zum Trinken bücken, da versah er's, stieß ein klein wenig an, und beide Steine plumpten hinab. Hans, als er sie mit seinen Augen in die Tiefe hatte versinken sehen, sprang vor Freuden auf, kniete dann nieder und dankte Gott mit Tränen in den Augen, daß er ihm auch diese Gnade noch erwiesen und ihn auf eine so gute Art und ohne

daß er sich einen Vorwurf zu machen brauchte, von den schweren Steinen befreit hätte, die ihm allein noch hinderlich gewesen wären. »So glücklich wie ich«, rief er aus, »gibt es keinen Menschen unter der Sonne.«

Mit leichtem Herzen und frei von aller Last sprang er nun fort, bis er daheim bei seiner Mutter war.   *Brüder Grimm*

Die Gänsemagd

Es lebte einmal eine alte Königin, der war ihr Gemahl schon lange Jahre gestorben, und sie hatte eine schöne Tochter. Wie die erwuchs, wurde sie weit über Feld an einen Königssohn versprochen. Als nun die Zeit kam, wo sie vermählt werden sollten und das Kind in das fremde Reich abreisen mußte, packte ihr die Alte gar viel köstliches Gerät und Geschmeide ein, Gold und Silber, Becher und Kleinode, kurz alles, was nur zu einem königlichen Brautschatz gehörte, denn sie hatte ihr Kind von Herzen lieb. Auch gab sie ihr eine Kammerjungfer bei, welche mitreiten und die Braut in die Hände des Bräutigams überliefern sollte, und jede bekam ein Pferd zur Reise, aber das Pferd der Königstochter hieß Falada und konnte sprechen. Wie nun die Abschiedsstunde da war, begab sich die alte Mutter in ihre Schlafkammer, nahm ein Messerlein und schnitt damit in ihre Finger, daß sie bluteten; darauf hielt sie ein weißes Läppchen unter und ließ drei Tropfen Blut hineinfallen, gab sie der Tochter und sprach: »Liebes Kind, verwahre sie wohl, sie werden dir unterwegs not tun.«

Also nahmen sie beide voneinander betrübten Abschied; das Läppchen steckte die Königstochter in ihren Busen vor sich, setzte sich aufs Pferd und zog nun fort zu ihrem Bräutigam. Da sie eine Stunde geritten waren, empfand sie heißen Durst und sprach zu ihrer Kammerjungfer: »Steig ab und schöpfe mir mit meinem Becher, den du für mich mitgenommen hast, Wasser aus dem Bache, ich möchte gern einmal trinken.« – »Wenn Ihr Durst habt«, sprach die Kammerjungfer, »so steigt selber ab, legt Euch ans Wasser und trinkt, ich mag Eure

Magd nicht sein.« Da stieg die Königstochter vor großem Durst herunter, neigte sich über das Wasser im Bach und trank und durfte nicht aus dem goldenen Becher trinken. Da sprach sie: »Ach Gott!« Da antworteten die drei Blutstropfen: »Wenn das deine Mutter wüßte, das Herz im Leibe tät ihr zerspringen.« Aber die Königsbraut war demütig, sagte nichts und stieg wieder zu Pferde. So ritten sie etliche Meilen weiter fort, aber der Tag war warm, die Sonne stach, und sie durstete bald von neuem. Da sie nun an einen Wasserfluß kamen, rief sie noch einmal ihrer Kammerjungfer: »Steig ab und gib mir aus meinem Goldbecher zu trinken«, denn sie hatte aller bösen Worte längst vergessen. Die Kammerjungfer sprach aber noch hochmütiger: »Wollt Ihr trinken, so trinkt allein, ich mag nicht Eure Magd sein.« Da stieg die Königstochter hernieder vor großem Durst, legte sich über das fließende Wasser, weinte und sprach: »Ach Gott!« und die Blutstropfen antworteten wiederum: »Wenn das deine Mutter wüßte, das Herz im Leibe tät ihr zerspringen.« Und wie sie so trank und sich recht überlehnte, fiel ihr das Läppchen, worin die drei Tropfen waren, aus dem Busen und floß mit dem Wasser fort, ohne daß sie es in ihrer großen

Angst merkte. Die Kammerjungfer hatte aber zugesehen und freute sich, daß sie Gewalt über die Braut bekäme; denn damit, daß diese die Blutstropfen verloren hatte, war sie schwach und machtlos geworden. Als sie nun wieder auf ihr Pferd steigen wollte, das da hieß Falada, sagte die Kammerfrau: »Auf Falada gehör ich, und auf meinen Gaul gehörst du«, und das mußte sie sich gefallen lassen. Dann befahl ihr die Kammerfrau mit harten Worten, die königlichen Kleider auszuziehen und ihre schlechten anzulegen, und endlich mußte sie sich unter freiem Himmel verschwören, daß sie am königlichen Hof keinem Menschen etwas davon sprechen wollte; und wenn sie diesen Eid nicht abgelegt hätte, wäre sie auf der Stelle umgebracht worden. Aber Falada sah das alles an und nahm's wohl in acht.

Die Kammerfrau stieg nun auf Falada und die wahre Braut auf das schlechte Roß, und so zogen sie weiter, bis sie endlich in dem königlichen Schloß eintrafen. Da war große Freude über ihre Ankunft, und der Königssohn sprang ihnen entgegen, hob die Kammerfrau vom Pferde und meinte, sie wäre seine Gemahlin; sie ward die Treppe hinaufgeführt, die wahre Königstochter aber mußte unten stehenbleiben. Da schaute der alte König am Fenster und sah sie im Hof halten und sah, wie fein sie war, zart und gar schön; ging alsbald hin ins königliche Gemach und fragte die Braut nach der, die sie bei sich hätte und da unten im Hofe stände, und wer sie wäre? »Die hab ich mir unterwegs mitgenommen zur Gesellschaft; gebt der Magd was zu arbeiten, daß sie nicht müßig steht.«

Aber der alte König hatte keine Arbeit für sie und wußte nichts, als daß er sagte: »Da hab ich so einen kleinen Jungen, der hütet die Gänse, dem mag sie helfen.« Der Junge hieß Kürdchen, dem mußte die wahre Braut helfen Gänse hüten.

Bald aber sprach die falsche Braut zu dem jungen König: »Liebster Gemahl, ich bitte euch, tut mir einen Gefallen.« Er antwortete: »Das will ich gerne tun.« »Nun, so laßt den Schinder rufen und da dem Pferde, worauf ich hergeritten bin, den Hals abhauen, weil es mich unterwegs geärgert hat.« Eigentlich aber fürchtete sie, daß das Pferd sprechen möchte, wie sie mit der Königstochter umgegangen war. Nun war das so weit geraten, daß es geschehen und der treue Falada sterben sollte, da kam es auch der rechten Königstochter zu Ohr, und sie versprach dem Schinder heimlich ein Stück Geld, das sie ihm bezahlen wollte, wenn er ihr einen kleinen Dienst erwiese. In der Stadt war ein großes finsteres Tor, wo sie abends und morgens mit den Gänsen durch mußte, unter das finstere Tor möchte er dem Falada seinen Kopf hinnageln, daß sie ihn doch noch mehr als einmal sehen könnte. Also versprach das der Schindersknecht zu tun, hieb den Kopf ab und nagelte ihn unter das finstere Tor fest.

Des Morgens früh, da sie und Kürdchen unterm Tor hinaus trieben, sprach sie im Vorbeigehen:

»O du Falada, der du hangest«,

da antwortete der Kopf:

»O du Jungfer Königin, da du gangest,
wenn das deine Mutter wüßte,
ihr Herz tät ihr zerspringen.«

Da zog sie still weiter zur Stadt hinaus, und sie trieben die Gänse aufs Feld. Und wenn sie auf der Wiese angekommen war, saß sie nieder und machte ihre Haare auf, die waren eitel Gold, und Kürdchen sah sie und freute sich, wie sie glänzten, und wollte ihr ein paar ausraufen. Da sprach sie:

»Weh, weh, Windchen,
nimm Kürdchen sein Hütchen,
und laß'n sich mit jagen,
bis ich mich geflochten und geschnatzt
und wieder aufgesatzt.«

Und da kam ein so starker Wind, daß er dem Kürdchen sein Hütchen weg wehte über alle Land, und es mußte ihm nachlaufen. Bis es wieder kam, war sie mit dem Kämmen und Aufsetzen fertig, und er konnte keine Haare kriegen. Da war Kürdchen bös und sprach nicht mit ihr; und so hüteten sie die Gänse, bis daß es Abend ward, dann gingen sie nach Haus.

Den andern Morgen, wie sie unter dem finstern Tor hinaus trieben, sprach die Jungfrau:

»O du Falada, da du hangest«,

Falada antwortete:

»O du Jungfer Königin, da du gangest,
wenn das deine Mutter wüßte,
das Herz tät ihr zerspringen.«

Und in dem Feld setzte sie sich wieder auf die Wiese und fing an ihr

Haar auszukämmen, und Kürdchen lief und wollte danach greifen, da sprach sie schnell:

> »Weh, weh, Windchen,
> nimm Kürdchen sein Hütchen,
> und laß'n sich mit jagen,
> bis ich mich geflochten und geschnatzt
> und wieder aufgesatzt.«

Da wehte der Wind und wehte ihm das Hütchen vom Kopf weit weg, daß Kürdchen nachlaufen mußte; und als es wieder kam, hatte sie längst ihr Haar zurecht und es konnte keins davon erwischen; und so hüteten sie die Gänse bis es Abend ward.

Abends aber, nachdem sie heimgekommen waren, ging Kürdchen vor  den alten König und sagte: »Mit dem Mädchen will ich nicht länger Gänse hüten.« – »Warum denn?« fragte der alte König. »Ei, das ärgert mich den ganzen Tag.« Da befahl ihm der alte König zu erzählen, wie's ihm denn mit ihr ginge. Da sagte Kürdchen: »Morgens, wenn wir unter dem finstern Tor mit der Herde durchkommen, so ist da ein Gaulskopf an der Wand, zu dem redet sie:

> Falada, da du hangest,

da antwortet der Kopf:

> O du Königsjungfer, da du gangest,
> wenn das deine Mutter wüßte,
> das Herz tät ihr zerspringen.

Und so erzählte Kürdchen weiter, was auf der Gänsewiese geschähe, und wie es da dem Hut im Winde nachlaufen müßte.

 Der alte König befahl ihm, den nächsten Tag wieder hinaus zu treiben, und er selbst, wie es Morgen war, setzte sich hinter das finstere Tor und hörte da, wie sie mit dem Haupt des Falada sprach; und dann ging er ihr auch nach in das Feld und barg sich in einem Busch auf der Wiese. Da sah er nun bald mit seinen eigenen Augen, wie die Gänsemagd und der Gänsejunge die Herde getrieben brachten,

und wie nach einer Weile sie sich setzte und ihre Haare losflocht, die
strahlten von Glanz. Gleich sprach sie wieder:

>>Weh, weh, Windchen,
faß Kürdchen sein Hütchen,
und laß'n sich mit jagen,
bis daß ich mich geflochten und geschnatzt
und wieder aufgesatzt.<<

Da kam ein Windstoß und fuhr mit Kürdchens Hut weg, daß es weit zu
laufen hatte, und die Magd kämmte und flocht ihre Locken still fort,
welches der alte König alles beobachtete. Darauf ging er unbemerkt
zurück, und als abends die Gänsemagd heimkam, rief er sie beiseite
und fragte, warum sie dem allem so täte? >>Das darf ich Euch nicht
sagen und darf auch keinem Menschen mein Leid klagen, denn so hab
ich mich unter freiem Himmel verschworen, weil ich sonst um mein
Leben gekommen wäre.<< Er drang in sie und ließ ihr keinen Frieden,
aber er konnte nichts aus ihr herausbringen. Da sprach er: >>Wenn du
mir nicht sagen willst, so klag dem Eisenofen da dein Leid<<, und ging
fort. Da kroch sie in den Eisenofen, fing an zu jammern und zu weinen,
schüttete ihr Herz aus und sprach: >>Da sitze ich nun von aller Welt
verlassen und bin doch eine Königstochter, und eine falsche Kammerjungfer hat mich mit Gewalt dahin gebracht, daß ich meine königlichen Kleider habe ablegen müssen, und hat meinen Platz bei meinem
Bräutigam eingenommen, und ich muß als Gänsemagd gemeine Dienste tun. Wenn das meine Mutter wüßte, das Herz im Leib tät ihr
zerspringen.<< Der alte König stand aber außen an der Ofenröhre, lauerte ihr zu und hörte, was sie sprach. Da kam er wieder herein und
hieß sie aus dem Ofen gehen. Da wurden ihr königliche Kleider angetan, und es schien ein Wunder, wie sie so schön war. Der alte König
rief seinen Sohn und offenbarte ihm, daß er die falsche Braut hätte: die
wäre bloß ein Kammermädchen, die wahre aber stände hier, als die
gewesene Gänsemagd. Der junge König war herzensfroh, als er ihre
Schönheit und Tugend erblickte, und ein großes Mahl wurde angestellt, zu dem alle Leute und guten Freunde gebeten wurden. Obenan
saß der Bräutigam, die Königstochter zur einen Seite und die Kammerjungfer zur andern, aber die Kammerjungfer war verblendet und
erkannte jene nicht mehr in dem glänzenden Schmuck. Als sie nun
gegessen und getrunken hatten, und gutes Muts waren, gab der alte
König der Kammerfrau ein Rätsel auf, was eine solche wert wäre, die

den Herrn so und so betrogen hätte, erzählte damit den ganzen Verlauf und fragte: »Welches Urteils ist diese würdig?« Da sprach die falsche Braut: »Die ist nichts besseres wert, als daß sie splitternackt ausgezogen und in ein Faß gesteckt wird, das inwendig mit spitzen Nägeln beschlagen ist; und weiße Pferde müssen vorgespannt werden, die sie Gasse auf, Gasse ab zu Tode schleifen.« – »Das bist du«, sprach der alte König, »und hast dein eigen Urteil gefunden, und danach soll dir widerfahren.«
Und als das Urteil vollzogen war, vermählte sich der junge König mit seiner rechten Gemahlin, und beide beherrschten ihr Reich in Frieden und Seligkeit. *Brüder Grimm*

Doktor Allwissend

Es war einmal ein armer Bauer namens Krebs, der fuhr mit zwei Ochsen ein Fuder Holz in die Stadt und verkaufte es für zwei Taler an einen Doktor. Wie ihm nun das Geld ausbezahlt wurde, saß der Doktor gerade zu Tisch: da sah der Bauer, wie er schön aß und trank, und das Herz ging ihm danach auf und er wäre auch gern ein Doktor gewesen. Also blieb er noch ein Weilchen stehen und fragte endlich, ob er nicht auch könnte ein Doktor werden. »O ja«, sagte der Doktor, »das ist bald geschehen.« – »Was muß ich tun?« fragte der Bauer. »Erstlich kauf dir ein ABC-Buch, so ist eins, wo vorn ein Göckelhahn drin ist; zweitens mache deinen Wagen und deine zwei Ochsen zu Geld und schaff dir damit Kleider an und was sonst zur Doktorei gehört; drittens laß dir ein Schild malen mit den Worten »Ich bin der Doktor Allwissend«, und laß das oben über deine Haustür nageln.« Der Bauer tat alles, wie's ihm geheißen war. Als er nun ein wenig gedoktert hatte, aber noch nicht viel, ward einem reichen großen Herrn Geld gestohlen. Da ward ihm von dem Doktor Allwissend gesagt, der in dem und dem Dorfe wohnte und auch wissen müßte, wo das Geld hingekommen wäre. Also ließ der Herr seinen Wagen anspannen, fuhr hinaus ins Dorf und fragte bei ihm an, ob er der Doktor Allwissend wäre? Ja, der wär er. So sollte er mitgehen und das gestohlene Geld wieder schaffen. O ja, aber die Grethe, seine Frau, müßte auch mit. Der Herr war das zufrieden und ließ sie beide in den Wagen sitzen, und sie fuhren zusammen fort. Als sie auf den adligen Hof kamen, war der Tisch gedeckt, da sollte er erst mitessen. Ja, aber seine Frau, die Grethe, auch, sagte er und setzte sich mit ihr hinter den Tisch. Wie nun der erste Bediente mit einer Schüssel schönem Essen kam, stieß der Bauer seine Frau an und sagte: »Grethe, das war der erste«, und meinte, es wäre derjenige, welcher das erste Essen brächte. Der Bediente aber meinte, er hätte damit sagen wollen: »Das ist der erste Dieb«, und weil er's nun wirklich war, ward ihm angst, und er sagte draußen zu seinen Kameraden: »Der Doktor weiß alles, wir kommen übel an: er hat gesagt, ich wäre der erste.« Der zweite wollte gar nicht herein, er mußte aber doch. Wie er nun mit seiner Schüssel hereinkam, stieß der Bauer seine Frau an: »Grethe, das ist der zweite.« Dem Bedienten ward ebenfalls angst, und er machte, daß er hinauskam. Dem dritten ging's nicht besser, der Bauer sagte wieder: »Grethe, das ist der dritte.« Der vierte mußte eine verdeckte Schüssel hereintragen, und der Herr sprach zum Doktor, er sollte seine Kunst zeigen und raten, was darunter läge; es waren aber Krebse. Der Bauer sah die Schüssel an, wußte nicht wie er sich helfen sollte und sprach: »Ach, ich armer Krebs!« Wie der Herr das hörte, rief er: »Ha, er weiß es, nun weiß er auch, wer das Geld hat.«

Dem Bedienten aber ward gewaltig angst und er blinzelte den Doktor an, er möchte einmal herauskommen. Wie er nun hinaus kam, gestanden sie ihm alle viere, sie hätten das Geld gestohlen; sie wollten's ja gerne herausgeben und ihm eine schwere Summe dazu, wenn er sie nicht verraten wollte: es ginge ihnen sonst an den Hals. Sie führten ihn auch hin, wo das Geld versteckt lag. Damit war der Doktor zufrieden, ging wieder hinein, setzte sich an den Tisch, und sprach: »Herr, nun will ich in meinem Buch suchen, wo das Geld steckt.« Der fünfte Bediente aber kroch in den Ofen und wollte hören, ob der Doktor noch mehr wüßte. Der saß aber und schlug sein ABC-Buch auf, blätterte hin und her und suchte den Göckelhahn. Weil er ihn nicht gleich finden konnte, sprach er: »Du bist doch darin und mußt auch heraus.« Da glaubte der im Ofen, er wäre gemeint sprang voller Schrecken heraus und rief: »Der Mann weiß alles.« Nun zeigte der Doktor Allwissend dem Herrn, wo das Geld lag, sagte aber nicht, wer's gestohlen hatte, bekam von beiden Seiten viel Geld zur Belohnung und ward ein berühmter Mann.
Brüder Grimm

Der Bärenhäuter

Es war einmal ein junger Kerl, der ließ sich als Soldat anwerben, hielt sich tapfer und war immer der vorderste, wenn es blaue Bohnen regnete. So lange der Krieg dauerte, ging alles gut, aber als Friede geschlossen war, erhielt er seinen Abschied, und der Hauptmann sagte, er könnte gehen, wohin er wollte. Seine Eltern waren tot, und er hatte keine Heimat mehr, da ging er zu seinen Brüdern und bat sie, möchten ihm so lange Unterhalt geben, bis der Krieg wieder anfing. Die Brüder aber waren hartherzig und sagten: »Was sollen wir mit dir? Wir können dich nicht brauchen, sieh zu, wie du dich durchschlägst.« Der Soldat hatte nichts übrig als sein Gewehr, das nahm er auf die Schulter und wollte in die Welt gehen. Er kam auf eine große Heide, auf der nichts zu sehen war als ein Ring von Bäumen; darunter setzte er sich ganz traurig nieder und sann über sein Schicksal nach. »Ich habe kein Geld«, dachte er, »ich habe nichts gelernt als das Kriegshandwerk, und jetzt, weil Friede geschlossen ist, brauchen sie mich nicht mehr; ich sehe voraus, ich muß verhungern.« Auf einmal hörte er ein Brausen, und wie er sich umblickte, stand ein unbekannter Mann vor ihm, der einen grünen Rock trug, recht stattlich aussah, aber einen garstigen Pferdefuß hatte. »Ich weiß schon, was dir fehlt«, sagte der Mann, »Geld und Gut sollst du haben, soviel du mit aller Gewalt durchbringen kannst, aber ich muß zuvor wissen, ob du dich nicht fürchtest, damit ich mein Geld nicht umsonst ausgebe.« – »Ein Soldat und Furcht, wie paßt das zusammen?« antwortete er, »du kannst mich auf die Probe stellen.« – »Wohlan«, antwortete der Mann, »schau hinter dich.« Der Soldat kehrte sich um und sah einen großen Bär, der brummend auf ihn zutrabte. »Oho«, rief der Soldat, »dich will ich an der Nase kitzeln, daß dir die Lust zum Brummen vergehen soll«, legte an und schoß den Bär auf die Schnauze, daß er zusammenfiel und sich nicht mehr regte. »Ich sehe wohl«, sagte der Fremde, »daß dir's an Mut nicht fehlt, aber es ist noch eine Bedingung dabei, die mußt du erfüllen.« – »Wenn mir's an meiner Seligkeit nicht schadet«, antwortete der Soldat, der wohl merkte, wen er vor sich hatte, »sonst laß ich mich auf nichts ein.« – »Das wirst du selber sehen«, antwortete der Grünrock, »du darfst in den nächsten sieben

Jahren dich nicht waschen, dir Bart und Haare nicht kämmen, die Nägel nicht schneiden und kein Vaterunser beten. Dann will ich dir einen Rock und Mantel geben, den mußt du in dieser Zeit tragen. Stirbst du in diesen sieben Jahren, so bist du mein, bleibst du aber leben, so bist du frei und bist reich dazu für dein Lebtag.« Der Soldat dachte an die große Not, in der er sich befand, und da er so oft in den Tod gegangen war, wollte er es auch jetzt wagen und willigte ein. Der Teufel zog den grünen Rock aus, reichte ihn dem Soldaten hin und sagte: »Wenn du den Rock an deinem Leibe hast und in die Tasche greifst, so wirst du die Hand immer voll Geld haben.« Dann zog er dem Bären die Haut ab und sagte: »Das soll dein Mantel sein und auch dein Bett, denn darauf mußt du schlafen und darfst in kein anderes Bett kommen. Und dieser Tracht wegen sollst du Bärenhäuter heißen.« Hierauf verschwand der Teufel.

Der Soldat zog den Rock an, griff gleich in die Tasche und fand, daß die Sache ihre Richtigkeit hatte. Dann hing er die Bärenhaut um, ging in die Welt, war guter Dinge und unterließ nichts, was ihm wohl und dem Gelde wehe tat. Im ersten Jahr ging es noch leidlich, aber in dem zweiten sah er schon aus wie ein Ungeheuer. Das Haar bedeckte ihm fast das ganze Gesicht, sein Bart glich einem Stück grobem Filztuch,  seine Finger hatten Krallen, und sein Gesicht war so mit Schmutz bedeckt, daß wenn man Kresse hinein gesät hätte, sie aufgegangen wäre. Wer ihn sah, lief fort, weil er aber allerorten den Armen Geld gab, damit sie für ihn beteten, daß er in den sieben Jahren nicht stürbe, und weil er alles gut bezahlte, so erhielt er doch immer noch Herberge. Im vierten Jahr kam er in ein Wirtshaus, da wollte ihn der Wirt nicht aufnehmen und wollte ihm nicht einmal einen Platz im Stall anweisen, weil er fürchtete, seine Pferde würden scheu werden. Doch als der Bärenhäuter in die Tasche griff und eine Hand voll Dukaten herausholte, so ließ der Wirt sich erweichen und gab ihm eine Stube im Hintergebäude; doch mußte er versprechen, sich nicht sehen zu lassen, damit sein Haus nicht in bösen Ruf käme.

Als der Bärenhäuter abends allein saß und von Herzen wünschte, daß die sieben Jahre herum wären, so hörte er in einem Nebenzimmer ein lautes Jammern. Er hatte ein mitleidiges Herz, öffnete die Türe und erblickte einen alten Mann, der heftig weinte und die Hände über dem Kopf zusammenschlug. Der Bärenhäuter trat näher, aber der Mann

sprang auf und wollte entfliehen. Endlich, als er eine menschliche
Stimme vernahm, ließ er sich bewegen, und durch freundliches Zu-
reden brachte es der Bärenhäuter dahin, daß er ihm die Ursache seines
Kummers offenbarte. Sein Vermögen war nach und nach geschwun-
den, er und seine Töchter mußten darben, und er war so arm, daß er
den Wirt nicht einmal bezahlen konnte und ins Gefängnis sollte gesetzt werden. »Wenn ihr weiter keine Sorgen habt«, sagte der Bärenhäuter, »Geld habe ich genug.« Er ließ den Wirt herbeikommen,
bezahlte ihn und steckte dem Unglücklichen noch einen Beutel voll
Gold in die Tasche.

Als der alte Mann sich aus seinen Sorgen erlöst sah, wußte er nicht,
womit er sich dankbar beweisen sollte. »Komm mit mir«, sprach er zu
ihm, »meine Töchter sind Wunder von Schönheit, wähle dir eine davon zur Frau. Wenn sie hört, was du für mich getan hast, so wird sie
sich nicht weigern. Du siehst freilich ein wenig seltsam aus, aber sie
wird dich schon wieder in Ordnung bringen.« Dem Bärenhäuter gefiel
das wohl und er ging mit. Als ihn die Älteste erblickte, entsetzte sie
sich so gewaltig vor seinem Antlitz, daß sie aufschrie und fortlief. Die
Zweite blieb zwar stehen und betrachtete ihn von Kopf bis zu Füßen,
dann aber sprach sie: »Wie kann ich einen Mann nehmen, der keine
menschliche Gestalt mehr hat? Da gefiel mir der rasierte Bär noch
besser, der einmal hier zu sehen war und sich für einen Menschen
ausgab, der hatte doch einen Husarenpelz an und weiße Handschuhe.
Wenn er nur häßlich wäre, so könnte ich mich an ihn gewöhnen.« Die
Jüngste aber sprach: »Lieber Vater, das muß ein guter Mann sein, der
euch aus der Not geholfen hat, habt ihr ihm dafür eine Braut versprochen, so muß euer Wort gehalten werden.« Es war schade, daß das
Gesicht des Bärenhäuters von Schmutz und Haaren bedeckt war,
sonst hätte man sehen können, wie ihm das Herz im Leibe lachte, als
er diese Worte hörte. Er nahm einen Ring von seinem Finger, brach ihn
entzwei und gab ihr die eine Hälfte, die andere behielt er für sich. In
ihre Hälfte aber schrieb er seinen Namen und in seine Hälfte schrieb er
ihren Namen und bat sie, ihr Stück gut aufzuheben. Hierauf nahm er
Abschied und sprach: »Ich muß noch drei Jahre wandern, komm ich
aber nicht wieder, so bist du frei, weil ich dann tot bin. Bitte aber Gott,
daß er mir das Leben erhält.«

Die arme Braut kleidete sich ganz schwarz, und wenn sie an ihren
Bräutigam dachte, so kamen ihr die Tränen in die Augen. Von ihren
Schwestern ward ihr nichts als Hohn und Spott zuteil. »Nimm dich in

acht«, sprach die Älteste, »wenn du ihm die Hand reichst, so schlägt er dir mit der Tatze darauf.« – »Hüte dich«, sagte die Zweite, »die Bären lieben die Süßigkeit, und wenn du ihm gefällst, so frißt er dich auf.« – »Du mußt nur immer seinen Willen tun«, hub die Älteste wieder an, »sonst fängt er an zu brummen.« Und die Zweite fuhr fort: »Aber die Hochzeit wird lustig sein, Bären, die tanzen gut.« Die Braut schwieg still und ließ sich nicht irremachen. Der Bärenhäuter aber zog in der Welt herum, von einem Ort zum andern, tat Gutes, wo er konnte, und gab den Armen reichlich, damit sie für ihn beteten. Endlich, als der letzte Tag von den sieben Jahren anbrach, ging er wieder hinaus auf die Heide und setzte sich unter den Ring von Bäumen. Nicht lange, so sauste der Wind, und der Teufel stand vor ihm und blickte ihn verdrießlich an; dann warf er ihm den alten Rock hin und verlangte seinen grünen zurück. »So weit sind wir noch nicht«, antwortete der Bärenhäuter, »erst sollst du mich reinigen.« Der Teufel mochte wollen oder nicht, er mußte Wasser holen, den Bärenhäuter abwaschen, ihm die Haare kämmen und die Nägel schneiden. Hierauf sah er wie ein tapferer Kriegsmann aus und war viel schöner als je vorher.

Als der Teufel glücklich abgezogen war, so war es dem Bärenhäuter ganz leicht ums Herz. Er ging in die Stadt, tat einen prächtigen Samtrock an, setzte sich in einen Wagen, mit vier Schimmeln bespannt, und fuhr zu dem Haus seiner Braut. Niemand erkannte ihn, der Vater hielt ihn für einen vornehmen Feldobrist und führte ihn in das Zimmer, wo seine Töchter saßen. Er mußte sich zwischen den beiden ältesten niederlassen: sie schenkten ihm Wein ein, legten ihm die besten Bissen vor und meinten, sie hätten keinen schönern Mann auf der Welt gesehen. Die Braut aber saß in schwarzem Kleide ihm gegenüber, schlug die Augen nicht auf und sprach kein Wort. Als er endlich den Vater fragte, ob er ihm eine seiner Töchter zur Frau geben wollte, so sprangen die beiden ältesten auf, liefen in ihre Kammer und wollten prächtige Kleider anziehen, denn eine jede bildete sich ein, sie wäre die Auserwählte. Der Fremde, sobald er mit seiner Braut allein war, holte den halben Ring hervor und warf ihn in einen Becher mit Wein, den er ihr über den Tisch reichte. Sie nahm ihn an, aber als sie getrunken hatte und den halben Ring auf dem Grund liegen fand, so schlug ihr das Herz. Sie holte die andere Hälfte, die sie an einem Band um den Hals trug, hielt sie daran, und es zeigte sich, daß beide Teile vollkommen zueinander paßten. Da sprach er: »Ich bin dein verlobter

Bräutigam, den du als Bärenhäuter gesehen hast, aber durch Gottes Gnade habe ich meine menschliche Gestalt wieder erhalten und bin wieder rein geworden.« Er ging auf sie zu, umarmte sie und gab ihr einen Kuß. Indem kamen die beiden Schwestern in vollem Putz herein, und als sie sahen, daß der schöne Mann der jüngsten zuteil geworden war und hörten, daß das der Bärenhäuter war, liefen sie voll Zorn und Wut hinaus; die eine ersäufte sich im Brunnen, die andere erhängte sich an einem Baum. Am Abend klopfte jemand an der Türe, und als der Bräutigam öffnete, so war's der Teufel im grünen Rock, der sprach: »Siehst du, nun habe ich zwei Seelen für deine eine.«

Brüder Grimm

Der süße Brei

Es war einmal ein armes frommes Mädchen, das lebte mit seiner Mutter allein, und sie hatten nichts mehr zu essen. Da ging das Kind hinaus in den Wald, und begegnete ihm da eine alte Frau, die wußte seinen Jammer schon und schenkte ihm ein Töpfchen, zu dem sollt es sagen: »Töpfchen, koche«, so kochte es guten süßen Hirsenbrei, und wenn es sagte: »Töpfchen, steh«, so hörte es wieder auf zu kochen. Das Mädchen brachte den Topf seiner Mutter heim, und nun waren sie ihrer Armut und ihres Hungers ledig und aßen süßen Brei, so oft sie wollten. Auf eine Zeit war das Mädchen ausgegangen, da sprach die Mutter: »Töpfchen, koche«, da kochte es, und sie ißt sich satt; nun will sie, daß das Töpfchen wieder aufhören soll, aber sie weiß das Wort nicht. Also kochte es fort, und der Brei steigt über den Rand hinaus und kocht immerzu, die Küche und das ganze Haus voll, und das zweite Haus und dann die Straße, als wollt's die ganze Welt satt machen, und ist die größte Not, und kein Mensch weiß sich da zu helfen.

Endlich, wie nur noch ein einziges Haus übrig ist, da kommt das Kind heim und spricht nur: »Töpfchen, steh«, da steht es und hört auf zu kochen; und wer wieder in die Stadt wollte, der mußte sich durchessen.

Brüder Grimm

Schneeweißchen und Rosenrot

Eine arme Witwe, die lebte einsam in einem Hüttchen, und vor dem Hüttchen war ein Garten, darin standen zwei Rosenbäumchen, davon trug das eine weiße, das andere rote Rosen; und sie hatte zwei Kinder, die glichen den beiden Rosenbäumchen, und das eine hieß Schneeweißchen, das andere Rosenrot. Sie waren aber so fromm und gut, so arbeitsam und unverdrossen als je zwei Kinder auf der Welt gewesen sind: Schneeweißchen war nur stiller und sanfter als Rosenrot. Rosenrot sprang lieber in den Wiesen und Feldern umher, suchte Blumen und fing Sommervögel: Schneeweißchen aber saß daheim bei der Mutter, half ihr im Hauswesen oder las ihr vor, wenn nichts zu tun war. Die beiden Kinder hatten einander so lieb, daß sie sich immer an den Händen faßten, so oft sie zusammen ausgingen; und wenn Schneeweißchen sagte: »Wir wollen uns nicht verlassen«, so antwortete Rosenrot: »Solange wir leben nicht«, und die Mutter setzte hinzu: »Was das eine hat, soll's mit dem andern teilen.« Oft liefen sie im Walde allein umher und sammelten rote Beeren, aber kein Tier tat ihnen etwas zuleid, sondern sie kamen vertraulich herbei: das Häschen fraß ein Kohlblatt aus ihren Händen, das Reh graste an ihrer Seite, der Hirsch sprang ganz lustig vorbei, und die Vögel blieben auf den Ästen sitzen und sangen, was sie nur wußten. Kein Unfall traf sie: wenn sie sich im Walde verspätet hatten und die Nacht sie überfiel, so legten sie sich nebeneinander auf das Moos und schliefen bis der Morgen kam, und die Mutter wußte das und hatte ihretwegen keine Sorge. Einmal, als sie im Walde übernachtet hatten und das Morgenrot sie aufweckte, da sahen sie ein schönes Kind in einem weißen glänzenden Kleidchen neben ihrem Lager sitzen. Es stand auf und blickte sie ganz freundlich an, sprach aber nichts und ging in den Wald hinein. Und als sie sich umsahen, so hatten sie ganz nahe bei einem Abgrunde geschlafen, und wären gewiß hineingefallen, wenn sie in der Dunkelheit noch ein paar Schritte weitergegangen wären. Die Mutter aber sagte ihnen, das müßte der Engel gewesen sein, der gute Kinder bewache. Schneeweißchen und Rosenrot hielten das Hüttchen der Mutter so reinlich, daß es eine Freude war hineinzuschauen. Im Sommer besorgte Rosenrot das Haus und stellte der Mutter jeden Morgen, ehe sie aufwachte, einen Blumenstrauß vors Bett, darin war von jedem Bäumchen eine Rose. Im Winter zündete Schneeweißchen das Feuer an und hing den Kessel an den Feuerhaken, und der Kessel war von Messing, glänzte aber wie Gold, so rein war er gescheuert. Abends, wenn die Flocken fielen, sagte die Mutter: »Geh, Schneeweißchen, und schieb den Riegel vor«, und dann setzten sie sich an den Herd, und die Mutter nahm die Brille und las aus einem großen Buche vor, und die beiden Mädchen hörten zu, saßen und spannen; neben ihnen lag ein Lämmchen auf dem Boden, und hinter ihnen auf einer Stange saß ein weißes Täubchen und hatte seinen Kopf unter den Flügel gesteckt.

Eines Abends, als sie so vertraulich beisammen saßen, klopfte jemand an die Türe, als wollte er eingelassen sein. Die Mutter sprach: »Geschwind, Rosenrot, mach auf, es wird ein Wanderer sein, der Obdach sucht.« Rosenrot ging und schob den Riegel weg und dachte, es wäre ein armer Mann, aber der war es nicht, es war ein Bär, der seinen dicken schwarzen Kopf zur Türe hereinstreckte. Rosenrot schrie laut und sprang zurück; das Lämmchen blökte, das Täubchen flatterte auf und Schneeweißchen versteckte sich hinter der Mutter Bett. Der Bär

aber fing an zu sprechen und sagte: »Fürchtet euch nicht, ich tue euch nichts zuleid, ich bin bald erfroren und will mich nur ein wenig bei euch wärmen.« – »Du armer Bär«, sprach die Mutter, »leg dich ans Feuer, und gib nur acht, daß dir dein Pelz nicht brennt.« Dann rief sie: »Schneeweißchen, Rosenrot, komm hervor, der Bär tut euch nichts, er meint's ehrlich.« Da kamen sie beide heran, und nach und nach näherten sich auch das Lämmchen und Täubchen und hatten keine Furcht vor ihm. Der Bär sprach: »Ihr Kinder, klopft mir den Schnee ein wenig aus dem Pelzwerk«, und sie holten den Besen und kehrten dem Bär das Fell rein; er aber streckte sich ans Feuer und brummte ganz vergnügt und behaglich. Nicht lange, so wurden sie ganz vertraut und trieben Mutwillen mit dem unbeholfenen Gast. Sie zausten ihm das Fell mit den Händen, setzten ihre Füßchen auf seinen Rücken und walgerten ihn hin und her, oder sie nahmen eine Haselrute und schlugen auf ihn los, und wenn er brummte, so lachten sie. Der Bär ließ sich's aber gerne gefallen, nur wenn sie's gar zu arg machten, rief er:

> »Laßt mich am Leben, ihr Kinder,
> Schneeweißchen, Rosenrot,
> schlägst dir den Freier tot.«

Als Schlafenszeit war und die andern zu Bett gingen, sagte die Mutter zu dem Bär: »Du kannst in Gottes Namen da am Herde liegen bleiben, so bist du vor der Kälte und dem bösen Wetter geschützt.« Sobald der Tag graute, ließen ihn die beiden Kinder hinaus, und er trabte über den Schnee in den Wald hinein. Von nun an kam der Bär jeden Abend zu der bestimmten Stunde, legte sich an den Herd und erlaubte den Kindern, Kurzweil mit ihm zu treiben, so viel sie wollten; und sie waren so gewöhnt an ihn, daß die Türe nicht eher zugeriegelt ward, als bis der schwarze Gesell angelangt war.

Als das Frühjahr herangekommen und draußen alles grün war, sagte der Bär eines Morgens zu Schneeweißchen: »Nun muß ich fort und darf den ganzen Sommer nicht wiederkommen.« – »Wo gehst du denn hin, lieber Bär?« fragte Schneeweißchen. »Ich muß in den Wald und meine Schätze vor den bösen Zwergen hüten; im Winter, wenn die Erde hart gefroren ist, müssen sie wohl unten bleiben und können sich nicht durcharbeiten, aber jetzt, wenn die Sonne die Erde aufgetaut und erwärmt hat, da brechen sie durch, steigen herauf, suchen und stehlen; was einmal in ihren Händen ist und in ihren Höhlen liegt, das kommt so leicht nicht wieder an des Tages Licht.« Schneeweißchen war ganz traurig über den Abschied, und als es ihm die Türe aufriegelte und der Bär sich hinaus drängte, blieb er an dem Türhaken hängen und ein Stück seiner Haut riß auf, und da war es Schneeweißchen, als hätte es Gold durchschimmern gesehen; aber es war seiner Sache nicht gewiß.

 Der Bär lief eilig fort und war bald hinter den Bäumen verschwunden.

Nach einiger Zeit schickte die Mutter die Kinder in den Wald, Reisig zu sammeln. Da fanden sie draußen einen großen Baum, der lag gefällt auf dem Boden, und an dem Stamme sprang zwischen dem Gras etwas auf und ab, sie konnten aber nicht unterscheiden, was es war. Als sie näher kamen, sahen sie einen Zwerg mit einem alten verwelkten Gesicht und einem ellenlangen schneeweißen Bart. Das Ende des Bartes war in eine Spalte des Baums eingeklemmt, und der Kleine sprang hin und her wie ein Hündchen an einem Seil und wußte nicht, wie er sich helfen sollte. Er glotzte die Mädchen mit seinen roten feurigen Augen an und schrie: »Was steht ihr da! Könnt ihr nicht herbeigehen und mir Beistand leisten?« – »Was hast du angefangen, kleines Männchen?« fragte Rosenroth. »Dumme neugierige Gans«, antwortete der Zwerg, »den Baum habe ich mir spalten wollen, um kleines Holz in der Küche zu haben; bei den dicken Klötzen verbrennt gleich das bißchen Speise, das unsereiner braucht, der nicht so viel hinunterschlingt als ihr, grobes, gieriges Volk. Ich hatte den Keil schon glücklich hineingetrieben, und es wäre alles nach Wunsch gegangen, aber das verwünschte Holz war zu glatt und sprang unversehens heraus, und der Baum fuhr so geschwind zusammen, daß ich meinen schönen weißen Bart nicht mehr herausziehen konnte; nun steckt er drin, und ich kann nicht fort. Da lachen die albernen glatten Milchgesichter! Pfui, was seid ihr garstig!« Die Kinder gaben sich alle Mühe, aber sie konnten den Bart nicht herausziehen, er steckte zu fest. »Ich will laufen und Leute herbeiholen«, sagte Rosenrot. »Wahnsinnige Schafsköpfe«, schnarrte der Zwerg, »wer wird gleich Leute herbeirufen, ihr seid mir schon um zwei zu viel; fällt euch nicht Besseres ein?« – »Sei nur nicht ungeduldig«, sagte Schneeweißchen, »ich will schon Rat schaffen«, holte sein Scherchen aus der Tasche und schnitt das Ende des Bartes ab. Sobald der Zwerg sich frei fühlte, griff er nach einem Sack, der zwischen den Wurzeln des Baumes steckte und mit Gold gefüllt war, hob ihn heraus und brummte vor sich hin: »Ungehobeltes Volk, schneidet mir ein Stück von meinem stolzen

Barte ab! Lohn's euch der Kuckuck!« Damit schwang er seinen Sack auf den Rücken und ging fort, ohne die Kinder nur noch einmal anzusehen.

Einige Zeit danach wollten Schneeweißchen und Rosenrot ein Gericht Fische angeln. Als sie nahe bei dem Bach waren, sahen sie, daß etwas wie eine große Heuschrecke nach dem Wasser zu hüpfte, als wollte es hineinspringen. Sie liefen heran und erkannten den Zwerg. »Wo willst du hin?« sagte Rosenrot, »du willst doch nicht ins Wasser?« – »Solch ein Narr bin ich nicht«, schrie der Zwerg, »seht ihr nicht, der verwünschte Fisch will mich hineinziehen?« Der Kleine hatte da gesessen und geangelt, und unglücklicherweise hatte der Wind seinen Bart mit der Angelschnur verflochten, als gleich darauf ein großer Fisch anbiß, fehlten dem schwachen Geschöpf die Kräfte, ihn herauszuziehen; der Fisch behielt die Oberhand und riß den Zwerg zu sich hin. Zwar hielt er sich an allen Halmen und Binsen, aber das half nicht viel, er mußte den Bewegungen des Fisches folgen und war in beständiger Gefahr, ins Wasser gezogen zu werden. Die Mädchen kamen zu rechter Zeit, hielten ihn fest und versuchten den Bart von der Schnur loszumachen, aber vergebens. Bart und Schnur waren fest ineinander verwirrt. Es blieb nichts übrig, als das Scherchen hervorzuholen und den Bart abzuschneiden, wobei ein kleiner Teil desselben verlorenging. Als der Zwerg das sah, schrie er sie an: »Ist das Manier, ihr Lorche, einem das Gesicht zu schänden? Nicht genug, daß ihr mir den Bart unten abgestutzt habt, jetzt schneidet ihr mir den besten Teil davon ab: ich darf mich vor den Meinigen gar nicht sehen lassen. Daß ihr laufen müßtet und die Schuhsohlen verloren hättet!«

Dann holte er einen Sack Perlen, der im Schilfe lag, und ohne ein Wort weiter zu sagen, schleppte er ihn fort und verschwand hinter einem Stein.

Es trug sich zu, daß bald hernach die Mutter die beiden Mädchen nach der Stadt schickte, Zwirn, Nadeln, Schnüre und Bänder einzukaufen. Der Weg führte sie über eine Heide, auf der hier und da mächtige Felsenstücke zerstreut lagen. Da sahen sie einen großen Vogel in der Luft schweben, der langsam über ihnen kreiste, sich immer tiefer herabsenkte und endlich nicht weit bei einem Felsen niederstieß. Gleich darauf hörten sie einen durchdringenden, jämmerlichen Schrei. Sie liefen herzu und sahen mit Schrecken, daß der Adler ihren alten Bekannten, den

Zwerg, gepackt hatte und ihn forttragen wollte. Die mitleidigen Kinder hielten gleich das Männchen fest und zerrten sich so lange mit dem Adler herum, bis er seine Beute fahren ließ. Als der Zwerg sich von dem ersten Schrecken erholt hatte, schrie er mit seiner kreischenden Stimme: »Konntet ihr nicht säuberlicher mit mir umgehen? Gerissen habt ihr an meinem dünnen Röckchen, daß es überall zerfetzt und durchlöchert ist, unbeholfenes und täppisches Gesindel, das ihr seid!« Dann nahm er einen Sack mit Edelsteinen und schlüpfte wieder unter den Felsen in seine Höhle. Die Mädchen waren an seinen Undank schon gewöhnt, setzten ihren Weg fort und verrichteten ihr Geschäft in der Stadt. Als sie beim Heimweg wieder auf die Heide kamen, überraschten sie den Zwerg, der auf einem reinlichen Plätzchen seinen Sack mit Edelsteinen ausgeschüttet und nicht gedacht hatte, daß so spät noch jemand daherkommen würde. Die Abendsonne schien über die glänzenden Steine, sie schimmerten und leuchteten so prächtig in allen Farben, daß die Kinder stehen blieben und sie betrachteten. »Was steht ihr da und habt Maulaffen feil!« schrie der Zwerg, und sein aschgraues Gesicht ward zinnoberrot vor Zorn. Er wollte mit seinen Scheltworten fortfahren, als sich ein lautes Brummen hören ließ und ein schwarzer Bär aus dem Walde herbeitrabte. Erschrocken sprang der Zwerg auf, aber er konnte nicht mehr zu seinem Schlupfwinkel gelangen, der Bär war schon in seiner Nähe. Da rief er in Herzensangst: »Lieber Herr Bär, verschont mich, ich will euch alle meine Schätze geben, sehet, die schönen Edelsteine, die da liegen. Schenkt mir das Leben, was habt ihr an mir kleinem schmächtigem Kerl? Ihr spürt mich nicht zwischen den Zähnen; da, die beiden gottlosen Mädchen packt, das sind für euch zarte Bissen, fett wie junge Wachteln, die freßt in Gottes Namen.« Der Bär kümmerte sich um seine Worte nicht, gab dem boshaften Geschöpf einen einzigen Schlag mit der Tatze, und es regte sich nicht mehr.
Die Mädchen waren fortgesprungen, aber der Bär rief ihnen nach: »Schneeweißchen und Rosenrot, fürchtet euch nicht, wartet, ich will mit euch gehen.« Da erkannten sie seine Stimme und blieben stehen, und als der Bär bei ihnen war, fiel plötzlich die Bärenhaut ab, und er stand da als ein schöner Mann, und war ganz in Gold gekleidet. »Ich bin eines Königs Sohn«, sprach er, »und war von dem gottlosen Zwerg, der mir meine Schätze gestohlen hatte, verwünscht, als ein wilder Bär in dem Walde zu laufen, bis ich durch seinen Tod erlöst würde. Jetzt hat er seine wohlverdiente Strafe empfangen.«

214

Schneeweißchen ward mit ihm vermählt und Rosenrot mit seinem Bruder, und sie teilten die großen Schätze miteinander, die der Zwerg in seiner Höhle zusammengetragen hatte. Die alte Mutter lebte noch lange Jahre ruhig und glücklich bei ihren Kindern. Die zwei Rosenbäumchen aber nahm sie mit, und sie standen vor ihrem Fenster und trugen jedes Jahr die schönsten Rosen, weiß und rot.

Brüder Grimm

Der Hase und der Igel

Disse Geschicht is lögenhaft to vertellen, Jungens, aver wahr is se doch, denn mien Grootvader, von den ick se hew, plegg jümmer, wenn he se mie vortüerde (mit Behaglichkeit vortrug), dabi to seggen: »Wahr mutt se doch sien, mien Söhn, anners kunn man se jo nich vertellen.« De Geschicht hett sick aber so todragen.

Et wöör an enen Sündagmorgen tor Harvesttied, jüst as de Bookweeten bloihde: de Sünn wöör hellig upgaen am Hewen, de Morgenwind güng warm över die Stoppeln, de Larken süngen inn'r Lucht (Luft), de Immen sumsten in den Bookweeten un de Lühde güngen in ehren Sündagsstaht nah'r Kerken, un alle Kreatur wöör vergnögt, un de Swinegel ook.

De Swinegel aver stünd vör siener Döhr, harr de Arm ünnerslagen, keek dabi in den Morgenwind hinut un quinkeleerde en lütjet Leedken vör sick hin, so good un so slecht, as nu eben am leewen Sündagmorgen en Swinegel to singen pleggt. Indem he nu noch so half liese vör sick hin sung, füll em up eenmal in, he künn ook wol, mittlerwiel sien Fro de Kinner wüsch un antröcke, en beeten in't Feld spazeeren un tosehen, wie sien Stähkröwen stünden. De Stähkröwen wöören aver de nöchsten bi siemem Huuse, un he pleggte mit siener Familie davon to eten, darüm sahg he se as de sienigen an. Gesagt, gedahn. De Swinegel makte de Huusdöör achter sick to un slög den Weg nah'n Felde in. He wöör noch nich gans wiet von Huuse un wull jüst um den Slöbusch (Schlehenbusch), de dar vörm Felde liggt, nah den Stähkröwenacker hinup dreien, as em de Haas bemött, de in ähn-

216

lichen Geschäften uutgahn wöör, nämlich um sienen Kohl to besehn. As de Swinegel den Haasen ansichtig wöör, so böhd he em en fründlichen go'n Morgen. De Haas aver, de up siene Wies en vörnehmer Herr was un grausahm hochfahrtig dabi, antwoorde nicks up den Swinegel sienen Gruß, sondern segte tom Swinegel, wobi he en gewaltig höhnische Miene annöhm: »Wie kummt et denn, dat du hier all bi so fröhem Morgen im Felde rumlöppst?« – »Ick gah spazeeren«, segt de Swinegel. »Spazeeren?« lachte de Haas, »mi ducht, du kunnst de Been ook wol to betern Dingen gebruuken.« Disse Antword verdrööt den Swinegel ungeheuer, denn alles kunn he verdregen, aver up siene Been laet he nicks komen, eben weil se von Natur scheef wöören. »Du bildst di wol in«, seggt nu de Swinegel tom Haasen, »as wenn du mit diene Beene mehr utrichten kunnst?« – »Dat denk ick«, seggt de Haas. »Dat kummt up'n Versöök an«, meent de Swinegel, »ick pareer, wenn wi in de Wett loopt, ick loop di vörbi.« – »Dat is tum Lachen, du mit diene scheefen Been«, seggt de Haas, »aver mienetwegen mach't sien, wenn du so övergroote Lust hest. Wat gilt de Wett?« – »En goldne Lujedor un'n Buddel Branwien«, seggt de Swinegel. »Angenahmen«, spröök de Haas, »sla in, un denn kann't gliek losgahn.« – »Nä, so groote Ihl hett et nich«, meen de Swinegel, »ick bün noch gans nüchdern; eerst will ick to Huus gahn un en beeten fröhstücken; inner halwen Stünd bün ick wedder hier upp'n Platz.«
Damit güng de Swinegel, denn de Haas wöör et tofreeden. Ünnerweges dachte de Swinegel bi sick: »De Haas verlett sick up siene langen Been, aver ick will em wol kriegen. He is zwar ehn vörnehm Herr, aver doch man'n dummen Keerl, un betahlen sall he doch.« As nu de Swinegel to Huuse ankööm, spröök he to sien Fro: »Fro, treck die gau (schnell) an, du must mit mi nah'n Felde hinuut.« – »Wat givt et denn?« seggt sien Fro. »Ick hew mit'n Haasen wett't üm'n golden Lujedor un'n Buddel Branwien, ick will mit em inn Wett loopen, un da salst du mit dabi sien.« – »O mien Gott, Mann«, füng nu den Swinegel sien Fro an to schreen, »büst do nich klook, hest du denn ganz den Verstand verlaaren? Wie kannst du mit den Haasen in de Wett loopen wollen?« – »Holt dat Muul, Wief«, seggt de Swinegel, »dat is mien Saak. Resonehr nich in Männergeschäfte. Marsch, treck di an, un denn kumm mit.« Wat sull den Swinegel sien Fro maken? Se mußt wol folgen, se mugg nu wollen oder nich.
As se nu miteenander ünnerswegs wöören, spröök de Swinegel to sien Fro: »Nu pass up, wat ick seggen will. Sühst du, up den langen Acker

dar wüll wi unsen Wettloop maken. De Haas löppt nemlich in der eenen Föhr (Furche) un ick inner andern, un von baben (oben) fang wie an to loopen. Nu hast du wieder nicks to dohn as du stellst di hier unnen in de Föhr, un wenn de Haas up de andere Siet ankummt, so röpft du em entgegen: »Ick bün all (schon) hier.«

Damit wöören se bi den Acker anlangt, de Swinegel wiesde siener Fro ehren Platz an un gung nu den Acker hinup. As he baben ankööm, wöör de Haas all da. »Kann et losgahn?« seggt de Haas. »Jawoll«, seggt de Swinegel. »Denn man to!« Un damit stellde jeder sick in siene Föhr. De Haas tellde (zählte): »Hahl een, hahl twee, hahl dree«, un los güng he wie en Stormwind den Acker hindahl (hinab). De Swinegel aver lööp ungefähr man dree Schritt, dann duhkde he sick dahl (herab) in de Föhr un bleev ruhig sitten.

As nu de Haas in vullen Loopen ünnen am Acker ankööm, röp em den Swinegel sien Fro entgegen: »Ick bün all hier.« De Haas stutzd un verwunderde sick nich wenig: he meende nich anders, als et wöör de Swinegel sülpst, de em dat torööp, denn bekanntlich süht den Swinegel sien Fro jüst so uut wie ehr Mann. De Haas aver meende: »Datt geiht nich to mit rechten Dingen.« He rööp: »Nochmal geloopen, wedder üm!« Un fort güng he wedder wie en Stormwind, dat em de Ohren am Koppe flögen. Den Swinegel sien Fro aver blev ruhig up ehren Platze. As nu de Haas baben ankööm, rööp em de Swinegel entgegen: »Ick bün all hier.« De Haas aver, ganz uuter sick vör Ihwer (Ärger), schreede: »Nochmal geloopen, wedder üm!« – »Mi nich to schlimm«, antwoorde de Swinegel, »mienetwegen so oft, as du Lust hest.« So löp de Haas noch dreeunsöbentigmal, un de Swinegel höhl (hielt) et ümmer mit em uut. Jedesmal, wenn de Haas ünnen oder baben ankööm, seggten de Swinegel oder sien Fro: »Ick bün all hier.« Tum veerunsöbentigstenmal aver köm de Haas nich mehr to Ende.

Midden am Acker stört he tor Eerde, datt Blohd flög em utn Halse, un he bleev doot upn Platze. De Swinegel aver nöhm siene gewunnene Lujedor un den Buddel Branwien, rööp siene Fro uut der Föhr aff, un beide güngen vergnögt miteenanner nah Huus; un wenn se nich storben sünd, lewt se noch.

So begev et sick, dat up der Buxtehuder Heid de Swinegel den Haasen dootlopen hett, un sied jener Tied hatt et sick keen Haas wedder infallen laten, mit'n Buxtehuder Swinegel in de Wett to lopen.

De Lehre aver uut disser Geschicht is erstens, datt keener, un wenn he sick ook noch so vörnehm dücht, sick sall bikommen laten, övern geringen Mann sick lustig to maken, un wöört ook man'n Swinegel. Un tweetens, datt et gerahden is, wenn eener freet, datt he sick 'ne Fro uut sienem Stande nimmt, un de jüst so uutsüht as he sülwst. Wer also en Swinegel is, de mutt tosehn, datt siene Fro ook en Swinegel is, un so wieder.

Brüder Grimm

Die Geschichte vom Kalif Storch

I

Der Kalif Chasid zu Bagdad saß einmal an einem schönen Nachmittag behaglich auf seinem Sofa; er hatte ein wenig geschlafen, denn es war ein heißer Tag, und sah nun nach seinem Schläfchen recht heiter aus. Er rauchte aus einer langen Pfeife von Rosenholz, trank hie und da ein wenig Kaffee,

den ihm ein Sklave einschenkte, und strich sich allemal vergnügt den Bart, wenn es ihm geschmeckt hatte. Kurz, man sah dem Kalifen an, daß es ihm recht wohl war. Um diese Stunde konnte man gar gut mit ihm reden, weil er da immer recht mild und leutselig war; deswegen besuchte ihn auch sein Großwesir Mansor alle Tage um diese Zeit. An diesem Nachmittage nun kam er auch, sah aber sehr nachdenklich aus, ganz gegen seine Gewohnheit. Der Kalif tat die Pfeife ein wenig aus dem Mund und sprach: »Warum machst du ein so nachdenkliches Gesicht, Großwesir?«

Der Großwesir schlug seine Arme kreuzweis über die Brust, verneigte sich vor seinem Herrn und antwortete: »Herr, ob ich ein nachdenkliches Gesicht mache, weiß ich nicht; aber da drunten am Schloß steht ein Krämer, der hat so schöne Sachen, daß es mich ärgert, nicht viel überflüssiges Geld zu haben.«

Der Kalif, der seinem Großwesir schon lange gerne eine Freude gemacht hätte, schickte seinen schwarzen Sklaven hinunter, um den Krämer heraufzuholen. Bald kam der Sklave mit dem Krämer zurück. Dieser war ein kleiner, dicker Mann, schwarzbraun im Gesicht und in zerlumptem Anzug. Er trug einen Kasten, in welchem er allerhand Waren hatte, Perlen und Ringe, reichbeschlagene Pistolen, Becher und Kämme. Der Kalif und sein Wesir musterten alles durch, und der Kalif kaufte endlich für sich und Mansor schöne Pistolen, für die Frau des Wesirs aber einen Kamm. Als der Krämer seinen Kasten schon wieder zumachen wollte, sah der Kalif eine kleine Schublade und fragte, ob da auch noch Waren seien. Der Krämer zog die Schublade heraus und zeigte darin eine Dose mit schwärzlichem Pulver und ein Papier mit sonderbarer Schrift, die weder der Kalif noch Mansor lesen konnte. »Ich bekam einmal diese zwei Stücke von einem Kaufmanne, der sie in Mekka auf der Straße fand«, sagte der Krämer. »Ich weiß nicht, was sie enthalten; Euch stehen sie um geringen Preis zu Dienst, ich kann doch nichts damit anfangen.« Der Kalif, der in seiner Bibliothek gerne alte Manuskripte hatte, wenn er sie auch nicht lesen konnte, kaufte Schrift und Dose und entließ den Krämer. Der Kalif aber dachte, er möchte gerne wissen, was die Schrift enthalte, und fragte den Wesir, ob er keinen kenne, der es entziffern könnte. »Gnädigster Herr und Gebieter«, antwortete dieser, »an der großen Moschee wohnt ein Mann, er heißt Selim, der Gelehrte, der versteht alle Sprachen, laß ihn kommen, vielleicht kennt er diese geheimnisvollen Züge.«

Der Gelehrte Selim war bald herbeigeholt. »Selim«, sprach zu ihm der

Kalif, »Selim, man sagt, du seiest sehr gelehrt; guck einmal ein wenig in diese Schrift, ob du sie lesen kannst; kannst du sie lesen, so bekommst du ein neues Festkleid von mir, kannst du es nicht, so bekommst du zwölf Backenstreiche und fünfundzwanzig auf die Fußsohlen, weil man dich dann umsonst Selim den Gelehrten nennt.« Selim verneigte sich und sprach: »Dein Wille geschehe, o Herr!« Lange betrachtete er die Schrift; plötzlich aber rief er aus: »Das ist lateinisch, o Herr, oder ich laß mich hängen.« – »Sag, was drin steht«, befahl der Kalif, »wenn es lateinisch ist.«
Selim fing an zu übersetzen: »Mensch, der du dieses findest, preise Allah für seine Gnade! Wer von dem Pulver in dieser Dose schnupft und dazu spricht: *Mutabor*, der kann sich in jedes Tier verwandeln und versteht auch die Sprache der Tiere. Will er wieder in seine menschliche Gestalt zurückkehren, so neige er sich dreimal gen Osten und spreche jenes Wort; aber hüte dich, wenn du verwandelt bist, daß du nicht lachest, sonst verschwindet das Zauberwort gänzlich aus deinem Gedächtnis, und du bleibst ein Tier.«
Als Selim, der Gelehrte, also gelesen hatte, war der Kalif über die Maßen vergnügt. Er ließ den Gelehrten schwören, niemand etwas von dem Geheimnis zu sagen, schenkte ihm ein schönes Kleid und entließ ihn. Zu seinem Großwesir aber sagte er: »Das heiß' ich gut einkaufen, Mansor! Wie freue ich mich, bis ich ein Tier bin. Morgen früh kommst du zu mir; wir gehen dann miteinander aufs Feld, schnupfen etwas Weniges aus meiner Dose und belauschen dann, was in der Luft und im Wasser, im Wald und Feld gesprochen wird!«

II

Kaum hatte am andern Morgen der Kalif Chasid gefrühstückt und sich angekleidet, als schon der Großwesir erschien, ihn, wie er befohlen, auf dem Spaziergang zu begleiten. Der Kalif steckte die Dose mit dem Zauberpulver in den Gürtel, und nachdem er seinem Gefolge befohlen, zurückzubleiben, machte er sich mit dem Großwesir ganz allein auf den Weg. Sie gingen zuerst durch die weiten Gärten des Kalifen, spähten aber vergebens nach etwas Lebendigem, um ihr Kunststück zu probieren. Der Wesir schlug endlich vor, weiter hinaus an einen Teich zu gehen, wo er schon oft viele Tiere, namentlich Störche, gesehen habe, die durch ihr gravitätisches Wesen und ihr Geklapper immer seine Aufmerksamkeit erregt haben.

Der Kalif billigte den Vorschlag seines Wesirs und ging mit ihm dem Teich zu. Als sie dort angekommen waren, sahen sie einen Storchen ernsthaft auf und ab gehen, Frösche suchend und hie und da etwas vor sich hin klappernd. Zugleich sahen sie auch weit oben in der Luft einen andern Storchen dieser Gegend zuschweben.

»Ich wette meinen Bart, gnädigster Herr«, sagte der Großwesir, »wenn nicht diese zwei Langfüßler ein schönes Gespräch miteinander führen werden. Wie wäre es, wenn wir Störche würden?«

»Wohl gesprochen!« antwortete der Kalif. »Aber vorher wollen wir noch einmal betrachten, wie man wieder Mensch wird. – Richtig! Dreimal gen Osten geneigt und *Mutabor* gesagt, so bin ich wieder Kalif und du Wesir. Aber nur ums Himmels willen nicht gelacht, sonst sind wir verloren!«

Während der Kalif also sprach, sah er den andern Storchen über ihrem Haupte schweben und langsam sich zur Erde lassen. Schnell zog er die Dose aus dem Gürtel, nahm eine gute Prise, bot sie dem Großwesir dar, der gleichfalls schnupfte, und beide riefen: *Mutabor!*

Da schrumpften ihre Beine ein und wurden dünn und rot, die schönen gelben Pantoffel des Kalifen und seines Begleiters wurden unförmliche Storchfüße, die Arme wurden zu Flügeln, der Hals fuhr aus den Achseln und ward eine Elle lang, der Bart war verschwunden, und den Körper bedeckten weiche Federn.

»Ihr habt einen hübschen Schnabel, Herr Großwesir«, sprach nach langem Erstaunen der Kalif. »Beim Bart des Propheten, so etwas habe ich in meinem Leben nicht gesehen.«

»Danke untertänigst«, erwiderte der Großwesir, indem er sich bückte; »aber wenn ich es wagen darf, möchte ich behaupten, Eure Hoheit sehen als Storch beinahe noch hübscher aus denn als Kalif. Aber kommt, wenn es Euch gefällig ist, daß wir unsere Kameraden dort belauschen und erfahren, ob wir wirklich Storchisch können.«

Indem war der andere Storch auf der Erde angekommen; er putzte sich mit dem Schnabel seine Füße, legte seine Federn zurecht und ging auf den ersten Storchen zu. Die beiden neuen Störche aber beeilten sich, in ihre Nähe zu kommen und vernahmen zu ihrem Erstaunen folgendes Gespräch:

»Guten Morgen, Frau Langbein, so früh schon auf der Wiese?«

»Schönen Dank, lieber Klapperschnabel! Ich habe mir nur ein kleines Frühstück geholt. Ist Euch vielleicht ein Viertelchen Eidechs gefällig oder ein Froschschenkelein?«

»Danke gehorsamst; habe heute gar keinen Appetit. Ich komme auch wegen etwas ganz anderem auf diese Wiese. Ich soll heute vor den Gästen meines Vaters tanzen, und da will ich mich im stillen ein wenig üben.«

Zugleich schritt die junge Störchin in wunderlichen Bewegungen durch das Feld. Der Kalif und Mansor sahen ihr verwundert nach. Als sie aber in malerischer Stellung auf einem Fuß stand und mit den Flügeln anmutig dazu wedelte, da konnten sich die beiden nicht mehr halten; ein unaufhaltsames Gelächter brach aus ihren Schnäbeln hervor, von dem sie sich erst nach langer Zeit erholten. Der Kalif faßte sich zuerst wieder: »Das war einmal ein Spaß«, rief er, »der nicht mit Gold zu bezahlen ist. Schade, daß die dummen Tiere durch unser Gelächter sich haben verscheuchen lassen, sonst hätten sie gewiß auch noch gesungen!«

Aber jetzt fiel es dem Großwesir ein, daß das Lachen während der Verwandlung verboten war. Er teilte seine Angst deswegen dem Kalifen mit. »Potz Mekka und Medina! Das wäre ein schlechter Spaß, wenn ich ein Storch bleiben müßte! Besinne dich doch auf das dumme Wort! Ich bring' es nicht heraus.«

»Dreimal gen Osten müssen wir uns bücken und dazu sprechen: *Mu – Mu – Mu –*«

Sie stellten sich gen Osten und bückten sich in einem fort, daß ihre Schnäbel beinahe die Erde berührten. Aber, o Jammer! Das Zauberwort war ihnen entfallen, und so oft sich auch der Kalif bückte, so sehnlich auch sein Wesir *Mu – Mu* dazu rief, jede Erinnerung daran war verschwunden, und der arme Chasid und sein Wesir waren und blieben Störche.

III

Traurig wandelten die Verzauberten durch die Felder; sie wußten gar nicht, was sie in ihrem Elend anfangen sollten. Aus ihrer Storchenhaut konnten sie nicht heraus, in die Stadt zurück konnten sie auch nicht, um sich zu erkennen zu geben; denn wer hätte einem Storchen geglaubt, daß er der Kalif sei, und wenn man es auch geglaubt hätte, würden die Einwohner von Bagdad einen Storchen zum Kalifen gewollt haben?

So schlichen sie mehrere Tage umher und ernährten sich kümmerlich von Feldfrüchten, die sie aber wegen ihrer langen Schnäbel nicht gut verspeisen konnten. Zu Eidechsen und Fröschen hatten sie übrigens keinen Appetit; denn sie befürchteten, mit solchen Leckerbissen sich den Magen zu verderben. Ihr einziges Vergnügen in dieser traurigen Lage war, daß sie fliegen konnten, und so flogen sie oft auf die Dächer von Bagdad, um zu sehen, was darin vorging.

In den ersten Tagen bemerkten sie große Unruhe und Trauer in den Straßen. Aber ungefähr am vierten Tag nach ihrer Verzauberung saßen sie auf dem Palast des Kalifen; da sahen sie unten in der Straße einen prächtigen Aufzug; Trommeln und Pfeifen ertönten, ein Mann in einem goldgestickten Scharlachmantel saß auf einem geschmückten Pferde, umgeben von glänzenden Dienern, halb Bagdad sprang ihm nach, und alle schrien: »Heil Mizra, dem Herrscher von Bagdad!« Da sahen die beiden Störche auf dem Dache des Palastes einander an, und der Kalif Chasid sprach: »Ahnst du jetzt, warum ich verzaubert bin, Großwesir? Dieser Mizra ist der Sohn meines Todfeindes, des mächtigen Zauberers Kaschnur, der mir in einer bösen Stunde Rache schwur. Aber noch gebe ich die Hoffnung nicht auf. Komm mit mir, du treuer Gefährte meines Elends, wir wollen zum Grabe des Propheten wandern; vielleicht, daß an heiliger Stätte der Zauber gelöst wird.«

Sie erhoben sich vom Dach des Palastes und flogen der Gegend von Medina zu.

Mit dem Fliegen wollte es aber nicht gar gut gehen; denn die beiden Störche hatten noch wenig Übung. »O Herr«, ächzte nach ein paar Stunden der Großwesir, »ich halte es mit Eurer Erlaubnis nicht mehr lange aus; Ihr fliegt gar zu schnell! Auch ist es schon Abend, und wir täten wohl, ein Unterkommen für die Nacht zu suchen.«

Chasid gab der Bitte seines Dieners Gehör; und da er unten im Tale eine Ruine erblickte, die ein Obdach zu gewähren schien, so flogen sie dahin. Der Ort, wo sie sich für diese Nacht niedergelassen hatten, schien ehemals ein Schloß gewesen zu sein. Schöne Säulen ragten aus den Trümmern hervor, mehrere Gemächer, die noch ziemlich erhalten waren, zeugten von der ehemaligen Pracht des Hauses. Chasid und sein Begleiter gingen durch die Gänge umher, um sich ein trockenes Plätzchen zu suchen; plötzlich blieb der Storch Mansor stehen. »Herr und Gebieter«, flüsterte er leiser, »wenn es nur nicht töricht für einen Großwesir, noch mehr aber für einen Storchen wäre, sich vor Gespenstern zu fürchten! Mir ist ganz unheimlich zumut; denn hier neben hat es ganz vernehmlich geseufzt und gestöhnt.« Der Kalif blieb nun auch stehen und hörte ganz deutlich ein leises Weinen, das eher einem Menschen als einem Tiere anzugehören schien. Voll Erwartung wollte er der Gegend zugehen, woher die Klagetöne kamen; der Wesir aber packte ihn mit dem Schnabel am Flügel und bat ihn flehentlich, sich nicht in neue, unbekannte Gefahren zu stürzen. Doch vergebens! Der Kalif, dem auch unter dem Storchenflügel ein tapferes Herz schlug, riß sich mit Verlust einiger Federn los und eilte in einen finstern Gang. Bald war er an einer Tür angelangt, die nur angelehnt schien und woraus er deutliche Seufzer mit ein wenig Geheul vernahm. Er stieß mit dem Schnabel die Türe auf, blieb aber überrascht auf der Schwelle stehen. In dem verfallenen Gemach, das nur durch ein kleines Gitterfenster spärlich erleuchtet war, sah er eine große Nachteule am Boden sitzen. Dicke Tränen rollten ihr aus den großen, runden Augen,

 und mit heiserer Stimme stieß sie ihre Klagen zu dem krummen Schnabel heraus. Als sie aber den Kalifen und seinen Wesir, der indes auch herbeigeschlichen war, erblickte, erhob sie ein lautes Freudengeschrei. Zierlich wischte sie mit dem braungefleckten Flügel die Tränen aus dem Auge, und zu dem größten Erstaunen der beiden rief sie in gutem menschlichem Arabisch: »Willkommen, ihr Störche! Ihr seid mir ein gutes Zeichen meiner Errettung; denn durch Störche werde mir ein großes Glück kommen, ist mir einst prophezeit worden!«

Als sich der Kalif von seinem Erstaunen erholt hatte, bückte er sich mit seinem langen Hals, brachte seine dünnen Füße in eine zierliche Stellung und sprach: »Nachteule! Deinen Worten nach darf ich glauben, eine Leidensgefährtin in dir zu sehen. Aber ach! Deine Hoffnung, daß durch uns deine Rettung kommen werde, ist vergeblich. Du wirst unsere Hilflosigkeit erkennen, wenn du unsere Geschichte hörst.«

Die Nachteule bat ihn zu erzählen; der Kalif aber hub an und erzählte, was wir bereits wissen.

IV

Als der Kalif der Eule seine Geschichte vorgetragen hatte, dankte sie ihm und sagte: »Vernimm auch meine Geschichte und höre, wie ich nicht weniger unglücklich bin als du. Mein Vater ist der König von Indien, ich, seine einzige unglückliche Tochter, heiße Lusa. Jener Zauberer Kaschnur, der euch verzauberte, hat auch mich ins Unglück gestürzt. Er kam eines Tages zu meinem Vater und begehrte mich zur Frau für seinen Sohn Mizra. Mein Vater aber, der ein hitziger Mann ist, ließ ihn die Treppe hinunterwerfen. Der Elende wußte sich unter einer andern Gestalt wieder in meine Nähe zu schleichen, und als ich einst in meinem Garten Erfrischungen zu mir nehmen wollte, brachte er mir, als Sklave verkleidet, einen Trank bei, der mich in diese abscheuliche Gestalt verwandelte. Vor Schrecken ohnmächtig, brachte er mich hieher und rief mir mit schrecklicher Stimme in die Ohren: »Da sollst du bleiben, häßlich, selbst von den Tieren verachtet, bis an dein Ende, oder bis einer aus freiem Willen dich, selbst in dieser schrecklichen Gestalt, zur Gattin begehrt. So räche ich mich an dir und deinem stolzen Vater.«

Seitdem sind viele Monate verflossen. Einsam und traurig lebe ich als Einsiedlerin in diesem Gemäuer, verabscheut von der Welt, selbst den Tieren ein Greuel; die schöne Natur ist vor mir verschlossen; denn ich bin blind am Tage, und nur, wenn der Mond sein bleiches Licht über dies Gemäuer ausgießt, fällt der verhüllende Schleier von meinem Auge.«

Die Eule hatte geendet und wischte sich mit dem Flügel wieder die Augen aus; denn die Erzählung ihrer Leiden hatte ihr Tränen entlockt. Der Kalif war bei der Erzählung der Prinzessin in tiefes Nachdenken versunken. »Wenn mich nicht alles täuscht«, sprach er, »so findet zwischen unserem Unglück ein geheimer Zusammenhang statt; aber wo finde ich den Schlüssel zu diesem Rätsel?«

Die Eule antwortete ihm: »O Herr! Auch mir ahnet dies; denn es ist mir einst in meiner frühesten Jugend von einer weisen Frau prophezeit worden, daß ein Storch mir ein großes Glück bringen werde, und ich wüßte vielleicht, wie wir uns retten könnten.« Der Kalif war sehr erstaunt und fragte, auf welchem Wege sie meine. »Der Zauberer, der uns beide unglücklich gemacht hat«, sagte sie, »kommt alle Monate einmal in diese Ruinen. Nicht weit von diesem Gemach ist ein Saal. Dort pflegt er dann mit vielen Genossen zu schmausen. Schon oft habe ich sie dort belauscht. Sie erzählen dann einander ihre schändlichen Werke; vielleicht, daß er dann das Zauberwort, das ihr vergessen habt, ausspricht.«

»Oh, teuerste Prinzessin«, rief der Kalif, »sag an, *wann* kommt er, und *wo* ist der Saal?«

Die Eule schwieg einen Augenblick und sprach dann: »Nehmet es nicht ungütig, aber nur unter *einer* Bedingung kann ich Euern Wunsch erfüllen.« – »Sprich aus! Sprich aus!« schrie Chasid. »Befiehl, es ist mir jede recht.«

»Nämlich, ich möchte auch gern zugleich frei sein; dies kann aber nur geschehen, wenn einer von euch mir seine Hand reicht.«

Die Störche schienen über den Antrag etwas betroffen zu sein, und der Kalif winkte seinem Diener, ein wenig mit ihm hinauszugehen.

»Großwesir«, sprach vor der Türe der Kalif, »das ist ein dummer Handel; aber Ihr könntet sie schon nehmen.«

»So?« antwortete dieser, »daß mir meine Frau, wenn ich nach Hause komme, die Augen auskratzt? Auch bin ich ein alter Mann, und Ihr seid noch jung und unverheiratet und könnet eher einer jungen, schönen Prinzessin die Hand geben.«

»Das ist es eben«, seufzte der Kalif, indem er traurig die Flügel hängen ließ, »wer sagt dir denn, daß sie jung und schön ist? Das heißt eine Katze im Sack kaufen!« Sie redeten einander gegenseitig noch lange zu; endlich aber, als der Kalif sah, daß sein Wesir lieber Storch bleiben als die Eule heiraten wollte, entschloß er sich, die Bedingung lieber selbst zu erfüllen. Die Eule war hocherfreut. Sie gestand ihnen, daß sie zu keiner bessern Zeit hätten kommen können, weil wahrscheinlich in dieser Nacht die Zauberer sich versammeln würden.

Sie verließ mit den Störchen das Gemach, um sie in jenen Saal zu führen; sie gingen lange in einem finstern Gang hin; endlich strahlte ihnen aus einer halb verfallenen Mauer ein heller Schein entgegen. Als sie dort angelangt waren, riet ihnen die Eule, sich ganz ruhig zu verhalten. Sie konnten von der Lücke, an welcher sie standen, einen großen Saal übersehen. Er war ringsum mit Säulen geschmückt und prachtvoll verziert. Viele farbige Lampen ersetzten das Licht des Tages. In der Mitte des Saales stand ein runder Tisch, mit vielen und ausgesuchten Speisen besetzt. Rings um den Tisch zog sich ein Sofa, auf welchem acht Männer saßen. In einem dieser Männer erkannten die Störche jenen Krämer wieder, der ihnen das Zauberpulver verkauft hatte. Sein Nebensitzer forderte ihn auf, ihnen seine neuesten Taten zu erzählen. Er erzählte unter andern auch die Geschichte des Kalifen und seines Wesirs. »Was für ein Wort hast du ihnen denn aufgegeben?« fragte ihn ein anderer Zauberer. »Ein recht schweres lateinisches, es heißt *Mutabor*.«

V

Als die Störche an ihrer Mauerlücke dieses hörten, kamen sie vor Freuden beinahe außer sich. Sie liefen auf ihren langen Füßen so schnell dem Tore der Ruine zu, daß die Eule kaum folgen konnte. Dort

sprach der Kalif gerührt zu der Eule: »Retterin meines Lebens und des Lebens meines Freundes, nimm zum ewigen Dank für das, was du an uns getan, mich zum Gemahl an!« Dann aber wandte er sich nach Osten. Dreimal bückten die Störche ihre langen Hälse der Sonne entgegen, die soeben hinter dem Gebirge heraufstieg. »*Mutabor!*« riefen sie; im Nu waren sie verwandelt, und in der hohen Freude des neugeschenkten Lebens lagen Herr und Diener lachend und weinend einander in den Armen.

Wer beschreibt aber ihr Erstaunen, als sie sich umsahen? Eine schöne Dame, herrlich geschmückt, stand vor ihnen. Lächelnd gab sie dem Kalifen die Hand. »Erkennt Ihr Eure Nachteule nicht mehr?« sagte sie. Sie war es; der Kalif war von ihrer Schönheit und Anmut so entzückt, daß er ausrief, es sei sein größtes Glück, daß er Storch geworden sei. Die drei zogen nun miteinander auf Bagdad zu. Der Kalif fand in seinen Kleidern nicht nur die Dose mit Zauberpulver, sondern auch seinen Geldbeutel. Er kaufte daher im nächsten Dorfe, was zu ihrer Reise nötig war, und so kamen sie bald an die Tore von Bagdad. Dort aber erregte die Ankunft des Kalifen großes Erstaunen. Man hatte ihn für tot ausgegeben, und das Volk war daher hocherfreut, seinen geliebten Herrscher wieder zu haben.

Um so mehr aber entbrannte ihr Haß gegen den Betrüger Mizra. Sie zogen in den Palast und nahmen den alten Zauberer und seinen Sohn gefangen. Den Alten schickte der Kalif in dasselbe Gemach der Ruine, das die Prinzessin als Eule bewohnt hatte, und ließ ihn dort aufhängen. Dem Sohn aber, welcher nichts von den Künsten des Vaters verstand, ließ der Kalif die Wahl, ob er sterben oder schnupfen wolle. Als er das letztere wählte, bot ihm der Großwesir die Dose. Eine tüchtige Prise, und das Zauberwort des Kalifen verwandelte ihn in einen Storchen. Der Kalif ließ ihn in einen eisernen Käfig sperren und in seinem Garten aufstellen.

Lange und vergnügt lebte Kalif Chasid mit seiner Frau, der Prinzessin; seine vergnügtesten Stunden waren immer die, wenn ihn der Großwesir nachmittags besuchte; da sprachen sie dann oft von ihrem Storchabenteuer, und wenn der Kalif recht heiter war, ließ er sich herab, den Großwesir nachzuahmen, wie er als Storch aussah. Er stieg dann ernsthaft mit steifen Füßen im Zimmer auf und ab, klapperte, wedelte mit den Armen, wie mit Flügeln und zeigte, wie jener sich vergeblich nach Osten geneigt und *Mu – Mu –* dazu gerufen habe. Für die Frau Kalifin und ihre Kinder war diese Vorstellung allemal eine große Freude; wenn aber der Kalif gar zu lange klapperte und nickte und *Mu – Mu –* schrie, dann drohte ihm lächelnd der Wesir, er wolle das, was vor der Türe der Prinzessin *Nachteule* verhandelt worden sei, der *Frau Kalifin* mitteilen. *Wilhelm Hauff*

Die Geschichte von dem kleinen Muck

In Nicea, meiner lieben Vaterstadt, wohnte ein Mann, den man den kleinen Muck hieß. Ich kann mir ihn, ob ich gleich damals noch sehr jung war, noch recht wohl denken, besonders weil ich einmal von meinem Vater wegen seiner halbtot geprügelt wurde. Der kleine Muck nämlich war schon ein alter Geselle, als ich ihn kannte;

doch war er nur drei bis vier Schuh hoch; dabei hatte er eine sonderbare Gestalt; denn sein Leib, so klein und zierlich er war, mußte einen Kopf tragen, viel größer und dicker als der Kopf anderer Leute; er wohnte ganz allein in einem großen Haus und kochte sich sogar selbst; auch hätte man in der Stadt nicht gewußt, ob er lebe oder gestorben sei, denn er ging nur alle vier Wochen einmal aus, wenn nicht um die Mittagsstunde ein mächtiger Dampf aus dem Hause aufgestiegen wäre; doch sah man ihn oft abends auf seinem Dache auf und ab gehen, von der Straße aus glaubte man aber, nur sein großer Kopf allein laufe auf dem Dache umher. Ich und meine Kameraden waren böse Buben, die jedermann gerne neckten und belachten; daher war es uns allemal ein Festtag, wenn der kleine Muck ausging; wir versammelten uns an dem bestimmten Tage vor seinem Haus und warteten, bis er herauskam; wenn dann die Türe aufging und zuerst der große Kopf mit dem noch größeren Turban herausguckte, wenn das übrige Körperlein nachfolgte, angetan mit einem abgeschabten Mäntelein, weiten Beinkleidern und einem breiten Gürtel, an welchem ein langer Dolch hing, so lang, daß man nicht wußte, ob Muck an dem Dolch oder der Dolch an Muck stak. Wenn er so heraustrat, da ertönte die Luft von unserem Freudengeschrei, wir warfen unsere Münzen in die Höhe und tanzten wie toll um ihn her. Der kleine Muck aber grüßte uns mit ernsthaftem Kopfnicken und ging mit langsamen Schritten die Straße hinab; dabei schlurfte er mit den Füßen, denn er hatte große, weite Pantoffeln an, wie ich sie noch nie gesehen. Wir Knaben liefen hinter ihm her und schrien immer: »Kleiner Muck, kleiner Muck!« Auch hatten wir ein lustiges Verslein, das wir ihm zu Ehren hie und da sangen; es hieß:

>»Kleiner Muck, kleiner Muck,
>Wohnst in einem großen Haus,
>Gehst nur all vier Wochen aus,
>Bist ein braver kleiner Zwerg,
>Hast ein Köpflein wie ein Berg;
>Schau dich einmal um und guck,
>Lauf und fang uns, kleiner Muck!«

So hatten wir schon oft unsere Kurzweil getrieben, und zu meiner Schande muß ich es gestehen, ich trieb's am ärgsten; denn ich zupfte ihn oft am Mäntelein, und einmal trat ich ihm auch von hinten auf die großen Pantoffel, daß er hinfiel. Dies kam mir nun höchst lächerlich vor; aber das Lachen verging mir, als ich den kleinen Muck auf meines Vaters Haus zugehen sah. Er ging richtig hinein und blieb einige Zeit dort. Ich versteckte mich an der Haustüre und sah den Muck wieder herauskommen, von meinem Vater begleitet, der ihn ehrerbietig an der Hand hielt und an der Türe unter vielen Bücklingen sich von ihm verabschiedete. Mir war gar nicht wohl zumut; ich blieb daher lange in meinem Versteck; endlich aber trieb mich der Hunger, den ich ärger fürchtete als Schläge, heraus, und demütig und mit gesenktem Kopf

trat ich vor meinen Vater. »Du hast, wie ich höre, den guten Muck geschimpft?« sprach er in sehr ernstem Tone. »Ich will dir die Geschichte dieses Muck erzählen, und du wirst ihn gewiß nicht mehr auslachen; vor- und nachher aber bekommst du das *Gewöhnliche*.« Das Gewöhnliche aber waren fünfundzwanzig Hiebe, die er nur allzu richtig aufzuzählen pflegte. Er nahm daher sein langes Pfeifenrohr, schraubte die Bernsteinmundspitze ab und bearbeitete mich ärger als je zuvor.

Als die Fünfundzwanzig voll waren, befahl er mir, aufzumerken und erzählte mir von dem kleinen Muck:

Der Vater des kleinen Muck, der eigentlich Mukrah heißt, war ein angesehener, aber armer Mann hier in Nicea. Er lebte beinahe so einsiedlerisch als jetzt sein Sohn. Diesen konnte er nicht wohl leiden, weil er sich seiner Zwerggestalt schämte, und ließ ihn daher auch in Unwissenheit aufwachsen.

Der kleine Muck war noch in seinem sechzehnten Jahr ein lustiges Kind, und der Vater, ein ernster Mann, tadelte ihn immer, daß er, der schon längst die Kinderschuhe zertreten haben sollte, noch so dumm und läppisch sei.

Der Alte tat aber einmal einen bösen Fall, an welchem er auch starb und den kleinen Muck arm und unwissend zurückließ. Die harten Verwandten, denen der Verstorbene mehr schuldig war, als er bezahlen konnte, jagten den armen Kleinen aus dem Hause und rieten ihm, in die Welt hinaus zu gehen und sein Glück zu suchen. Der kleine Muck antwortete, er sei schon reisefertig, bat sich aber nur noch den Anzug seines Vaters aus, und dieser wurde ihm auch bewilligt. Sein Vater war ein großer, starker Mann gewesen; daher paßten die Kleider nicht. Muck aber wußte bald Rat; er schnitt ab, was zu lang war, und zog dann die Kleider an. Er schien aber vergessen zu haben, daß er auch in der Weite davon schneiden müsse, daher sein sonderbarer Aufzug, wie er noch heute zu sehen ist; der große Turban, der breite Gürtel, die weiten Hosen, das blaue Mäntelein, alles dies sind Erbstücke seines Vaters, die er seitdem getragen; den langen Damaszenerdolch seines Vaters aber steckte er in den Gürtel, ergriff ein Stöcklein und wanderte zum Tor hinaus.

Fröhlich wanderte er den ganzen Tag, denn er war ja ausgezogen, um sein Glück zu suchen; wenn er einen Scherben auf der Erde im Sonnenschein glänzen sah, so steckte er ihn gewiß zu sich, im Glauben, daß er sich in den schönsten Diamant verwandeln werde; sah er in der Ferne die Kuppel einer Moschee wie Feuer strahlen, sah er einen See wie einen Spiegel blinken, so eilte er voll Freude darauf zu; denn er dachte, in einem Zauberland angekommen zu sein. Aber ach! Jene Trugbilder verschwanden in der Nähe, und nur allzubald erinnerte ihn seine Müdigkeit und sein vor Hunger knurrender Magen, daß er noch im Lande der Sterblichen sich befinde. So war er zwei Tage gereist unter Hunger und Kummer und verzweifelte, sein Glück zu finden; die Früchte des Feldes waren seine einzige Nahrung, die harte Erde sein Nachtlager. Am Morgen des dritten Tages erblickte er von einer Anhöhe eine große Stadt. Hell leuchtete der Halbmond auf ihren Zinnen, bunte Fahnen schimmerten auf den Dächern und  schienen den kleinen Muck zu sich herzuwinken. Überrascht stand er stille und betrachtete Stadt und Gegend. »Ja, dort wird Klein-Muck sein Glück finden«, sprach er zu sich und machte trotz seiner Müdigkeit einen Luftsprung, »dort oder nirgends.« Er raffte alle seine Kräfte zusammen und schritt auf die Stadt zu. Aber obgleich sie ganz nahe schien, konnte er sie doch erst gegen Mittag erreichen; denn seine kleinen Glieder versagten ihm beinahe gänzlich den Dienst, und er mußte sich oft in den Schatten einer Palme setzen, um auszuruhen. Endlich war er an dem Tor der Stadt angelangt. Er legte sein Mäntelein zurecht, band den Turban schöner um, zog den Gürtel noch breiter an und steckte den langen Dolch schiefer; dann wischte  er den Staub von den Schuhen, ergriff sein Stöcklein und ging mutig zum Tor hinein.

Er war schon einige Straßen durchwandert; aber nirgends öffnete sich ihm die Türe, nirgends rief man, wie er sich vorgestellt hatte: »Kleiner Muck, komm herein und iß und trink und laß deine Füßlein ausruhen!«

Er schaute gerade auch wieder recht sehnsüchtig an einem großen, schönen Haus hinauf; da öffnete sich ein Fenster, eine alte Frau schaute heraus und rief mit singender Stimme:

»Herbei, herbei!
Gekocht ist der Brei,
Den Tisch ließ ich decken,
Drum laßt es euch schmecken!
Ihr Nachbarn, herbei!
Gekocht ist der Brei.«

Die Türe des Hauses öffnete sich, und Muck sah viele Hunde und Katzen hineingehen. Er stand einige Augenblicke in Zweifel, ob er der Einladung folgen solle; endlich aber faßte er sich ein Herz und ging in das Haus. Vor ihm her gingen ein paar junge Kätzlein, und er beschloß, ihnen zu folgen, weil sie vielleicht die Küche besser wüßten als er. Als Muck die Treppe hinaufgestiegen war, begegnete er jener alten Frau, die zum Fenster herausgeschaut hatte. Sie sah ihn mürrisch an und fragte nach seinem Begehr. »Du hast ja jedermann zu deinem Brei eingeladen«, antwortete der kleine Muck, »und weil ich so gar hungrig bin, bin ich auch gekommen.« Die Alte lachte und sprach: »Woher kommst du denn, wunderlicher Gesell? Die ganze Stadt weiß, daß ich für niemand koche als für meine lieben Katzen, und hie und da lade ich ihnen Gesellschaft aus der Nachbarschaft ein, wie du siehest.« Der kleine Muck erzählte der alten Frau, wie es ihm nach seines Vaters Tod so hart ergangen sei, und bat sie, ihn heute mit ihren Katzen speisen zu lassen. Die Frau, welcher die treuherzige Erzählung des Kleinen wohl gefiel, erlaubte ihm, ihr Gast zu sein, und gab ihm reichlich zu essen und zu trinken. Als er gesättigt und gestärkt war, betrachtete ihn die Frau lange und sagte dann: »Kleiner Muck, bleibe bei mir in meinem Dienste! Du hast geringe Mühe und sollst gut gehalten sein.« Der kleine Muck, dem der Katzenbrei geschmeckt hatte, willigte ein und wurde also der Bediente der Frau Ahavzi. Er hatte einen leichten, aber sonderbaren Dienst. Frau Ahavzi hatte nämlich zwei Kater und vier Katzen; diesen mußte der kleine Muck alle Morgen den Pelz kämmen und mit köstlichen Salben einreiben; wenn die Frau ausging, mußte er auf die Katzen Achtung geben; wenn sie aßen, mußte er ihnen die Schüsseln vorlegen, und nachts mußte er sie auf seidene Polster legen und sie mit samtenen Decken einhüllen. Auch waren noch einige kleine Hunde im Haus, die er bedienen mußte; doch wurde mit diesen nicht so viele Umstände gemacht wie mit den Katzen, welche Frau

Ahavzi wie ihre eigenen Kinder hielt. Übrigens führte Muck ein so einsames Leben wie in seines Vaters Haus; denn außer der Frau sah er den ganzen Tag nur Hunde und Katzen. Eine Zeitlang ging es dem kleinen Muck ganz gut; er hatte immer zu essen und wenig zu arbeiten, und die alte Frau schien recht zufrieden mit ihm zu sein; aber nach und nach wurden die Katzen unartig; wenn die Alte ausgegangen war, sprangen sie wie besessen in den Zimmern umher, warfen alles durcheinander und zerbrachen manches schöne Geschirr, das ihnen im Weg stand. Wenn sie aber die Frau die Treppe heraufkommen hörten, verkrochen sie sich auf ihre Polster und wedelten ihr mit den Schwänzen entgegen, wie wenn nichts geschehen wäre. Die Frau Ahavzi geriet dann in Zorn, wenn sie ihre Zimmer so verwüstet sah, und schob alles auf Muck; er mochte seine Unschuld beteuern, wie er wollte, sie glaubte ihren Katzen, die so unschuldig aussahen, mehr als ihrem Diener.

Der kleine Muck war sehr traurig, daß er also auch hier sein Glück nicht gefunden habe, und beschloß bei sich, den Dienst der Frau Ahavzi zu verlassen. Da er aber auf seiner ersten Reise erfahren hatte, wie schlecht man ohne Geld lebt, so beschloß er, den Lohn, den ihm seine Gebieterin immer versprochen, aber nie gegeben hatte, sich auf irgendeine Art zu verschaffen. Es befand sich in diesem Hause der Frau Ahavzi ein Zimmer, das immer verschlossen war und dessen Inneres er nie gesehen hatte. Doch hatte er die Frau oft darin rumoren gehört, und er hätte oft für sein Leben gern gewußt, was sie dort versteckt habe. Als er nun an sein Reisegeld dachte, fiel ihm ein, daß dort die Schätze der Frau versteckt sein könnten. Aber immer war die Türe fest verschlossen, und er konnte daher den Schätzen nie beikommen.

Eines Morgens, als die Frau Ahavzi ausgegangen war, zupfte ihn eines der Hundlein, welches von der Frau immer sehr stiefmütterlich behandelt wurde, dessen Gunst er sich aber durch allerlei Liebesdienste in hohem Grade erworben hatte, an seinen weiten Beinkleidern und gebärdete sich dabei, wie wenn Muck ihm folgen sollte. Muck, welcher gerne mit den Hunden spielte, folgte ihm, und siehe da, das Hundlein führte ihn in die Schlafkammer der Frau Ahavzi vor eine kleine Türe, die er nie zuvor dort bemerkt hatte. Die Türe war halb offen. Das Hundlein ging hinein, und Muck folgte ihm, und wie freudig war er überrascht, als er sah, daß er sich in dem Gemach befinde, das schon lange das Ziel seiner Wünsche war. Er spähte überall umher, ob er kein Geld finden könnte, fand aber nichts. Nur alte Kleider und wunderlich geformte Geschirre standen umher. Eines dieser Geschirre zog seine besondere Aufmerksamkeit auf sich. Es war von Kristall, und schöne Figuren waren darauf ausgeschnitten. Er hob es auf und drehte es nach allen Seiten. Aber, o Schrecken! Er hatte nicht bemerkt, daß es einen Deckel hatte, der nur leicht darauf hingesetzt war. Der Deckel fiel herab und zerbrach in tausend Stücken.

Lange stand der kleine Muck vor Schrecken leblos. Jetzt war sein Schicksal entschieden, jetzt mußte er entfliehen, sonst schlug ihn die Alte tot. Sogleich war auch seine Reise beschlossen, und nur noch einmal wollte er sich umschauen, ob er nichts von den Habseligkeiten der Frau Ahavzi zu seinem Marsch brauchen könnte. Da fielen ihm ein Paar mächtig große Pantoffel ins Auge; sie waren zwar nicht schön; aber seine eigenen konnten keine Reise mehr mitmachen; auch zogen ihn jene wegen ihrer Größe an; denn hatte er diese am Fuß, so mußten ihm hoffentlich alle Leute ansehen, daß er die Kinderschuhe vertreten habe. Er zog also schnell seine Töffelein aus und fuhr in die großen hinein. Ein Spazierstöcklein mit einem schön geschnittenen Löwenkopf schien ihm auch hier allzu müßig in der Ecke zu stehen; er nahm es also mit und eilte zum Zimmer hinaus. Schnell ging er jetzt auf seine Kammer, zog sein Mäntelein an, setzte den väterlichen Turban auf, steckte den Dolch in den Gürtel und lief, so schnell ihn seine Füße trugen, zum Haus und zur Stadt hinaus. Vor der Stadt lief er, aus Angst vor der Alten, immer weiter fort, bis er vor Müdigkeit beinahe nicht mehr konnte. So schnell war er in seinem Leben nicht gegangen; ja, es schien ihm, als könne er gar nicht aufhören zu rennen; denn eine unsichtbare Gewalt schien ihn fortzureißen. Endlich bemerkte er, daß es mit den Pantoffeln eine eigene Bewandtnis haben müsse; denn diese schossen immer fort und führten ihn mit sich. Er versuchte auf allerlei Weise stillzustehen; aber es wollte nicht gelingen; da rief er in der höchsten Not, wie man den Pferden zuruft, sich selbst zu: »Oh, – oh, halt, oh!« Da hielten die Pantoffeln, und Muck warf sich erschöpft auf die Erde nieder.

Die Pantoffeln freuten ihn ungemein. So hatte er sich denn doch durch seine Verdienste etwas erworben, das ihm in der Welt auf seinem Weg, das Glück zu suchen, forthelfen konnte. Er schlief trotz seiner Freude vor Erschöpfung ein; denn das Körperlein des kleinen Muck, das einen so schweren Kopf zu tragen hatte, konnte nicht viel aushalten. Im Traum erschien ihm das Hundlein, welches ihm im Hause der Frau Ahavzi zu den Pantoffeln verholfen hatte, und sprach zu ihm: »Lieber

Muck, du verstehst den Gebrauch der Pantoffeln noch nicht recht; wisse, daß wenn du dich in ihnen dreimal auf dem Absatz herumdrehst, so kannst du hinfliegen, wohin du nur willst, und mit dem Stöcklein kannst du Schätze finden; denn wo Gold vergraben ist, da wird es dreimal auf die Erde schlagen, bei Silber zweimal.« So träumte der kleine Muck. Als er aber aufwachte, dachte er über den wunderbaren Traum nach und beschloß, alsbald einen Versuch zu machen. Er zog die Pantoffeln an, lupfte einen Fuß und begann sich auf dem Absatz umzudrehen. Wer es aber jemals versucht hat, in einem ungeheuer weiten Pantoffeln dieses Kunststück dreimal hintereinander zu machen, der wird sich nicht wundern, wenn es dem kleinen Muck nicht gleich glückte, besonders wenn man bedenkt, daß ihn sein schwerer Kopf bald auf diese, bald auf jene Seite hinüberzog.

Der arme Kleine fiel einigemal tüchtig auf die Nase; doch ließ er sich nicht abschrecken, den Versuch zu wiederholen, und endlich glückte es. Wie ein Rad fuhr er auf seinem Absatz herum, wünschte sich in die nächste große Stadt, und – die Pantoffeln ruderten hinauf in die Lüfte, liefen mit Windeseile durch die Wolken, und ehe sich der kleine Muck noch besinnen konnte, wie ihm geschah, befand er sich schon auf einem großen Marktplatz, wo viele Buden aufgeschlagen waren und unzählige Menschen geschäftig hin und her liefen. Er ging unter den Leuten hin und her, hielt es aber für ratsamer, sich in eine einsamere Straße zu begeben; denn auf dem Markt trat ihm bald da einer auf die Pantoffeln, daß er beinahe umfiel, bald stieß er mit seinem weithinausstehenden Dolch einen oder den andern an, daß er mit Mühe den Schlägen entging.

Der kleine Muck bedachte nun ernstlich, was er wohl anfangen könnte, um sich ein Stück Geld zu verdienen. Er hatte zwar ein Stäblein, das ihm verborgene Schätze anzeigte; aber wo sollte er gleich einen Platz finden, wo Gold oder Silber vergraben wäre? Auch hätte er sich zur Not für Geld sehen lassen können; aber dazu war er doch zu stolz. Endlich fiel ihm die Schnelligkeit seiner Füße ein. Vielleicht, dachte er, können mir meine Pantoffeln Unterhalt gewähren, und er beschloß, sich als Schnelläufer zu verdingen. Da er aber hoffen durfte, daß der König dieser Stadt solche Dienste am besten bezahle, so erfragte er den Palast. Unter dem Tor des Palastes stand eine Wache, die ihn fragte, was er hier zu suchen habe. Auf seine Antwort, daß er einen Dienst suche, wies man ihn zum Aufseher der Sklaven. Diesem trug er sein Anliegen vor und bat ihn, ihm einen Dienst unter den königlichen Boten zu besorgen. Der Aufseher maß ihn mit seinen Augen von Kopf bis zu den Füßen und sprach: »Wie, mit deinen Füßlein, die kaum so lang als eine Spanne sind, willst du königlicher Schnelläufer werden? Hebe dich weg! Ich bin nicht dazu da, mit jedem Narren Kurzweil zu machen.« Der kleine Muck versicherte ihm aber, daß es ihm vollkommen ernst sei mit seinem Antrag und daß er es mit dem Schnellsten auf eine Wette ankommen lassen wollte.

Dem Aufseher kam die Sache gar lächerlich vor. Er befahl ihm, sich bis auf den Abend zu einem Wettlauf bereit zu halten, führte ihn in die Küche und sorgte dafür, daß ihm gehörig Speis und Trank gereicht wurde. Er selbst aber begab sich zum König und erzählte ihm vom kleinen Muck und seinem Anerbieten. Der König war ein lustiger Herr; daher gefiel es ihm wohl, daß der Aufseher der Sklaven den kleinen Menschen zu einem Spaß behalten habe. Er befahl ihm, auf einer großen Wiese hinter dem Schloß Anstalten zu treffen, daß das Wettlaufen mit Bequemlichkeit von seinem ganzen Hofstaat könnte gesehen werden, und empfahl ihm nochmals, große Sorgfalt für den Zwerg zu haben. Der König erzählte seinen Prinzen und Prinzessinnen, was sie diesen Abend für ein Schauspiel haben werden; diese erzählten es wieder ihren Dienern, und als der Abend herankam, war man in gespannter Erwartung, und alles, was Füße hatte, strömte hinaus auf die Wiese, wo Gerüste aufgeschlagen waren, um den großsprecherischen Zwerg laufen zu sehen.

Als der König und seine Söhne und Töchter auf dem Gerüst Platz genommen hatten, trat der kleine Muck heraus auf die Wiese und machte vor den hohen Herrschaften eine überaus zierliche Verbeugung. Ein allgemeines Freudengeschrei ertönte, als man den Kleinen ansichtig wurde; eine solche Figur hatte man dort noch nie gesehen. Das Körperlein mit dem mächtigen Kopf, das Mäntelein und die weiten Beinkleider, der lange Dolch in dem breiten Gürtel, die kleinen Füßlein in den weiten Pantoffeln – nein! es war zu drollig anzusehen, als daß man nicht hätte laut lachen sollen. Der kleine Muck ließ sich aber durch das Gelächter nicht irremachen. Er stellte sich stolz, auf sein Stöcklein gestützt, hin und erwartete seinen Gegner. Der Aufseher der Sklaven hatte nach Mucks eigenem Wunsche den besten Läufer ausgesucht. Dieser trat nun heraus, stellte sich neben den Kleinen, und beide harrten auf das Zeichen. Da winkte Prinzessin Amarza, wie es ausgemacht war, mit ihrem Schleier, und wie zwei Pfeile, auf dasselbe Ziel abgeschossen, flogen die beiden Wettläufer über die Wiese hin.

Von Anfang hatte Mucks Gegner einen bedeutenden Vorsprung; aber dieser jagte ihm auf seinem Pantoffelfuhrwerk nach, holte ihn ein, überfing ihn und stand längst am Ziele, als jener noch, nach Luft schnappend, daherlief. Verwunderung und Staunen fesselten einige Augenblicke die Zuschauer; als aber der König zuerst in die Hände klatschte, da jauchzte die Menge, und alle riefen: »Hoch lebe der kleine Muck, der Sieger im Wettlauf!«

Man hatte indes den kleinen Muck herbeigebracht; er warf sich vor dem König nieder und sprach: »Großmächtigster König, ich habe dir hier nur eine kleine Probe meiner Kunst gegeben; wolle nur gestatten, daß man mir eine Stelle unter deinen Läufern gebe!« Der König aber antwortete ihm: »Nein, du sollst mein Leibläufer und immer um meine Person sein, lieber Muck, jährlich sollst du hundert Goldstücke erhalten als Lohn, und an der Tafel meiner ersten Diener sollst du speisen.«

So glaubte denn Muck, endlich das Glück gefunden zu haben, das er so lange suchte, und war fröhlich und wohlgemut in seinem Herzen.

Auch erfreute er sich der besonderen Gnade des Königs; denn dieser gebrauchte ihn zu seinen schnellsten und geheimsten Sendungen, die er dann mit der größten Genauigkeit und mit unbegreiflicher Schnelle besorgte.

Aber die übrigen Diener des Königs waren ihm gar nicht zugetan, weil sie sich ungern durch einen Zwerg, der nichts verstand als schnell zu laufen, in der Gunst ihres Herrn zurückgesetzt sahen. Sie veranstalteten daher manche Verschwörung gegen ihn, um ihn zu stürzen; aber alle schlugen fehl an dem großen Zutrauen, das der König in seinen geheimen Oberleibläufer (denn zu dieser Würde hatte er es in so kurzer Zeit gebracht) setzte.

Muck, dem diese Bewegungen gegen ihn nicht entgingen, sann nicht auf Rache, dazu hatte er ein zu gutes Herz, nein, auf Mittel dachte er, sich bei seinen Feinden notwendig und beliebt zu machen. Da fiel ihm sein Stäblein, das er in seinem Glück außer acht gelassen hatte, ein; wenn er Schätze finde, dachte er, werden ihm die Herren schon geneigter werden. Er hatte schon oft gehört, daß der Vater des jetzigen Königs viele seiner Schätze vergraben habe, als der Feind sein Land überfallen; man sagte auch, er sei darüber gestorben, ohne daß er sein Geheimnis habe seinem Sohn mitteilen können.

Von nun an nahm Muck immer sein Stöcklein mit, in der Hoffnung, einmal an einem Ort vorüberzugehen, wo das Geld des alten Königs vergraben sei.

Eines Abends führte ihn der Zufall in einen entlegenen Teil des Schloßgartens, den er wenig besuchte, und plötzlich fühlte er das Stöcklein in seiner Hand zucken, und dreimal schlug es gegen den Boden. Nun wußte er schon, was dies zu bedeuten hatte. Er zog daher seinen Doch heraus, machte Zeichen in die umstehenden Bäume und schlich sich wieder in das Schloß; dort verschaffte er sich einen Spaten und wartete die Nacht zu seinem Unternehmen ab.

Das Schatzgraben selbst machte übrigens dem kleinen Muck mehr zu schaffen, als er geglaubt hatte.

Seine Arme waren gar zu schwach, seine Spaten aber groß und schwer; und er mochte wohl schon zwei Stunden gearbeitet haben, ehe er ein paar Fuß tief gegraben hatte. Endlich stieß er auf etwas Hartes, das wie Eisen klang. Er grub jetzt emsiger, und bald hatte er einen großen eisernen Deckel zutage gefördert; er stieg selbst in die Grube hinab, um nachzuspähen, was wohl der Deckel könnte bedeckt haben, und fand richtig einen großen Topf, mit Goldstücken angefüllt. Aber seine schwachen Kräfte reichten nicht hin, den Topf zu heben; daher steckte er in seine Beinkleider und seinen Gürtel, so viel er zu tragen vermochte, und auch seine Mäntelein füllte er damit, bedeckte das übrige wieder sorgfältig und lud es auf den Rücken. Aber wahrlich, wenn er die Pantoffeln nicht an den Füßen gehabt hätte, er wäre nicht vom Fleck gekommen, so zog ihn die Last des Goldes nieder. Doch unbemerkt kam er auf sein Zimmer und verwahrte dort sein Gold unter den Polstern seines Sofas.

Als der kleine Muck sich im Besitz so vielen Goldes sah, glaubte er, das Blatt werde sich jetzt wenden, und er werde sich unter seinen Feinden am Hofe viele Gönner und warme Anhänger erwerben. Aber schon daran konnte man erkennen, daß der gute Muck keine gar sorgfältige Erziehung genossen haben mußte, sonst hätte er sich wohl nicht einbilden können, durch Gold wahre Freunde zu gewinnen. Ach, daß er damals seine Pantoffel geschmiert und sich mit seinem Mäntelein voll Gold aus dem Staub gemacht hätte!

Das Gold, das der kleine Muck von jetzt an mit vollen Händen austeilte, erweckte den Neid der übrigen Hofbedienten. Der Küchenmeister Ahuli sagte: »Er ist ein Falschmünzer.« Der Sklavenaufseher Achmet sagte: »Er hat's dem König abgeschwatzt.« Archaz, der Schatzmeister aber, sein ärgster Feind, der selbst hie und da einen Griff in des Königs Kasse tun mochte, sagte geradezu: »Er hat's gestohlen.« Um nun in ihrer Sache gewiß zu sein, verabredeten sie sich, und der Obermundschenk Korchuz stellte sich eines Tages recht trau-

rig und niedergeschlagen vor den Augen des Königs. Er machte seine traurigen Gebärden so auffallend, daß ihn der König fragte, was ihm fehle. »Ach«, antwortete er, »ich bin traurig, daß ich die Gnade meines Herrn verloren habe.« »Was fabelst du, Freund Korchuz?« entgegnete ihm der König. »Seit wann hätte ich die Sonne meiner Gnade nicht über dich leuchten lassen?« Der Obermundschenk antwortete ihm, daß er ja den geheimen Oberleibläufer mit Gold belade, seinen armen, treuen Diener aber nichts gebe.

Der König war sehr erstaunt über diese Nachricht, ließ sich die Goldausteilungen des kleinen Muck erzählen, und die Verschworenen brachten ihm leicht den Verdacht bei, daß Muck auf irgendeine Art das Geld aus der Schatzkammer gestohlen habe. Sehr lieb war diese Wendung der Sache dem Schatzmeister, der ohnehin nicht gerne Rechnung ablegte. Der König gab daher den Befehl, heimlich auf alle Schritte des kleinen Muck achtzugeben, um ihn womöglich auf der Tat zu ertappen. Als nun in der Nacht, die auf diesen Unglückstag folgte, der kleine Muck, da er durch seine Freigebigkeit seine Kasse sehr erschöpft sah, den Spaten nahm und in den Schloßgarten schlich, um dort von seinem geheimen Schatze neuen Vorrat zu holen, folgten ihm von weitem die Wachen, von dem Küchenmeister Ahuli und Archaz, dem Schatzmeister, angeführt, und in dem Augenblick, da er das Gold aus dem Topf in sein Mäntelein legen wollte, fielen sie über ihn her, banden ihn und führten ihn sogleich vor den König. Dieser, den ohnehin die Unterbrechung seines Schlafes mürrisch gemacht hatte, empfing seinen armen geheimen Oberleib-läufer sehr ungnädig und stellte sogleich das Verhör über ihn an. Man hatte den Topf vollends aus der Erde gegraben und mit dem Spaten und mit dem Mäntelein voll Gold vor die Füße des Königs gesetzt. Der Schatzmeister sagte aus, daß er mit seinen Wachen den Muck überrascht habe, wie er diesen Topf mit Gold gerade in die Erde gegraben habe.

Der König befragte hierauf den Angeklagten, ob es wahr sei, und woher er das Gold, das er vergraben, bekommen habe?

Der kleine Muck, im Gefühl seiner Unschuld, sagte aus, daß er diesen Topf im Garten entdeckt habe, daß er ihn habe nicht *ein-*, sondern *aus*graben wollen.

Alle Anwesenden lachten laut über diese Entschuldigung; der König aber, auf höchste erzürnt über die vermeintliche Frechheit des Kleinen, rief aus: »Wie, Elender! Du willst deinen König so dumm und schändlich belügen, nachdem du ihn bestohlen hast? Schatzmeister Archaz! Ich fordere dich auf, zu sagen, ob du diese Summe Goldes für die nämliche erkennst, die in meinem Schatze fehlt?«

Der Schatzmeister aber antwortete, er sei seiner Sache ganz gewiß, so viel und noch mehr fehle seit einiger Zeit in dem königlichen Schatz, und er könnte einen Eid darauf ablegen, daß dies das Gestohlene sei.

Da befahl der König, den kleinen Muck in enge Ketten zu legen und in den Turm zu führen; dem Schatzmeister aber übergab er das Gold, um es wieder in den Schatz zu tragen. Vergnügt über den glücklichen Ausgang der Sache, zog dieser ab und zählte zu Haus die blinkenden Goldstücke; aber das hat dieser schlechte Mann niemals angezeigt, daß unten in dem Topf ein Zettel lag, der sagte: »*Der Feind hat mein*

Land überschwemmt, daher verberge ich hier einen Teil meiner
Schätze; wer es auch finden mag, den treffe der Fluch seines Königs,
wenn er es nicht sogleich meinem Sohne ausliefert! –
                                                    König Sadi.«

Der kleine Muck stellte in seinem Kerker traurige Betrachtungen an;
er wußte, daß auf Diebstahl an königlichen Sachen der Tod gesetzt
war, und doch mochte er das Geheimnis mit dem Stäbchen dem König
nicht verraten, weil er mit Recht fürchtete, dieses und seiner Pantoffel
beraubt zu werden. Seine Pantoffel konnten ihm leider auch keine
Hilfe bringen; denn da er in engen Ketten an die Mauer geschlossen
war, konnte er, so sehr er sich quälte, sich nicht auf dem Absatz umdrehen. Als ihm aber am andern Tage sein Tod angekündigt wurde, da
gedachte er doch, es sei besser, ohne das Zauberstäbchen zu leben, als
mit ihm zu sterben, ließ den König um geheimes Gehör bitten und
entdeckte ihm das Geheimnis. Der König maß von Anfang an seinem
Geständnis keinen Glauben bei; aber der kleine Muck versprach eine
Probe, wenn ihm der König zugestünde, daß er nicht getötet werden
solle. Der König gab ihm sein Wort darauf und ließ, von Muck unge-
sehen, einiges Gold in die Erde graben und befahl diesem, mit seinem
Stäbchen zu suchen. In wenigen Augenblicken hatte er es gefunden;
denn das Stäbchen schlug deutlich dreimal auf die Erde. Da merkte der
König, daß ihn sein Schatzmeister betrogen hatte, und sandte ihm,
wie es im Morgenland gebräuchlich ist, eine seidene Schnur, damit er
sich selbst erdroßle. Zum kleinen Muck aber sprach er: »Ich habe dir
zwar dein Leben versprochen; aber es scheint mir, als ob du nicht
allein dieses Geheimnis mit dem Stäbchen besitzest; darum bleibst du
in ewiger Gefangenschaft, wenn du nicht gestehst, was für eine Bewandtnis es mit deinem Schnellaufen hat.« Der kleine Muck, dem die
einzige Nacht im Turm alle Lust zu längerer Gefangenschaft genommen hatte, bekannte, daß seine ganze Kunst in den Pantoffeln liege,
doch belehrte er den König nicht das Geheimnis von dem dreimaligen
Umdrehen auf dem Absatz. Der König schlüpfte selbst in die Pantoffel, um die Probe zu machen, und jagte wie unsinnig im Garten umher;
oft wollte er anhalten; aber er wußte nicht, wie man die Pantoffel zum
Stehen brachte, und der kleine Muck, der diese kleine Rache sich
nicht versagen konnte, ließ ihn laufen, bis er ohnmächtig niederfiel.
Als der König wieder zur Besinnung zurückgekehrt war, war er

schrecklich aufgebracht über den kleinen Muck, der ihn so ganz außer Atem hatte laufen lassen. »Ich habe dir mein Wort gegeben, dir Freiheit und Leben zu schenken; aber innerhalb zwölf Stunden mußt du mein Land verlassen, sonst lasse ich dich aufknüpfen!« Die Pantoffel und das Stäbchen aber ließ er in seine Schatzkammer legen.

So arm als je wanderte der kleine Muck zum Land hinaus, seine Torheit verwünschend, die ihm vorgespiegelt hatte, er könne eine bedeutende Rolle am Hofe spielen. Das Land, aus dem er gejagt wurde, war zum Glück nicht groß; daher war er schon nach acht Stunden auf der Grenze, obgleich ihm das Gehen, da er an seine lieben Pantoffel gewöhnt war, sehr sauer ankam.

Als er über die Grenze war, verließ er die gewöhnliche Straße, um die dichteste Einöde der Wälder aufzusuchen und dort nur sich zu leben; denn er war allen Menschen gram. In einem dichten Walde traf er auf einen Platz, der ihm zu dem Entschluß, den er gefaßt hatte, ganz tauglich schien. Ein klarer Bach, von großen, schattigen Feigenbäumen umgeben, ein weicher Rasen luden ihn ein; hier warf er sich nieder mit dem Entschluß, keine Speise mehr zu sich zu nehmen, sondern hier den Tod zu erwarten. Über traurige Todesbetrachtungen schlief er ein; als er aber wieder aufwachte und der Hunger ihn zu quälen anfing, bedachte er doch, daß der Hungertod eine gefährliche Sache sei, und sah sich um, ob er nirgends etwas zu essen bekommen könnte.

Köstliche reife Feigen hingen an dem Baume, unter welchem er geschlafen hatte; er stieg hinauf, um sich einige zu pflücken, ließ es sich trefflich schmecken und ging dann hinunter an den Bach, um seinen Durst zu löschen. Aber wie groß war sein Schrecken, als ihm das Wasser seinen Kopf mit zwei gewaltigen Ohren und einer dicken, langen Nase geschmückt zeigte! Bestürzt griff er mit den Händen nach den Ohren, und wirklich, sie waren über eine halbe Elle lang.

»Ich verdiene Eselsohren!« rief er aus, »denn ich habe mein Glück wie ein Esel mit Füßen getreten.« – Er wanderte unter den Bäumen umher, und als er wieder Hunger fühlte, mußte er noch einmal zu den Feigen seine Zuflucht nehmen; denn sonst fand er nichts Eßbares an den Bäumen. Als ihm über der zweiten Portion Feigen einfiel, ob wohl seine Ohren nicht unter seinem großen Turban Platz hätten, damit er doch nicht gar zu lächerlich aussehe, fühlte er, daß seine Ohren verschwunden seien. Er lief gleich an den Bach zurück, um sich davon zu überzeugen, und wirklich, es war so, seine Ohren hatten ihre vorige Gestalt, seine lange, unförmliche Nase war nicht mehr. Jetzt merkte er aber, wie dies gekommen war; von dem ersten Feigenbaum hatte er die lange Nase und Ohren bekommen, der zweite hatte ihn geheilt; freudig erkannte er, daß sein gütiges Geschick ihm noch einmal die Mittel in die Hand gebe, glücklich zu sein. Er pflückte daher von jedem Baum, so viel er tragen konnte, und ging in das Land zurück, das er vor kurzem verlassen hatte. Dort machte er sich in dem ersten Städtchen durch andere Kleider ganz unkenntlich und ging dann weiter auf die Stadt zu, die jener König bewohnte, und kam auch bald dort an.

Es war gerade zu einer Jahreszeit, wo reife Früchte noch ziemlich selten waren; der kleine Muck setzte sich daher unter das Tor des Palastes; denn ihm war von früherer Zeit her wohl bekannt, daß hier solche Seltenheiten von dem Küchenmeister für die königliche Tafel eingekauft wurden. Muck hatte noch nicht lange gesessen, als er den Küchenmeister über den Hof herüberschreiten sah. Er musterte die Waren der Verkäufer, die sich am Tor des Palastes eingefunden hatten; endlich fiel sein Blick auch auf Mucks Körbchen. »Ah, ein seltener Bissen«, sagte er, »der Ihro Majestät gewiß behagen wird. Was willst du für den ganzen Korb?« Der kleine Muck bestimmte einen mäßigen Preis, und sie waren bald des Handels einig. Der Küchenmeister übergab den Korb einem Sklaven und ging weiter; der kleine Muck aber machte sich einstweilen aus dem Staub, weil er befürchtete, wenn sich das Unglück an den Köpfen des Hofes zeigte, möchte man ihn als Verkäufer aufsuchen und bestrafen.

Der König war über Tisch sehr heiter gestimmt und sagte seinem Küchenmeister ein Mal über das andere Lobsprüche wegen seiner guten Küche und der Sorgfalt, mit der er immer das Seltenste für ihn aussuche; der Küchenmeister aber, welcher wohl wußte, welchen Leckerbissen er noch im Hintergrund habe, schmunzelte gar freundlich und ließ nur einzelne Worte fallen, als: »Es ist noch nicht aller Tage Abend«, oder »Ende gut, alles gut«, so daß die Prinzessinnen sehr neugierig wurden, was er wohl noch bringen werde. Als er aber die schönen, einladenden Feigen aufsetzen ließ, da entfloh ein allgemeines Ah dem Munde der Anwesenden. »Wie reif, wie appetitlich!« rief der König. »Küchenmeister, du bist ein ganzer Kerl und verdienst unsere ganz besondere Gnade!«

Also sprechend, teilte der König, der mit solchen Leckerbissen sehr sparsam zu sein pflegte, mit eigener Hand die Feigen an seiner Tafel aus. Jeder Prinz und jede Prinzessin bekam zwei, die Hofdamen und

die Wesire und Agas eine, die übrigen stellte er vor sich hin und begann
mit großen Behagen sie zu verschlingen.

»Aber, lieber Gott, wie siehst du so wunderlich aus, Vater?« rief auf
einmal die Prinzessin Amarza. Alle sahen den König erstaunt an; un-
geheure Ohren hingen ihm am Kopf, eine lange Nase zog sich über
sein Kinn herunter; auch sich selbst betrachteten sie untereinander
mit Staunen und Schrecken; alle waren mehr oder minder mit dem
sonderbaren Kopfputz geschmückt.

Man denke sich den Schrecken des Hofes! Man schickte sogleich nach
allen Ärzten der Stadt; sie kamen haufenweise, verordneten Pillen
und Mixturen; aber die Ohren und die Nasen blieben. Man operierte
einen der Prinzen; aber die Ohren wuchsen nach.

Muck hatte die ganze Geschichte in seinem Versteck, wohin er sich
zurückgezogen hatte, gehört und erkannte, daß es jetzt Zeit sei, zu
handeln. Er hatte sich schon vorher von dem aus den Feigen gelösten

Geld einen Anzug verschafft, der ihn als Gelehrten darstellen konnte; ein langer Bart aus Ziegenhaaren vollendete die Täuschung. Mit einem Säckchen voll Feigen wanderte er in den Palast des Königs und bot als fremder Arzt seine Hilfe an. Man war von Anfang sehr ungläubig; als aber der kleine Muck eine Feige einem der Prinzen zu essen gab und Ohren und Nase dadurch in den alten Zustand zurückbrachte, da wollte alles von dem fremden Arzte geheilt sein. Aber der König nahm ihn schweigend bei der Hand und führte ihn in sein Gemach; dort schloß er seine Türe auf, die in die Schatzkammer führte, und winkte Muck, ihm zu folgen. »Hier sind meine Schätze«, sprach der König, »wähle dir, was es auch sei, es soll dir gewährt werden, wenn du mich von diesem schmachvollen Übel befreist.« Das war süße Musik in des kleinen Muck Ohren; er hatte gleich beim Eintritt seine Pantoffel auf dem Boden stehen sehen, gleich daneben lag auch sein Stäbchen. Er ging nun umher in dem Saal, wie wenn er die Schätze des Königs bewundern wollte; kaum aber war er an seine Pantoffeln gekommen,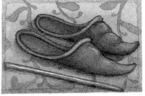
so schlüpfte er eilends hinein, ergriff sein Stäbchen, riß seinen falschen Bart herab und zeigte dem erstaunten König das wohlbekannte Gesicht seines verstoßenen Muck. »Treuloser König«, sprach er, »der du treue Dienste mit Undank lohnst, nimm als wohlverdiente Strafe die Mißgestalt, die du trägst. Die Ohren laß ich dir zurück, damit sie dich täglich erinnern an den kleinen Muck.« Als er so gesprochen hatte, drehte er sich schnell auf dem Absatz herum, wünschte sich weit hinweg, und ehe noch der König um Hilfe rufen konnte, war der kleine Muck entflohen. Seitdem lebt der kleine Muck hier in großem Wohlstand, aber einsam; denn er verachtet die Menschen. Er ist durch Erfahrung ein weiser Mann geworden, welcher, wenn auch sein Äußeres etwas Auffallendes haben mag, deine Bewunderung mehr als deinen Spott verdient.

So erzählte mir mein Vater. Ich bezeugte ihm meine Reue über mein rohes Betragen gegen den guten kleinen Mann, und mein Vater schenkte mir die andere Hälfte der Strafe, die er mir zugedacht hatte. Ich erzählte meinen Kameraden die wunderbaren Schicksale des Kleinen, und wir gewannen ihn so lieb, daß ihn keiner mehr schimpfte. Im Gegenteil, wir ehrten ihn, solange er lebte, und haben uns vor ihm immer so tief als vor Kadi und Mufti gebückt. *Wilhelm Hauff*

Der Schmied von Jüterbog

Im Städtlein Jüterbog hat einmal ein Schmied gelebt, von dem erzählen sich Kinder und Alte ein wundersames Märlein. Es war dieser Schmied erst ein junger Bursche, der einen sehr strengen Vater hatte, aber treulich Gottes Gebote hielt. Er tat große Reisen und erlebte viele Abenteuer, dabei war er in seiner Kunst über alle Maßen geschickt und tüchtig. Er hatte eine Stahltinktur, die jeden Harnisch und Panzer undurchdringlich machte, welcher damit bestrichen wurde, und gesellte sich dem Heere Kaiser Friedrichs II. zu, wo er kaiserlicher Rüstmeister wurde und den Kriegszug nach Mailand und Apulien mitmachte. Dort eroberte er den Heer- und Bannerwagen der Stadt und kehrte endlich, nachdem der Kaiser gestorben war, mit vielem Reichtum in seine Heimat zurück. Er sah gute Tage, dann wieder böse, und wurde über hundert Jahre alt. Einst saß er in seinem Garten unter einem alten Birnbaum, da kam ein graues Männlein auf einem Esel geritten, das sich schon mehrmals als des Schmiedes Schutzgeist bewiesen hatte. Dieses Männchen herbergte bei dem Schmied und ließ den Esel beschlagen, was jener gern tat, ohne Lohn zu heischen. Darauf sagte das Männlein zu Peter, er solle drei Wünsche tun, aber dabei das Beste nicht vergessen. Da wünschte der Schmied, weil die Diebe ihm oft die Birnen gestohlen, es solle keiner, der auf den Birnbaum gestiegen, ohne seinen Willen wieder herunter können – und weil er auch in der Stube öfters bestohlen worden war, so wünschte er, es solle niemand ohne seine Erlaubnis in die Stube kommen können, es wäre denn durch das Schlüsselloch. Bei jedem dieser törichten Wünsche warnte das Männlein: »Vergiß das Beste nicht!« und da tat der Schmied den dritten Wunsch, sagend: »Das Beste ist ein guter Schnaps, so wünsche ich, daß diese Bulle niemals leer werde!« – »Deine Wünsche sind gewährt«, sprach das Männchen, strich noch über einige Stangen Eisen, die in der Schmiede lagen, mit der Hand, setzte sich auf seinen Esel und ritt von dannen. Das Eisen war in blankes Silber verwandelt. Der vorher arm gewordene Schmied war wieder reich und lebte fort und fort bei gutem Wohlsein, denn die nie versiegenden Magentropfen in der Bulle waren, ohne daß er es wußte, ein Lebenselixier. Endlich klopfte der Tod an, der ihn so lange vergessen zu haben schien; der Schmied war scheinbar auch gern bereitwillig, mit ihm zu gehen, und bat nur, ihm ein kleines Labsal zu vergönnen und ein paar Birnen von dem Baum zu holen, den er nicht selbst mehr besteigen könne aus großer Altersschwäche. Der Tod stieg auf den Baum, und der Schmied sprach: »Bleib droben!« denn er hatte Lust, noch länger zu leben. Der Tod fraß alle Birnen vom Baum, dann gingen seine Fasten an, und vor Hunger verzehrte er sich selbst mit Haut und Haar, daher er jetzt nur noch so ein scheußlich dürres Gerippe ist. Auf Erden aber starb niemand mehr, weder Mensch noch Tier, darüber entstand viel Unheil, und endlich ging der Schmied hin zu dem klappernden Tod und akkordierte mit ihm, daß er ihn fürder in Ruhe lasse, dann ließ er ihn los. Wütend floh der Tod von dannen und begann nun auf Erden aufzuräumen. Da er sich an dem Schmied nicht rächen konnte, so hetzte er ihm den Teufel auf den Hals, daß dieser ihn hole. Dieser machte sich flugs auf den Weg, aber der pfiffige Schmied roch den Schwefel voraus, schloß seine Türe zu, hielt mit den Gesellen einen ledernen Sack an das Schlüsselloch, und wie Herr Urian hindurchfuhr, da er nicht anders in die Schmiede konnte, wurde der Sack zugebunden, zum Amboß getragen, und nun ganz unbarmherziglich mit den schwersten Hämmern auf den Teufel losgepocht, daß ihm Hören und Sehen verging, daß er ganz mürbe wurde und das Wiederkommen auf immer verschwor. Nun lebte der Schmied noch gar lange Zeit in Ruhe, bis er, wie alle Freunde und Bekannte ihm gestorben waren, des Erdenlebens satt und müde wurde. Machte sich deshalb auf den Weg und ging nach dem Himmel, wo er bescheidentlich am Tore anklopfte. Da schaute der heilige Petrus herfür, und Peter der Schmied erkannte in ihm seinen Schutzpatron und Schutzgeist, der ihn oft aus Not und Gefahr sichtbarlich errettet und ihm zuletzt die drei Wünsche gewährt hatte. Jetzt aber sprach Petrus: »Hebe dich weg, der Himmel bleibt dir verschlossen; du hast das Beste zu erbitten vergessen: die Seligkeit!« – Auf diesen Bescheid wandte sich Peter und gedachte sein Heil in der Hölle zu versuchen und wanderte wieder abwärts, fand auch bald den rechten, breiten und vielbegangenen Weg. Wie aber der Teufel erfuhr, daß der Schmied von Jüterbog im Anzuge sei, schlug er das Höllentor ihm vor der Nase zu und setzte die Hölle gegen ihn in Verteidigungsstand. Da nun der Schmied von Jüterbog weder im Himmel noch in der Hölle seine Zuflucht fand und auf Erden es ihm nimmer gefallen wollte, so ist er hinab in den Kyffhäuser gegangen zu Kaiser Friedrichen, dem er einst gedient. Der alte Kaiser, sein Herr, freute sich, als er seinen Rüstmeister Peter kommen sah, und fragte ihn gleich, ob die Raben noch um den Turm der Burgruine Kyffhausen flögen? Und als Peter das bejahte, so seufzte der Rotbart. Der Schmied aber blieb im Berge, wo er des Kaisers Handpferd und die Pferde der Prinzessin und die der reitenden Fräulein beschlägt, bis des Kaisers Erlösungsstunde auch ihm schlagen wird. – Und das wird geschehen nach dem Munde der Sage, wenn dereinst die Raben nicht mehr um den Berg fliegen und auf dem Ratsfeld nahe dem Kyffhäuser ein alter dürrer abgestorbener Birnbaum wieder ausschlägt, grünt und blüht. Dann tritt der Kaiser hervor mit all seinen Wappnern, schlägt die große Schlacht der Befreiung und hängt seinen Schild an den wieder grünen Baum. Hierauf geht er ein mit seinem Gesinde zu der ewigen Ruhe.   *Ludwig Bechstein*

Der kleine Däumling

Es war einmal ein armer Korbmacher, der hatte mit seiner Frau sieben Jungen, da war immer einer kleiner als der andere, und der jüngste war bei seiner Geburt nicht viel über Fingers Länge, daher nannte man ihn Däumling. Zwar ist er hernach noch etwas gewachsen, doch nicht gar zu sehr, und den Namen Däumling hat er behalten. Doch war es ein gar kluger und pfiffiger kleiner Knirps, der an Gewandtheit und Schlauheit seine Brüder alle in den Sack steckte.

Den Eltern ging es erst gar übel, denn Korbmachen und Strohflechten ist keine so nahrhafte Profession wie Semmelbacken und Kälberschlachten, und als vollends eine teure Zeit kam, wurde dem armen Korbmacher und seiner Frau himmelangst, wie sie ihre sieben Würmer satt machen sollten, die alle mit äußerst gutem Appetit gesegnet waren. Da beratschlagten eines Abends, als die Kinder zu Bette waren, die beiden Eltern miteinander, was sie anfangen wollten, und wurden Rates, die Kinder mit in den Wald zu nehmen, wo die Weiden wachsen, aus denen man Körbe flicht, und sie heimlich zu verlassen. Das alles hörte der Däumling an, der nicht schlief wie seine Brüder, und schrieb sich der Eltern übeln Ratschlag hinter die Ohren. Simulierte auch die ganze Nacht, da er vor Sorge doch kein Auge zutun konnte, wie er es machen sollte, sich und seinen Brüdern zu helfen.

Früh morgens lief der Däumling an den Bach, suchte die kleinen Taschen voll weiße Kiesel und ging wieder heim. Seinen Brüdern sagte er von dem, was er erhorcht hatte, kein Sterbenswörtchen. Nun machten sich die Eltern auf in den Wald, hießen die Kinder folgen, und der Däumling ließ ein Kieselsteinchen nach dem andern auf den Weg fallen, das sah niemand, weil er, als der jüngste, kleinste und schwächste, stets hintennach trottelte. Das wußten die Alten schon nicht anders.

Im Wald machten sich die Alten unvermerkt von den Kindern fort, und auf einmal waren sie weg. Als das die Kinder merkten, erhoben sie allzumal, Däumling ausgenommen, ein Zetergeschrei. Däumling lachte und sprach zu seinen Brüdern: »Heult und schreit nicht so jämmerlich! Wollen den Weg schon allein finden.« Und nun ging Däumling voran und nicht hinterdrein, und richtete sich genau nach den weißen Kieselsteinchen, fand auch den Weg ohne alle Mühe.

Als die Eltern heimkamen, bescherte ihnen Gott Geld ins Haus; eine alte Schuld, auf die sie nicht mehr gehofft hatten, wurde von einem Nachbar an sie abbezahlt, und nun wurden Eßwaren gekauft, daß sich der Tisch bog. Aber nun kam auch das Reuelein, daß die Kinder verstoßen worden waren, und die Frau begann erbärmlich zu lamentieren: »Ach du lieber, allerliebster Gott! Wenn wir doch die Kinder nicht im Wald gelassen hätten! Ach, jetzt könnten sie sich dicksatt essen, und so haben die Wölfe sie vielleicht schon im Magen! Ach, wären nur unsre liebsten Kinder da!« – »Mutter, da sind wir ja!« sprach ganz geruhig der kleine Däumling, der bereits mit seinen Brüdern vor der Türe angelangt war und die Wehklage gehört hatte; öffnete die Türe, und herein trippelten die kleinen Korbmacher – eins, zwei, drei, vier, fünf, sechs, sieben. Ihren guten Appetit hatten sie wieder mitgebracht, und daß der Tisch so reichlich gedeckt war, war ihnen ein gefundenes Essen. Die Herrlichkeit war groß, daß die Kinder wieder da waren, und es wurde, so lange das Geld reichte, in Freuden gelebt, dies ist armer Handarbeiter Gewohnheit.

Nicht gar lange währte es, so war in des Korbmachers Hütte Schmalhans wieder Küchenmeister, und ein Kellermeister mangelte ohnehin, und es erwachte aufs neue der Vorsatz, die Kinder im Walde ihrem Schicksal zu überlassen. Da der Plan wieder als lautes Abendgespräch zwischen Vater und Mutter verhandelt wurde, so hörte auch der kleine Däumling alles, das ganze Gespräch, Wort für Wort, und nahm sich's zu Herzen.

Am andern Morgen wollte Däumling abermals aus dem Häuschen schlüpfen, Kieselsteine aufzulesen, aber o weh, da war's verriegelt, und Däumling war viel zu klein, als daß er den Riegel hätte erreichen können, da gedachte er sich anders zu helfen. Wie es fort ging zum Walde, steckte Däumling Brot ein, und streute davon Krümchen auf den Weg, meinte, ihn dadurch wieder zu finden.

Alles begab sich wie das erstemal, nur mit dem Unterschied, daß Däumling den Heimweg nicht fand, dieweil die Vögel alle Krümchen rein aufgefressen hatten. Nun war guter Rat teuer, und die Brüder machten ein Geheul in dem Walde, daß es zum Steinerbarmen war. Dabei tappten sie durch den Wald, bis es ganz finster wurde, und fürchteten sich über die Maßen, bis auf Däumling, der schrie nicht und fürchtete sich nicht. Unter dem schirmenden Laubdach eines Baumes auf weichem Moos schliefen die sieben Brüder, und als es Tag war, stieg Däumling auf den Baum, die Gegend zu erkunden. Erst sah er nichts als eitel Waldbäume, dann aber entdeckte er das Dach eines kleinen Häuschens, merkte sich die Richtung, ruschte vom Baume herab und ging seinen Brüdern tapfer voran. Nach manchem Kampf mit Dickicht, Dornen und Disteln sahen alle das Häuschen durch die Büsche blicken und schritten gutes Mutes darauf los, klopften auch ganz bescheidentlich an der Türe an. Da trat eine Frau heraus, und Däumling bat gar schön, sie doch einzulassen, sie hätten sich verirrt und wüßten nicht wohin. Die Frau sagte: »Ach, ihr armen Kinder!« und ließ den Däumling mit seinen Brüdern eintreten, sagte ihnen aber auch gleich, daß sie im Hause des Menschenfressers wären, der besonders gern die kleinen Kinder fräße. Das war eine schöne Zuversicht! Die Kinder zitterten wie Espenlaub, als sie dieses hörten, hätten gern lieber selbst etwas zu essen gehabt und sollten nun statt dessen gegessen werden. Doch die Frau war gut und mitleidig, verbarg die Kinder und gab ihnen auch etwas zu essen. Bald darauf hörte man Tritte, und es klopfte stark an der Türe; das war kein andrer als der heimkehrende Menschenfresser. Dieser setzte sich an den Tisch zur Mahlzeit, ließ Wein auftragen und schnüffelte, als wenn er etwas

röche, dann rief er seiner Frau zu: »Ich wittre Menschenfleisch!« Die
Frau wollte es ihm ausreden, aber er ging seinem Geruch nach und
fand die Kinder. Die waren ganz hin vor Entsetzen. Schon wetzte er
sein langes Messer, die Kinder zu schlachten, und nur allmählich gab
er den Bitten seiner Frau nach, sie noch ein wenig am Leben zu lassen
und aufzufüttern, weil sie doch gar zu dürr seien, besonders der kleine
Däumling. So ließ der böse Mann und Kinderfresser sich endlich be-
schwichtigen. Die Kinder wurden zu Bette gebracht, und zwar in
derselben Kammer, wo ebenfalls in einem großen Bette Menschenfressers sieben Töchter schliefen, die so alt waren wie die sieben
Brüder. Sie waren von Angesicht sehr häßlich, jede hatte aber ein
goldenes Krönlein auf dem Haupte. Das alles war der Däumling gewahr geworden, machte sich ganz still aus dem Bette, nahm seine und
seiner Brüder Nachtmützen, setzte diese Menschenfressers Töchtern
auf und deren Krönlein sich und seinen Brüdern.
Der Menschenfresser trank viel Wein, und da kam ihn seine böse Lust
wieder an, die Kinder zu morden, nahm sein Messer und schlich sich
in die Schlafkammer, wo sie schliefen, willens, ihnen die Hälse abzu-

schneiden. Es war aber stockdunkel in der Kammer, und der Menschenfresser tappte blind umher, bis er an ein Bett stieß, und fühlte nach den Köpfen der darin Schlafenden. Da fühlte er die Krönchen und sprach: »Halt da! Das sind deine Töchter. Bald hättest du betrunkenes Schaf einen Eselsstreich gemacht!«

Nun tappelte er nach dem andern Bette, fühlte da die Nachtmützen und schnitt seinen sieben Töchtern die Hälse ab, einer nach der andern. Dann legte er sich nieder und schlief seinen Rausch aus. Wie der Däumling ihn schnarchen hörte, weckte er seine Brüder, schlich sich mit ihnen aus dem Hause und suchte das Weite. Aber wie sehr sie auch eilten, so wußten sie doch weder Weg noch Steg und liefen in der Irre umher voll Angst und Sorge, nach wie vor.

Als der Morgen kam, erwachte der Menschenfresser und sprach zu seiner Frau: »Geh und richte die Krabben zu, die gestrigen!« Sie meinte, sie sollte die Kinder nun wecken, und ging voll Angst um sie hinauf in die Kammer. Welch ein Schrecken für die Frau, als sie nun sah, was geschehen war; sie fiel gleich in Ohnmacht über diesen schrecklichen Anblick, den sie da hatte. Als sie nun dem Menschenfresser zu lange blieb, ging er selbst hinauf, und da sah er, was er angerichtet. Seine Wut, in die er geriet, ist nicht zu beschreiben. Jetzt zog er die Siebenmeilenstiefel an, die er hatte, das waren Stiefel, wenn man damit sieben Schritte tat, so war man eine Meile gegangen, das war nichts Kleines. Nicht lange, so sahen die sieben Brüder ihn von weitem über Berg und Täler schreiten und waren sehr in Sorgen, doch Däumling versteckte sich mit ihnen in die Höhlung eines großen Felsens. Als der Menschenfresser an diesen Felsen kam, setzte er sich darauf, um ein wenig zu ruhen, weil er müde geworden war, und bald schlief er ein und schnarchte, daß es war, als brause ein Sturmwind. Wie der Menschenfresser so schlief und schnarchte, schlich sich Däumling hervor wie ein Mäuschen aus seinem Loch und zog ihm die Meilenstiefel aus und zog sie selber an. Zum Glück hatten diese Stiefel die Eigenschaft, an jeden Fuß zu passen, wie angemessen und angegossen. Nun nahm er an jede Hand einen seiner Brüder, diese faßten wieder einander an den Händen, und so ging es, hast du nicht gesehen, mit Siebenmeilenstiefelschritten flugs nach Hause. Da waren sie alle willkommen, Däumling empfahl seinen Eltern ein sorglich Auge auf die Brüder zu haben, er wolle nun mit Hilfe der Stiefel schon selbst für sein Fortkommen sorgen, und als er das kaum gesagt, so tat er einen Schritt und war schon weit fort, noch einen, und er stand über eine halbe Stunde

auf einem Berg, noch einen, und er war den Eltern und Brüdern aus den Augen.

Nach der Hand hat der Däumling mit seinen Stiefeln sein Glück gemacht, und viele große und weite Reisen, hat vielen Herren gedient, und wenn es ihm wo nicht gefallen hat, ist er spornstreichs weitergegangen. Kein Verfolger zu Fuß noch zu Pferd konnte ihn einholen, und seine Abenteuer, die er mit Hilfe seiner Stiefeln bestand, sind nicht zu beschreiben.   *Ludwig Bechstein*

Der kleine Klaus und der große Klaus

In einem Dorfe wohnten zwei Männer, die beide denselben Namen hatten. Alle beide hießen sie Klaus, aber der eine besaß vier Pferde und der andere nur ein einziges Pferd. Um sie jedoch voneinander unterscheiden zu können, nannte man den, der vier Pferde hatte, den großen Klaus, und den, der nur ein einziges Pferd hatte, den kleinen Klaus. Nun werden wir hören, wie es den beiden erging, denn es ist eine wahre Geschichte.

Die ganze Woche hindurch mußte der kleine Klaus für den großen Klaus pflügen und ihm sein einziges Pferd leihen; dann half der große Klaus ihm wieder mit allen seinen vieren, aber nur einmal wöchentlich, und das war sonntags. Hussa, wie knallte der kleine Klaus mit seiner Peitsche über alle fünf Pferde; sie waren ja nun so gut wie sein für den einen Tag. Die Sonne schien so herrlich, und alle Glocken im Kirchturme läuteten zur Kirche; die Leute waren alle so geputzt und gingen mit dem Gesangbuch unter dem Arme, den Pastor predigen zu hören; und sie sahen den kleinen Klaus, der mit fünf Pferden pflügte; und er war so vergnügt, daß er wieder mit der Peitsche knallte und rief: »Hü, alle meine Pferde!«

»Das mußt du nicht sagen«, meinte der große Klaus; »dir gehört ja nur ein Pferd!«

Aber als wieder einer vorbei zur Kirche ging, vergaß der kleine Klaus, daß er es nicht sagen durfte, und rief: »Hü, alle meine Pferde!«

»Nun möchte ich dich doch sehr bitten, das bleiben zu lassen!« sagte der große Klaus; »denn sagst du es noch einmal, so schlage ich dein Pferd vor den Kopf, daß es auf der Stelle tot umfällt; dann ist es aus mit ihm!«

»Ich werde es ganz gewiß nicht mehr sagen!« versprach der kleine Klaus. Aber als dann Leute vorbeikamen und ihm guten Tag zunickten, wurde er so vergnügt und meinte, es sähe doch recht flott aus, daß er fünf Pferde habe, sein Feld zu pflügen; und er knallte mit der Peitsche und rief: »Hü, alle meine Pferde!«

»Ich werde deine Pferde hüen!« sagte der große Klaus, nahm eine Keule und schlug das einzige Pferd des kleinen Klaus vor den Kopf, so daß es umfiel und ganz tot war.

»Ach, nun habe ich gar kein Pferd mehr!« sagte der kleine Klaus und fing an zu weinen. Danach zog er dem Pferde die Haut ab und ließ sie gut im Winde trocknen, steckte sie dann in einen Sack, den er auf den Rücken nahm, und ging nach der Stadt, um seine Pferdehaut zu verkaufen.

Er hatte einen sehr weiten Weg vor sich und mußte durch einen großen dunklen Wald. Da zog ein furchtbares Unwetter herauf, und er verirrte sich. Ehe er wieder auf den rechten Weg kam, war es Abend und allzuweit, um zur Stadt oder wieder nach Hause zu gehen, bevor es Nacht wurde.

Dicht am Wege lag ein großer Bauernhof; die Fensterladen waren draußen vor den Fenstern geschlossen, aber das Licht konnte doch oben hindurchscheinen. Dort werde ich wohl die Nacht über bleiben dürfen, dachte der kleine Klaus und ging hin, um anzuklopfen.

Die Bauersfrau machte auf, aber als sie hörte, was er wollte, sagte sie, er solle seiner Wege gehen; ihr Mann sei nicht zu Hause, und sie nehme keinen Fremden auf.

»Nun, so muß ich draußen liegenbleiben«, sagte der kleine Klaus, und die Bauersfrau schlug ihm die Tür vor der Nase zu.

Dicht daneben stand ein großer Heuschober, und zwischen diesem und dem Hause war ein kleiner Schuppen mit einem flachen Strohdache gebaut.

»Da oben kann ich liegen!« dachte der kleine Klaus, als er das Dach sah; »das ist ja ein herrliches Bett. Der Storch fliegt wohl nicht herunter und beißt mich in die Beine.« Denn es stand ein lebendiger Storch oben auf dem Dache, wo er sein Nest hatte.

Nun kroch der kleine Klaus oben auf den Schuppen hinauf, wo er sich drehte und wendete, um recht gut zu liegen. Die hölzernen Laden vor den Fenstern schlossen oben nicht, und so konnte er gerade in die Stube hineinblicken.

Da war ein großer Tisch gedeckt, mit Wein und Braten und einem herrlichen Fisch darauf; die Bauersfrau und der Küster saßen bei Tische und sonst niemand weiter; sie schenkte ihm ein, und er fiel über den Fisch her, denn das war sein Leibgericht.

»Wer doch etwas davon abbekommen könnte!« dachte der kleine Klaus und reckte den Kopf gegen das Fenster. Gott, welchen herrlichen Kuchen sah er drinnen stehen! Ja, das war ein Fest!

Nun hörte er einen auf dem Landweg auf das Haus zugeritten kommen; das war der Mann der Bauersfrau, der nach Hause kam.

Es war ein sehr guter Mann, aber er hatte die wunderliche Krankheit, daß er keinen Küster sehen konnte; kam ihm ein Küster vor die Augen, so wurde er ganz rasend. Darum war der Küster auch hineingegangen, um der Frau guten Tag zu sagen, weil er wußte, daß der Mann nicht zu Hause war; und die gute Frau setzte ihm deshalb das herrlichste Essen vor, was sie hatte. Als sie aber den Mann kommen

hörten, erschraken sie sehr, und die Frau bat den Küster, in eine große leere Kiste hineinzukriechen, die hinten in der Ecke stand. Das tat er, denn er wußte ja, daß der arme Mann keinen Küster sehen konnte. Die Frau versteckte geschwind all das herrliche Essen und den Wein in ihrem Backofen; denn hätte der Mann das zu sehen bekommen, so hätte er sicher gefragt, was es zu bedeuten habe.

»Ach ja!« seufzte der kleine Klaus oben auf dem Schuppen, als er all das Essen verschwinden sah.

»Ist jemand dort oben?« fragte der Bauer und guckte zum kleinen Klaus hinauf. »Warum liegst du dort? Komm lieber mit in die Stube.« Nun erzählte der kleine Klaus, wie er sich verirrt hatte, und bat, die Nacht über bleiben zu dürfen.

»Ja gewiß!« sagte der Bauer; »aber wir müssen zuerst etwas zu leben haben!«

Die Frau empfing beide sehr freundlich, deckte einen langen Tisch und gab ihnen eine große Schüssel voll Grütze.

Der Bauer war hungrig und aß mit richtigem Appetit, aber der kleine Klaus mußte immerzu an den herrlichen Braten, Fisch und Kuchen denken, die er im Ofen stehen wußte.

Unter den Tisch zu seinen Füßen hatte er den Sack mit der Pferdehaut gelegt, denn wir wissen ja, daß er nur ausgegangen war, um sie in der Stadt zu verkaufen. Die Grütze wollte ihm gar nicht schmecken, und da trat er auf seinen Sack, und die trockene Haut im Sacke knarrte ganz laut.

»St!« sagte der kleine Klaus zu seinem Sacke, trat aber gleichzeitig wieder drauf, da knurrte es viel lauter als zuvor.

»Na, was hast du denn in deinem Sacke?« fragte der Bauer nun.

»Oh, das ist ein Zauberer!« sagte der kleine Klaus. »Er sagt, wir sollen keine Grütze essen, er habe den ganzen Ofen voll Braten, Fisch und Kuchen gehext.«

»Was denn!« sagte der Bauer und machte schnell den Ofen auf, wo er all die herrlichen Speisen erblickte, welche die Frau dort versteckt hatte, die aber, wie er glaubte, der Zauberer im Sacke für sie gehext hatte. Die Frau durfte nichts sagen, sondern setzte sogleich die Speisen auf den Tisch, und so aßen sie vom Fische, vom Braten und vom Kuchen. Nun trat der kleine Klaus wieder auf seinen Sack, daß die Haut knarrte.

»Was sagt er jetzt?« fragte der Bauer.

»Er sagt«, erwiderte der kleine Klaus, »daß er auch drei Flaschen Wein

261

für uns gehext hat; sie stehen da in der Ecke beim Ofen!« Nun mußte die Frau den Wein hervorholen, den sie versteckt hatte, und der Bauer trank und wurde sehr lustig! Einen solchen Zauberer, wie ihn der kleine Klaus im Sacke trug, hätte er doch gar zu gern gehabt.

»Kann er auch den Teufel hervorhexen?« fragte der Bauer; »ich möchte ihn wohl sehen, denn nun bin ich lustig!«

»Ja«, sagte der kleine Klaus, »mein Zauberer kann alles, was ich verlange. Nicht wahr, du?« fragte er und trat auf den Sack, daß es knarrte. »Hörst du, wie er ja sagt? Aber der Teufel sieht so häßlich aus; wir wollen ihn lieber nicht sehen!«

»Oh, mir ist gar nicht bange. Wie mag er wohl aussehen?«

»Ja, er wird sich ganz leibhaftig als ein Küster zeigen!«

»Hu!« sagte der Bauer, »das ist häßlich! Ihr müßt wissen, ich mag keinen Küster sehen! Aber es tut nichts; ich weiß ja, daß es der Teufel ist; so werde ich mich wohl leichter dareinfinden! Nun habe ich Mut! Aber er darf mir nicht zu nahe kommen.«

»Nun, ich werde meinen Zauberer fragen«, sagte der kleine Klaus, trat auf den Sack und hielt sein Ohr hin.

»Was sagt er?«

»Er sagt, Ihr könnt hingehen und die Kiste aufmachen, die dort in der Ecke steht, dann werdet Ihr den Teufel sehen, wie er darin hockt; aber Ihr müßt den Deckel halten, daß er nicht entwischt.«

»Wollt Ihr mir helfen, ihn zu halten?« bat der Bauer und ging zu der Kiste hin, wo die Frau den wirklichen Küster versteckt hatte, der darin saß und sich sehr fürchtete.

Der Bauer hob den Deckel ein wenig und guckte darunter.

»Hu!« schrie er und sprang zurück. »Ja, nun habe ich ihn gesehen; er sah ganz aus wie unser Küster. Nein, das war schrecklich.«

Darauf mußte getrunken werden, und so tranken sie noch bis in die tiefe Nacht hinein.

»Den Zauberer mußt du mir verkaufen«, sagte der Bauer. »Verlange dafür, was du willst! Ja, ich gebe dir sogleich einen ganzen Scheffel Geld!«

»Nein, das kann ich nicht!« sagte der kleine Klaus. »Bedenke doch, wieviel Nutzen ich von diesem Zauberer haben kann!«

»Ach, ich möchte ihn schrecklich gern haben!« sagte der Bauer und fuhr fort zu bitten.

»Ja«, sagte der kleine Klaus zuletzt; »da du so gut gewesen bist, mir diese Nacht Obdach zu geben, so mag es darum sein. Du sollst den

Zauberer für einen Scheffel Geld haben; aber der Scheffel muß gehäuft voll sein.«

»Das sollst du bekommen«, sagte der Bauer. »Aber die Kiste dort mußt du mit dir nehmen; ich will sie nicht eine Stunde im Hause behalten; man kann nicht wissen, ob er noch darinsitzt.«

Der kleine Klaus gab dem Bauern seinen Sack mit der trocknen Haut darin und bekam dafür einen ganzen Scheffel Geld, und zwar gehäuft gemessen. Der Bauer schenkte ihm sogar noch einen großen Schubkarren, um das Geld und die Kiste darauf fortzufahren.

»Leb wohl!« sagte der kleine Klaus, und so fuhr er mit seinem Gelde und der großen Kiste, worin noch der Küster saß, davon.

Auf der andern Seite des Waldes war ein großer, tiefer Fluß; das Wasser floß so reißend dahin, daß man kaum gegen den Strom schwimmen konnte; man hatte eine große neue Brücke darübergeschlagen; der kleine Klaus hielt mitten darauf an und sagte ganz laut, damit der Küster in der Kiste es hören konnte: »Nein, was soll ich nur mit der dummen Kiste? Sie ist so schwer, als ob Steine darin wären! Ich werde nur müde davon, wenn ich sie weiterfahre; ich will sie deshalb in den Fluß werfen; schwimmt sie zu mir nach Hause, so ist es gut, und tut sie es nicht, so macht es auch nichts.«

Nun faßte er die Kiste mit der einen Hand an und hob sie ein wenig auf, gerade als ob er sie in das Wasser stürzen wollte.

»Nein, laß das sein!« rief der Küster in der Kiste. »Laß mich erst heraus!«

»Hu!« sagte der kleine Klaus und tat, als fürchte er sich. »Er sitzt noch darin! Da muß ich ihn geschwind in den Fluß werfen, damit er ertrinken muß!«

»O nein, o nein!« rief der Küster. »Ich will dir einen ganzen Scheffel Geld geben, wenn du es sein läßt!«

»Ja, das ist etwas anderes!« sagte der kleine Klaus und machte die Kiste auf. Der Küster kroch schnell heraus, stieß die leere Kiste ins Wasser und ging nach seinem Hause, wo der kleine Klaus einen ganzen Scheffel Geld bekam; einen hatte er ja schon von dem Bauern bekommen, nun hatte er also seinen ganzen Schubkarren voll Geld.

»Sieh, da Pferd bekam ich ganz gut bezahlt!« sagte er zu sich selbst, als er nach Hause in seine eigene Stube trat und alles Geld auf einen Berg mitten auf dem Fußboden ausschüttete. »Es wird den großen Klaus ärgern, wenn er erfährt, wie reich ich durch mein einziges Pferd geworden bin; aber ich will es ihm doch nicht so geradeheraus sagen!« Nun schickte er einen Jungen zum großen Klaus, um sich ein Scheffelmaß zu leihen.

»Was mag er wohl damit wollen?« dachte der große Klaus und schmierte Teer unter den Boden, damit von dem, was gemessen würde, etwas hängenbliebe. Und das tat es auch; denn als er das Scheffelmaß zurückbekam, hingen drei neue silberne Achtschillingstücke daran.

»Was ist das?« sagte der große Klaus und lief sogleich zu dem kleinen. »Wo hast du denn das viele Geld herbekommen?«

»Oh, das ist für meine Pferdehaut; ich verkaufte sie gestern abend!«

»Das war wahrlich gut bezahlt!« sagte der große Klaus, lief geschwind nach Hause, nahm eine Axt, schlug seine vier Pferde vor den Kopf, zog ihnen die Haut ab und fuhr damit zur Stadt.

»Häute! Häute! Wer will Häute kaufen!« rief er durch die Straßen. Alle Schuhmacher und Gerber kamen gelaufen und fragten, was er dafür haben wolle.

»Einen Scheffel Geld für jede«, sagte der große Klaus.

»Bist du toll?« riefen alle. »Glaubst du, wir hätten das Geld scheffelweise?«

»Häute, Häute! Wer will Häute kaufen!« rief er wieder, aber all denen, die ihn fragten, was die Häute kosten sollten, antwortete er: »Einen Scheffel Geld.«

»Er will uns zum Narren halten!« sagten alle, und da nahmen die Schuhmacher ihre Spannriemen und die Gerber ihre Schurzfelle und fingen an, auf den großen Klaus loszuprügeln.

»Häute, Häute!« höhnten sie ihm nach; »ja, wir wollen dir die Haut gerben, daß sie grün und blau wird. Hinaus aus der Stadt mit ihm!« riefen sie, und der große Klaus mußte sich sputen, was er nur konnte, denn so war er noch nie durchgeprügelt worden.

»Na!« sagte er, als er nach Hause kam, »das werde ich dem kleinen Klaus heimzahlen! Ich schlage ihn dafür tot!«

Jedoch zu Hause beim kleinen Klaus war die alte Großmutter gestorben. Sie war freilich recht böse und schlimm gegen ihn gewesen, aber er war doch ganz betrübt und nahm die tote Frau und legte sie in sein warmes Bett, um zu sehen, ob sie nicht ins Leben zurückkehre. Da sollte sie die ganze Nacht liegen; er selbst wollte in einem Winkel sitzen und auf einem Stuhl schlafen; das hatte er schon früher getan.

Als er nun in der Nacht dasaß, ging die Tür auf, und der große Klaus kam mit seiner Axt herein.

Er wußte wohl, wo das Bett des kleinen Klaus stand, ging gerade darauf los und schlug dann die alte Großmutter vor den Kopf, denn er glaubte, es sei der kleine Klaus.

»Siehst du!« sagte er. »Nun sollst du mich nicht mehr zum besten haben!« Und dann ging er wieder nach Hause.

»Das ist doch ein böser, schlimmer Mann!« dachte der kleine Klaus. »Da wollte er mich totschlagen! Es war doch gut für die alte Großmutter, daß sie schon tot war, sonst hätte er ihr das Leben genommen!«

Nun legte er der alten Großmutter Sonntagskleider an, lieh sich von seinem Nachbarn ein Pferd, spannte es vor den Wagen und setzte die alte Großmutter auf den hintersten Sitz, daß sie nicht herausfallen konnte, wenn er fuhr, und so rollten sie von dannen durch den Wald. Als die Sonne aufging, waren sie vor einem großen Kruge; da hielt der kleine Klaus an und ging hinein, um etwas zu genießen.

Der Wirt hatte sehr, sehr viel Geld; er war auch ein recht guter Mann, aber hitzig, als wären Pfeffer und Tabak in ihm.

»Guten Morgen!« sagte er zum kleinen Klaus. »Du bist ja heute so früh gekommen und sogar im Sonntagsstaat!«

»Ja«, sagte der kleine Klaus, »ich will mit meiner alten Großmutter zur Stadt; sie sitzt da draußen auf dem Wagen; ich kann sie nicht in die Stube hereinbekommen. Wollt Ihr ihr nicht ein Glas Met bringen? Aber Ihr müßt recht laut sprechen, denn sie kann nicht gut hören.«

»Ja, das werde ich tun!« sagte der Wirt und schenkte ein großes Glas Met ein, mit dem er zur toten Großmutter hinausging, die aufrecht in den Wagen gesetzt war.

»Hier ist ein Glas Met von Ihrem Enkel!« sagte der Wirt. Aber die tote Frau erwiderte kein Wort, sondern saß ganz still.

»Hört Ihr nicht!« rief der Wirt, so laut er konnte; »hier ist ein Glas Met von Ihrem Enkel!«

Noch einmal rief er dasselbe und dann noch einmal; da sie sich aber

 durchaus nicht von der Stelle rührte, wurde er zornig und warf ihr das Glas ins Gesicht, so daß ihr der Met gerade über die Nase lief und sie im Wagen rückwärts umfiel; denn sie war nur aufrecht hingesetzt und nicht festgebunden.

»Nanu!« rief der kleine Klaus, sprang zur Tür hinaus und packte den Wirt an der Brust; »du hast meine Großmutter erschlagen! Sieh nur, da ist ein großes Loch in ihrer Stirn!«

»Oh, das ist ein Unglück!« rief der Wirt und schlug die Hände über den Kopf zusammen. »Das kommt alles von meiner Hitzigkeit! Lieber kleiner Klaus, ich will dir einen ganzen Scheffel Geld geben und deine Großmutter begraben lassen, als wäre sie meine eigene; aber schweige nur still, sonst schlagen sie mir den Kopf ab, und das ist so häßlich.«

So bekam der kleine Klaus einen ganzen Scheffel Geld, und der Wirt begrub die alte Großmutter, als ob sie seine eigene gewesen wäre.

Als nun der kleine Klaus wieder mit dem vielen Gelde nach Hause kam, schickte er sogleich seinen Jungen hinüber zum großen Klaus, um ihn zu bitten, ob er ihm nicht ein Scheffelmaß leihen könnte.

»Was denn?« sagte der große Klaus. »Habe ich ihn nicht totgeschlagen? Da muß ich doch selbst nachsehen!« Und so ging er selbst mit dem Scheffelmaß hinüber zum kleinen Klaus.

»Nein, wo hast du doch all das Geld herbekommen?« fragte er und riß die Augen auf, als er das sah, was noch hinzugekommen war.

»Meine Großmutter hast du erschlagen und nicht mich!« sagte der kleine Klaus; »die habe ich nun verkauft und einen Scheffel Geld dafür bekommen!«

266

»Das ist wahrlich gut bezahlt!« sagte der große Klaus und eilte nach Hause, nahm eine Axt und schlug gleich seine alte Großmutter tot, legte sie auf den Wagen, fuhr mit ihr zur Stadt, wo der Apotheker wohnte, und fragte, ob er einen toten Menschen kaufen wolle.

»Wer ist es, und wo habt Ihr ihn her?« fragte der Apotheker.

»Es ist meine Großmutter!« sagte der große Klaus. »Ich habe sie totgeschlagen, um einen Scheffel Geld dafür zu bekommen!«

»Gott bewahre uns!« sagte der Apotheker. »Ihr redet irre! Erzählt doch nicht so etwas, sonst könnt Ihr den Kopf verlieren!« Und nun sagte er ihm genau, was für eine böse Tat er da begangen habe und was für ein schlechter Mensch er sei und daß er bestraft werden müsse; da erschrak der große Klaus so sehr, daß er aus der Apotheke gerade in den Wagen sprang, auf die Pferde lospeitschte und nach Hause fuhr. Aber der Apotheker und alle Leute glaubten, er sei verrückt, und deshalb ließen sie ihn fahren, wohin er wollte.

»Das werde ich dir heimzahlen!« sagte der große Klaus, als er draußen auf der Landstraße war. »Ja, das werde ich dir heimzahlen, kleiner Klaus!« Und dann nahm er, sobald er nach Hause kam, den größten Sack, den er finden konnte, ging hinüber zum kleinen Klaus und sagte: »Nun hast du mich wieder zum Narren gehalten! Erst habe ich meine Pferde totgeschlagen, dann meine alte Großmutter! Das ist alles deine Schuld, aber du sollst mich nie mehr zum Narren halten!« Und er packte den kleinen Klaus um den Leib und steckte ihn in seinen Sack, nahm ihn so auf seinen Rücken und rief ihm zu: »Nun gehe ich hin und ertränke dich!«

Es war ein weiter Weg, den er zu gehen hatte, bevor er zu dem Flusse kam, und der kleine Klaus war nicht so leicht zu tragen. Der Weg ging dicht an der Kirche vorbei, die Orgel ertönte, und die Leute sangen so schön! Da setzte der große Klaus seinen Sack mit dem kleinen Klaus darin dicht bei der Kirchentür nieder und dachte, es könne wohl ganz gut sein, hineinzugehen und einen Choral zu hören, ehe er weiterginge. Der kleine Klaus konnte ja nicht herausschlüpfen, und alle Leute waren in der Kirche; so ging er denn hinein.

»Ach ja, ach ja!« seufzte der kleine Klaus im Sacke und drehte und wendete sich; aber es war ihm nicht möglich, den Strick zu lösen. Da kam ein alter Viehtreiber daher, mit schneeweißem Haar und einem

großen Stab in der Hand; er trieb eine ganze Herde Kühe und Stiere vor sich her, die stießen gegen den Sack, in dem der kleine Klaus saß, so daß er umfiel. »Ach ja!« seufzte der kleine Klaus. »Ich bin noch so jung und soll schon ins Himmelreich!«

»Und ich Armer«, sagte der Viehtreiber, »ich bin schon so alt und kann noch immer nicht hineinkommen!«

»Mach den Sack auf!« rief der kleine Klaus; »krieche statt meiner hinein, so kommst du sogleich ins Himmelreich.«

»Ja, das will ich herzlich gern«, sagte der Viehtreiber und band den Sack auf, aus dem der kleine Klaus sogleich heraussprang.

»Willst du nun aber auch auf das Vieh achtgeben?« fragte der alte Mann und kroch nun in den Sack hinein; den band der kleine Klaus zu und ging hierauf mit allen Kühen und Stieren seines Weges.

Bald darauf kam der große Klaus aus der Kirche; er nahm wieder seinen Sack auf den Rücken, obgleich es ihm schien, als wäre er leichter geworden; denn der alte Viehtreiber war nur halb so schwer wie der kleine Klaus. »Wie ist er doch leicht geworden! Ja, das kommt wohl daher, daß ich einen Choral gehört habe!«

So ging er zum Flusse, wo er tief und breit war, warf den Sack mit dem alten Viehtreiber ins Wasser und rief ihm nach, denn er glaubte ja, daß es der kleine Klaus sei: »Siehst du! Nun wirst du mich nicht mehr zum Narren halten!« Darauf ging er nach Hause; als er aber an die Stelle kam, wo die Wege sich kreuzten, begegnete er dem kleinen Klaus, der all sein Vieh dahertrieb.

»Was denn!« sagte der große Klaus. »Habe ich dich nicht ertränkt?«

»Ja!« sagte der kleine Klaus. »Du warfst mich ja vor einer kleinen halben Stunde in den Fluß hinunter!«

»Aber wo hast du all das herrliche Vieh herbekommen?« fragte der große Klaus.

»Das ist Seevieh!« sagte der kleine Klaus. »Ich will dir die ganze Geschichte erzählen und dir auch danken, daß du mich ertränktest, denn nun bin ich obenauf, bin richtig reich, das kannst du glauben! Ich war so bange, als ich im Sacke lag, und der Wind pfiff mir um die Ohren, als du mich von der Brücke hinunter in das kalte Wasser warfst. Ich sank gleich zu Boden, aber ich stieß mich nicht, denn da unten wächst das schönste weiche Gras. Darauf fiel ich, und sogleich wurde der Sack geöffnet, und die lieblichste Jungfrau mit schneeweißen Kleidern und mit einem grünen Kranz im nassen Haar nahm mich bei der Hand und sagte: ›Bist du der kleine Klaus? Da hast du fürs erste etwas Vieh! Eine

Meile den Weg aufwärts steht noch eine ganze Herde, die ich dir schenken will!‹ – Nun sah ich, daß der Fluß eine große Landstraße für das Meervolk war. Unten auf dem Grunde gingen und fuhren sie gerade von der See ins Land hinein bis dahin, wo der Fluß endet. Da war es so schön mit all den Blumen und dem frischesten Grase; die Fische, die im Wasser schwammen, huschten mir um die Ohren, gerade wie hier die Vögel in der Luft. Was gab es da für feine Leute, und was war da für Vieh, das auf Gräben und Wällen graste!«

»Aber warum bist du gleich wieder zu uns heraufgekommen?« fragte der große Klaus. »Das hätte ich nicht getan, wenn es so schön dort unten ist!«

»Ja«, sagte der kleine Klaus; »das ist gerade klug von mir gehandelt. Du hast doch gehört, was ich dir erzählte: Die Seejungfrau sagte mir, eine Meile den Weg aufwärts – und mit dem Wege meinte sie ja den Fluß, denn sie kann nirgends anders hingehen – stehe noch eine ganze Herde Vieh für mich. Aber ich weiß, was der Fluß für Windungen macht, bald hier, bald dort; das ist ja ein weiter Umweg; nein, da macht man es kürzer ab, wenn man kann, hier an Land zu steigen und querfeldein wieder zum Flusse zu treiben; dabei spare ich ja fast eine halbe Meile und komme geschwinder zu meinem Seevieh!«

»Oh, du bist ein glücklicher Mann!« sagte der große Klaus. »Glaubst du, daß ich auch Seevieh bekäme, wenn ich auf den Grund des Flusses gelangte?«

»Ja, das könnte ich mir denken«, sagte der kleine Klaus. »Aber ich kann dich nicht im Sacke bis zum Fluß tragen: Du bist mir zu schwer! Willst du selbst dahin gehen und dann in den Sack kriechen, so werde ich dich mit dem größten Vergnügen hineinwerfen.«

»Ich danke dir«, sagte der große Klaus. »Aber bekomme ich kein Seevieh, wenn ich unten bin, dann werde ich dich tüchtig verprügeln, das kannst du mir glauben!«

»O nein! Mach es nicht so schlimm!« Und dann gingen sie zum Flusse. Als das Vieh, das durstig war, das Wasser sah, lief es, was es nur konnte, um hinunter zum Trinken zu kommen.

»Sieh, wie es sich sputet!« sagte der kleine Klaus. »Es verlangt danach, wieder auf den Grund zu kommen!«

»Ja, hilf mir nun erst«, sagte der große Klaus, »sonst bekommst du Prügel!« Und so kroch er in den großen Sack, der quer über dem Rücken eines der Stiere gelegen hatte. »Lege einen Stein hinein, sonst fürchte ich, nicht unterzusinken«, sagte der große Klaus.

»Es geht schon!« sagte der kleine Klaus, legte aber doch einen großen Stein in den Sack, knüpfte das Band fest zu, und dann stieß er daran. Plumps, da lag der große Klaus im Fluß und sank sogleich hinunter auf den Grund.

»Ich fürchte, er wird das Vieh nicht finden!« sagte der kleine Klaus und trieb dann das heim, was er hatte.   *Hans Christian Andersen*

Die Prinzessin auf der Erbse

Es war einmal ein Prinz, der wollte eine Prinzessin heiraten; aber es sollte eine richtige Prinzessin sein. Da reiste er in der ganzen Welt umher, um eine solche zu finden, aber überall stand etwas im Wege. Prinzessinnen gab es genug, aber ob es richtige Prinzessinnen waren, dahinter konnte er nicht ganz kommen. Immer gab es etwas, das nicht in Ordnung war. Da kam er wieder nach Hause und war sehr betrübt, denn er wollte doch gar zu gern eine wirkliche Prinzessin haben.

Eines Abends gab es ein furchtbares Unwetter; es blitzte und donnerte, der Regen floß in Strömen, es war ganz schrecklich! Da klopfte es an das Stadttor, und der alte König ging hin, um aufzumachen.

Es war eine Prinzessin, die draußen stand. Aber, o Gott! wie sah sie aus vom Regen und dem bösen Wetter! Das Wasser lief ihr vom Haar und von den Kleidern herunter; es lief in die Schnäbel der Schuhe hinein und an den Hacken wieder heraus, und da sagte sie, sie sei eine wirkliche Prinzessin.

»Nun, das werden wir schon herausbekommen!« dachte die alte Königin. Aber sie sagte nichts, ging in die Schlafkammer, nahm alle Betten ab und legte eine Erbse auf den Boden der Bettstelle, darauf nahm sie zwanzig Matratzen und legte sie auf die Erbse, und dann noch zwanzig Eiderdaunenbetten oben auf die Matratzen.

Darauf mußte nun die Prinzessin die ganze Nacht liegen. Am Morgen wurde sie gefragt, wie sie geschlafen hätte.

»Oh, schrecklich schlecht!« sagte die Prinzessin. »Ich habe die Augen fast die ganze Nacht nicht zugetan! Gott weiß, was da im Bett gewesen ist! Ich habe auf etwas Hartem gelegen, so daß ich braun und blau am ganzen Körper bin! Es ist entsetzlich!«

Nun sahen sie, daß sie eine richtige Prinzessin war, weil sie durch die zwanzig Matratzen und die zwanzig Eiderdaunenbetten hindurch die Erbse gespürt hatte. So empfindlich konnte niemand anders sein als eine wirkliche Prinzessin.

Da nahm der Prinz sie zur Frau, denn nun wußte er, daß er eine richtige Prinzessin hatte, und die Erbse kam auf die Kunstkammer, wo sie noch zu sehen ist, wenn niemand sie gestohlen hat.

Seht, das ist eine wahre Geschichte. *Hans Christian Andersen*

Des Kaisers neue Kleider

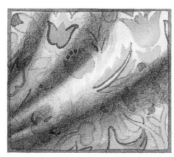

Vor vielen Jahren lebte ein Kaiser, der so ungeheuer viel auf hübsche, neue Kleider hielt, daß er all sein Geld dafür ausgab, um recht geputzt zu sein. Er kümmerte sich nicht um seine Soldaten, kümmerte sich nicht um das Theater und liebte es nicht, in den Wald zu fahren, außer um seine neuen Kleider zu zeigen. Er hatte einen Rock für jede Stunde des Tages, und wie man sonst von einem König sagt, er ist im Rate, sagte man hier immer: »Der Kaiser ist in der Kleiderkammer!«

In der großen Stadt, in der er wohnte, ging es sehr munter zu. Jeden Tag kamen viele Fremde, eines Tages kamen auch zwei Betrüger. Sie gaben sich für Weber aus und sagten, daß sie das schönste Zeug, das man sich denken könne, zu weben verständen. Nicht allein Farben und Muster wären ungewöhnlich schön, sondern die Kleider, die von dem Zeuge genäht würden, besäßen auch die wunderbare Eigenschaft, daß sie für jeden Menschen unsichtbar wären, der nicht für sein Amt tauge oder unverzeihlich dumm sei.

»Das wären ja prächtige Kleider«, dachte der Kaiser. »Wenn ich die anhätte, könnte ich ja dahinterkommen, welche Männer in meinem Reiche zu dem Amte, das sie haben, nicht taugen; ich könnte die

272

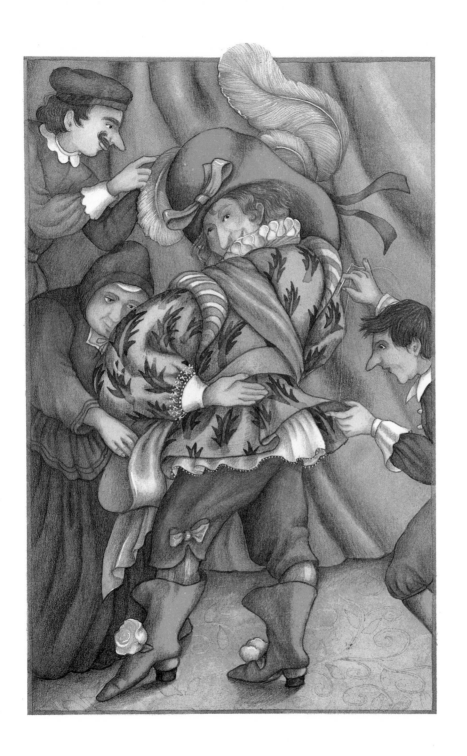

Klugen von den Dummen unterscheiden! Ja, das Zeug muß sogleich
für mich gewebt werden!« Und er gab den beiden Betrügern viel Hand-
geld, damit sie ihre Arbeit beginnen möchten.

Sie stellten auch zwei Webstühle auf und taten, als ob sie arbeiteten;
aber sie hatten nicht das geringste auf dem Stuhle. Frischweg verlangten sie die feinste Seide und das prächtigste Gold, das steckten sie in
ihre eigene Tasche und arbeiteten an den leeren Stühlen bis spät in die
Nacht hinein.

»Nun möchte ich doch wohl wissen, wie weit sie mit dem Zeuge
sind!« dachte der Kaiser. Aber es war ihm ordentlich beklommen zumute bei dem Gedanken, daß derjenige, der dumm war oder schlecht
zu seinem Amte paßte, es nicht sehen könne. Nun glaubte er zwar,
daß er für sich selbst nichts zu fürchten brauche, aber er wollte doch
erst einen andern schicken, um zu sehen, wie es damit stände. Alle
Menschen in der ganzen Stadt wußten, welche wunderbare Kraft das
Zeug habe, und alle waren begierig zu sehen, wie schlecht oder dumm
ihr Nachbar sei.

»Ich will meinen alten ehrlichen Minister zu den Webern senden!«
dachte der Kaiser. »Er kann am besten sehen, wie das Zeug sich aus-
nimmt, denn er hat Verstand, und keiner versieht sein Amt besser als
er!«

Nun ging der alte gute Minister in den Saal hinein, wo die zwei Betrüger saßen und an den leeren Webstühlen
arbeiteten. »Gott behüte uns!« dachte der
alte Minister und riß die Augen auf, »ich
kann ja nichts erblicken!« Aber das sagte er
nicht.

Beide Betrüger baten ihn, gefälligst näher zu
treten, und fragten, ob es nicht ein hübsches Muster und schöne Farben seien. Dabei zeigten sie auf den leeren Webstuhl, und der arme alte
Minister fuhr fort, die Augen aufzureißen; aber er konnte nichts sehen, denn es war nichts da. »Herrgott!« dachte er, »sollte ich dumm
sein? Das habe ich nie geglaubt, und das darf kein Mensch wissen!
Sollte ich nicht zu meinem Amte taugen? Nein, es geht nicht an, daß
ich erzähle, ich könnte das Zeug nicht sehen!«

»Nun, Sie sagen nichts dazu?« fragte der eine, der da webte.

»Oh, es ist hübsch! Ganz allerliebst!« antwortete der alte Minister
und sah durch seine Brille. »Dieses Muster und diese Farben! Ja, ich
werde dem Kaiser sagen, daß es mir sehr gefällt.«

274

»Nun, das freut uns!« sagten beide Weber, und darauf nannten sie die Farben mit Namen und erklärten das seltsame Muster. Der alte Minister paßte gut auf, damit er dasselbe sagen könnte, wenn er zum Kaiser zurückkäme, und das tat er.

Nun verlangten die Betrüger mehr Geld, mehr Seide und mehr Gold, das sie zum Weben brauchen wollten. Sie steckten alles in ihre eigenen Taschen, auf den Webstuhl kam kein Faden, aber sie fuhren fort, wie bisher an dem leeren Webstuhle zu arbeiten.

Der Kaiser sandte bald wieder einen anderen ehrlichen Staatsmann hin, um zu sehen, wie es mit dem Weben ständе und ob das Zeug bald fertig sei. Es ging ihm ebenso wie dem Minister; er schaute und schaute, weil aber außer dem leeren Webstuhle nichts da war, konnte er nichts erblicken.

»Ist das nicht ein hübsches Stück Zeug?« fragten die beiden Betrüger und zeigten und erklärten das prächtige Muster, das gar nicht da war. »Dumm bin ich nicht!« dachte der Mann. »Ist es also mein gutes Amt, zu dem ich nicht tauge? Das wäre lächerlich, aber man darf es sich nicht merken lassen!« Und so lobte er das Zeug, das er nicht sah, und versicherte ihnen seine Freude über die schönen Farben und das herrliche Muster. »Ja, es ist ganz allerliebst!« sagte er zum Kaiser.

Alle Menschen in der Stadt sprachen von dem prächtigen Zeuge.

Nun wollte der Kaiser es selbst sehen, während es noch auf dem Webstuhle war. Mit einer ganzen Schar auserwählter Männer, unter ihnen auch die beiden ehrlichen Staatsmänner, die schon früher dort gewesen waren, ging er zu den beiden listigen Betrügern hin, die nun aus Leibeskräften webten, aber ohne Faser oder Faden.

»Ist das nicht prächtig?« sagten die beiden alten Staatsmänner, die schon einmal dagewesen waren. »Sehen Eure Majestät, welches Muster, welche Farben!« Und dann zeigten sie auf den leeren Webstuhl, denn sie glaubten, daß die andern das Zeug gewiß sehen könnten.

»Was!« dachte der Kaiser, »ich sehe gar nichts! Das ist ja schrecklich! Bin ich dumm? Tauge ich nicht dazu, Kaiser zu sein? Das wäre das Schrecklichste, was mir begegnen könnte!« – »Oh, es ist sehr hübsch!« sagte er. »Es hat meinen allerhöchsten Beifall!« Und er nickte zufrieden und betrachtete den leeren Webstuhl, denn er wollte nicht sagen, daß er nichts sehen könne.

Das ganze Gefolge, das er bei sich hatte, schaute und schaute und bekam nicht mehr heraus als alle andern; aber sie sagten wie der Kaiser: »Oh, das ist sehr hübsch!« Und sie rieten ihm, diese neuen prächtigen Kleider das erstemal bei der großen Prozession, die bevorstand, zu tragen. »Herrlich, wundervoll, exzellent!« ging es von Mund zu Mund; man war allerseits innig erfreut darüber, und der Kaiser verlieh den Betrügern einen Ritterorden, im Knopfloch zu tragen, und den Titel Kaiserliche Hofweber.

Die ganze Nacht vor dem Morgen, an dem die Prozession stattfinden sollte, saßen die Betrüger auf und hatten über sechzehn Lichter angezündet. Die Leute konnten sehen, daß sie stark beschäftigt waren, des Kaisers neue Kleider fertigzumachen. Sie taten, als ob sie das Zeug aus dem Webstuhl nähmen, sie schnitten mit großen Scheren in die Luft, sie nähten mit Nähnadeln ohne Faden und sagten zuletzt: »Nun sind die Kleider fertig!«

Der Kaiser kam mit seinen vornehmsten Kavalieren selbst dahin, und beide Betrüger hoben einen Arm in die Höhe, gerade als ob sie etwas hielten, und sagten: »Seht, hier sind die Beinkleider! Hier ist der Rock! Hier der Mantel!« und so weiter. »Es ist so leicht wie Spinnwebe, man sollte glauben, man habe nichts auf dem Leibe; aber das ist gerade der Vorzug dabei!«

»Ja!« sagten alle Kavaliere; aber sie konnten nichts sehen, denn es war nichts da.

»Belieben Eure kaiserliche Majestät jetzt Ihre Kleider allergnädigst auszuziehen«, sagten die Betrüger, »so wollen wir Ihnen die neuen anziehen, hier vor dem großen Spiegel!«

Der Kaiser legte alle seine Kleider ab, und die Betrüger taten so, als ob sie ihm jedes Stück der neuen Kleider anzögen. Sie faßten ihn um den Leib und taten, als bänden sie etwas fest, das war die Schleppe; der Kaiser drehte und wendete sich vor dem Spiegel.

»Ei, wie gut das kleidet! Wie herrlich das sitzt!« sagten alle. »Welches Muster, welche Farben! Das ist eine kostbare Tracht!«

»Draußen stehen sie mit dem Thronhimmel, der über Eurer Majestät in der Prozession getragen werden soll«, meldete der Oberzeremonienmeister.

»Ja, ich bin fertig!« sagte der Kaiser. »Sitzt es nicht gut?« Und dann wandte er sich nochmals vor dem Spiegel, denn es sollte scheinen, als ob er seinen Schmuck recht betrachte.

Die Kammerherren, die die Schleppe tragen sollten, griffen mit den Händen nach dem Fußboden, gerade als ob sie die Schleppe aufhöben.

Sie gingen und taten, als ob sie etwas in der Luft hielten; sie wagten nicht, es sich merken zu lassen, daß sie nichts sehen konnten.

So ging der Kaiser in der Prozession unter dem prächtigen Thronhimmel, und alle Menschen auf der Straße und in den Fenstern riefen: »Gott, wie sind des Kaisers neue Kleider unvergleichlich; welch herrliche Schleppe hat er am Rocke, wie schön das sitzt!« Keiner wollte es sich merken lassen, daß er nichts sah, denn dann hätte er ja nicht zu seinem Amte getaugt oder wäre sehr dumm gewesen. Keine Kleider des Kaisers hatten solches Glück gemacht wie diese.

»Aber er hat ja nichts an!« sagte endlich ein kleines Kind.

»Herrgott, hört die Stimme der Unschuld!« sagte der Vater, und der eine flüsterte dem anderen zu, was das Kind gesagt hatte.

»Er hat nichts an, dort ist ein kleines Kind, das sagt, er hat nichts an!«

»Aber er hat ja nichts an!« rief zuletzt das ganze Volk.

Das ergriff den Kaiser, denn es schien ihm, sie hätten recht, aber er dachte bei sich: »Nun muß ich die Prozession aushalten.« Und so hielt er sich noch stolzer, und die Kammerherren gingen und trugen die Schleppe, die gar nicht da war.   *Hans Christian Andersen*

Der fliegende Koffer

Es war einmal ein Kaufmann, der war so reich, daß er die ganze Straße und fast noch eine kleine Gasse dazu mit Silbergeld pflastern konnte; aber das tat er nicht, er wußte sein Geld anders anzuwenden. Gab er einen Schilling aus, so bekam er einen Taler wieder; ein so guter Kaufmann war er – und dann starb er.

Der Sohn bekam nun alles Geld, und er lebte lustig, ging jede Nacht zur Maskerade, machte Papierdrachen aus Talerscheinen und schnellte im Spiel Goldstücke statt flacher Steine über das Wasser. So konnte das Geld schon alle werden, und das tat es. Zuletzt besaß er nicht mehr als vier Schillinge und hatte keine andern Kleider als ein Paar Pantoffeln und einen alten Schlafrock. Nun kümmerten sich seine Freunde nicht länger um ihn, da sie ja nicht zusammen auf die Straße gehen konnten; aber einer von ihnen, der gutmütig war, sandte ihm einen alten Koffer und sagte: »Pack ein!« Ja, das war nun gut gesagt, aber er hatte nichts einzupacken; darum setzte er sich selbst in den Koffer.

Es war ein merkwürdiger Koffer. Sobald man das Schloß drückte, konnte der Koffer fliegen. Er drückte, und husch, flog er mit ihm durch den Schornstein hoch über die Wolken hinauf, weiter und weiter fort; knackte es aber im Boden, war er gar sehr in Angst, daß der Koffer in Stücke gehen könnte, denn dann hätte er einen tüchtigen Purzelbaum gemacht! Gott bewahre uns! Und so kam er nach dem Lande der Türken. Den Koffer verbarg er im Walde unter dürren Blättern und ging dann in die Stadt hinein. Das konnte er auch gut, denn bei den Türken gingen ja alle so wie er in Schlafrock und Pantoffeln. Da begegnete er einer Amme mit einem kleinen Kinde. »Höre, du Türkenamme«, sagte er, »was ist das für ein großes Schloß hier dicht bei der Stadt, wo die Fenster so hoch sitzen?«

»Da wohnt die Tochter des Königs!« sagte sie. »Es ist ihr prophezeit, daß sie über einen Geliebten sehr unglücklich werden würde, und deshalb darf niemand zu ihr kommen, wenn nicht der König und die Königin dabei sind!«

»Danke schön!« sagte der Kaufmannssohn und ging dann hinaus in den Wald, setzte sich in seinen Koffer, flog auf das Dach und kroch durch das Fenster zur Prinzessin hinein.

Sie lag auf dem Sofa und schlief; sie war so schön, daß der Kaufmannssohn sie küssen mußte. Da erwachte sie und erschrak sehr, er aber sagte, er sei der Türkengott, der durch die Luft zu ihr herabgekommen wäre, und das gefiel ihr gut.

Dann saßen sie nebeneinander, und er erzählte ihr Geschichten von ihren Augen: sie seien die herrlichsten dunklen Seen, und die Gedanken schwämmen darin wie Nixen; und er erzählte von ihrer Stirn: sie sei ein Schneeberg mit den prächtigsten Sälen und Bildern, und er erzählte vom Storche, der die süßen kleinen Kinder bringe.

Ja, das waren herrliche Geschichten! Dann freite er um die Prinzessin, und sie sagte sogleich ja!

»Aber Ihr müßt am Sonnabend herkommen!« sagte sie. »Da sind der König und die Königin bei mir zum Tee! Sie werden sehr stolz darauf sein, daß ich den Türkengott bekomme. Aber seht zu, daß Ihr ein recht hübsches Märchen wißt, denn das lieben meine Eltern außerordentlich. Meine Mutter will es moralisch und vornehm haben und mein Vater lustig, so daß man lachen kann!«

»Ja, ich bringe keine andere Morgengabe als ein Märchen!« sagte er, und so trennten sie sich. Aber die Prinzessin gab ihm einen Säbel, der war mit Goldstücken besetzt, und die konnte er gut gebrauchen.

Nun flog er fort, kaufte sich einen neuen Schlafrock und saß dann draußen im Walde und dichtete an einem Märchen; das sollte bis zum Sonnabend fertig sein, und das ist gar nicht so leicht.

Als er damit fertig wurde, war es Sonnabend.

Der König, die Königin und der ganze Hof waren zum Tee bei der Prinzessin. Er wurde sehr gnädig empfangen!

»Wollt Ihr uns ein Märchen erzählen?« fragte die Königin, »eins, das tiefsinnig und belehrend ist?«

»Aber worüber man doch lachen kann!« sagte der König.

»Jawohl!« sagte er und erzählte. Und nun gut aufgepaßt!

»Es war einmal ein Bund Schwefelhölzchen, die waren so überaus stolz auf ihre hohe Herkunft! Ihr Stammbaum, das heißt, die große Fichte, von der ein jedes ein kleines Hölzchen war, hatte als großer, alter Baum im Walde gestanden. Die Schwefelhölzchen lagen nun zwischen einem Feuerzeug und einem alten Eisentopfe, und sie erzählten ihnen von ihrer Jugend. ›Ja, als wir auf dem grünen Zweige waren‹, sagten sie, ›da waren wir wirklich auf dem grünen Zweig! Jeden Morgen und Abend gab es Diamanttee, das war der Tau; den ganzen Tag hatten wir Sonnenschein, wenn die Sonne schien, und die kleinen Vögel mußten uns Geschichten erzählen. Wir konnten wohl merken, daß wir auch reich waren, denn die Laubbäume waren nur im Sommer bekleidet, aber unsere Familie hatte die Mittel zu grünen Kleidern sowohl im Sommer wie im Winter. Doch da kamen die Holzhauer, das war die große Revolution, und unsere Familie wurde zersplittert. Der Stammherr bekam seinen Platz als Großmast auf einem prächtigen Schiffe, das die Welt umsegeln konnte, wenn es wollte; die anderen Zweige kamen nach anderen Orten, und wir haben nun das Amt, der niedrigen Menge das Licht anzuzünden. Deshalb sind wir vornehmen Leute hierher in die Küche gekommen.‹

›Mir ist es ganz anders ergangen!‹ sagte der Eisentopf, neben dem die Schwefelhölzchen lagen. ›Seit ich auf die Welt kam, bin ich viele Male gescheuert und gekocht worden! Ich sorge für das Solide und bin eigentlich der Erste hier im Hause. Meine einzige Freude ist, nach Tisch rein und fein auf dem Brette zu stehen und ein vernünftiges Gespräch mit meinen Kameraden zu führen. Doch wenn ich den Wassereimer ausnehme, der hin und wieder einmal in den Hof hinunterkommt, so leben wir immer innerhalb unserer vier Wände. Unser einziger Neuigkeitsbote ist der Marktkorb, aber der spricht sehr beunruhigend über die Regierung und das Volk; ja, neulich war da ein alter Topf, der vor Schreck darüber niederfiel und in Stücke zersprang. Der ist freisinnig, will ich euch nur sagen!‹ – ›Nun schwatzt du zuviel!‹ sagte das Feuerzeug, und der Stahl schlug gegen den Feuerstein, daß er Funken sprühte. ›Wollen wir uns nicht einen lustigen Abend machen?‹

›Ja, laßt uns davon sprechen, wer der Vornehmste ist!‹ sagten die Schwefelhölzchen.

›Nein, ich liebe es nicht, von mir selbst zu reden‹, sagte die Tonkruke. ›Laßt uns eine Abendunterhaltung veranstalten! Ich will anfangen, ich werde so etwas erzählen, was jeder erlebt hat; da kann man sich leicht hineinversetzen, und das ist sehr vergnüglich. An der Ostsee bei den dänischen Buchen —‹

›Das ist ein hübscher Anfang!‹ sagten alle Teller. ›Das wird eine Geschichte, die uns gefällt.‹

›Ja, da verlebte ich meine Jugend bei einer stillen Familie; die Möbel

wurden gebohnert, der Fußboden gescheuert, und alle vierzehn Tage wurden reine Gardinen aufgehängt!‹

›Wie interessant Sie doch erzählen!‹ sagte der Kehrbesen. ›Man kann gleich hören, daß ein Frauenzimmer erzählt, es geht so etwas Reinliches hindurch!‹

›Ja, das fühlt man!‹ sagte der Wassereimer und machte vor Freuden einen kleinen Sprung, so daß es auf dem Fußboden platschte.

Und die Tonkruke fuhr fort, zu erzählen, und das Ende war ebensogut wie der Anfang.

Alle Teller klapperten vor Freude, und der Kehrbesen zog grüne Petersilie aus dem Sandloche und bekränzte die Tonkruke, denn er wußte, daß es die andern ärgern würde. ›Bekränze ich sie heute‹, dachte er, ›so bekränzt sie mich morgen.‹

›Nun will ich tanzen!‹ sagte die Feuerzange und tanzte. Gott bewahre uns, wie konnte sie das eine Bein in die Höhe strecken! Der alte Stuhlüberzug dort im Winkel platzte, als er es sah! ›Werde ich nun auch bekränzt?‹ fragte die Feuerzange, und sie wurde es.

›Das ist doch nur Pöbel!‹ dachten die Schwefelhölzchen.

Nun sollte die Teemaschine singen; sie sagte aber, sie sei erkältet, sie könne nicht singen, wenn es nicht in ihr koche, allein das war nur Vornehmtuerei, sie wollte nicht singen, wenn sie nicht drinnen bei der Herrschaft auf dem Tische stand.

Im Fenster saß eine alte Gänsefeder, mit der das Mädchen zu schreiben pflegte. Es war nichts Bemerkenswertes an ihr, außer daß sie gar zu tief in das Tintenfaß getaucht worden war, und darauf war sie nun stolz. ›Will die Teemaschine nicht singen‹, sagte sie, ›so soll sie es bleiben lassen! Draußen hängt eine Nachtigall in einem Bauer, die kann singen. Sie hat freilich nichts gelernt, aber darüber wollen wir heute abend hinwegsehen!‹

›Ich finde es höchst unpassend‹, sagte der Teekessel – er war Küchensänger und Halbbruder der Teemaschine – ›daß ein solcher fremder Vogel gehört werden soll! Ist das patriotisch? Man soll den Marktkorb darüber urteilen lassen!‹

›Ich ärgere mich nur!‹ sagte der Marktkorb, ›ich ärgere mich innerlich so sehr, wie niemand es sich denken kann! Ist das eine passende Art, den Abend zu begehen? Würde es nicht richtiger sein, das Haus in Ordnung zu bringen? Ein jeder müßte auf seinen Platz kommen, und ich würde das Spiel leiten. Das würde etwas anderes werden!‹

›Ja, laßt uns Spektakel machen!‹ sagten alle.

In diesem Augenblick ging die Tür auf. Es war das Dienstmädchen, und da standen sie still. Keiner muckste! Aber da war nicht ein einziger Topf, der nicht gewußt hätte, was er tun konnte und wie vornehm er sei.

›Ja, wenn ich gewollt hätte‹, dachte jeder, ›so wäre es freilich ein recht lustiger Abend geworden!‹

Das Dienstmädchen nahm die Schwefelhölzchen und machte Feuer damit an. – Gott bewahre uns, wie die sprühten und aufloderten!

›Nun kann doch jeder sehen‹, dachten sie, ›daß wir die Ersten sind! Welchen Glanz haben wir! Welches Licht!‹

Und damit waren sie verbrannt.«

»Das war ein herrliches Märchen!« sagte die Königin. »Ich fühle mich ganz in der Küche bei den Schwefelhölzchen; ja, nun sollst du unsere Tochter haben.«

»Jawohl!« sagte der König, »du sollst unsere Tochter am Montag haben!« Denn jetzt sagten sie »du« zu ihm, da er zur Familie gehören sollte.

Die Hochzeit war nun bestimmt, und am Abend vorher wurde die ganze Stadt illuminiert. Zwieback und Brezeln wurden unter das Volk geworfen; die Gassenjungen standen auf den Zehen, riefen Hurra und pfiffen durch die Finger; es war außerordentlich prachtvoll.

»Ja, ich werde wohl auch etwas zum besten geben müssen!« dachte der Kaufmannssohn. Und so kaufte er Raketen, Knallerbsen und alles Feuerwerk, was man sich nur denken kann, legte es in seinen Koffer und flog damit in die Luft.

Hui, wie das ging und wie das puffte!

Alle Türken hüpften dabei in die Höhe, daß ihnen die Pantoffeln um die Ohren flogen; so eine Lufterscheinung hatten sie noch nie gesehen. Nun konnten sie begreifen, daß es der Türkengott selbst war, der die Prinzessin haben sollte.

Sobald der Kaufmannssohn mit seinem Koffer wieder herunter in den Wald kam, dachte er: »Ich will doch in die Stadt hineingehen, um zu erfahren, wie es sich ausgenommen hat!« Und es war ja ganz natürlich, daß er Lust dazu hatte.

Nein, was doch die Leute erzählten! Jeder, den er danach fragte, hatte es auf seine Weise gesehen, aber herrlich war es für alle gewesen.

»Ich sah den Türkengott selbst«, sagte der eine. »Er hatte Augen wie glänzende Sterne und einen Bart wie schäumende Wasser!«

»Er flog in einem Feuermantel«, sagte ein anderer. »Die lieblichsten Engelskinder blickten aus den Falten hervor!«

Ja, das waren herrliche Sachen, die er hörte, und am nächsten Tage sollte er Hochzeit machen.

Nun ging er in den Wald zurück, um sich in seinen Koffer zu setzen – aber wo war der geblieben? Der Koffer war verbrannt. Ein Funken des Feuerwerks war zurückgeblieben, der hatte das Feuer entfacht, und der Koffer lag in Asche. Er konnte nicht mehr fliegen, nicht mehr zu seiner Braut gelangen.

Sie stand den ganzen Tag auf dem Dache und wartete; sie wartet noch, er aber geht in der Welt umher und erzählt Märchen, doch sind sie nicht mehr so lustig wie das von den Schwefelhölzchen.

Hans Christian Andersen

Kommentare

Gianfrancesco Straparola *König Igel*

Die erste europäische Publikation, in der Märchen zusammengetragen wurden, erschien Mitte des 16. Jahrhunderts; wir verdanken sie Gianfrancesco Straparola. Um eine richtige Märchensammlung handelt es sich nicht. Straparola gab seinen beiden Bänden den Titel *Le piacevoli notti*, »Die ergötzlichen Nächte«. Er schildert darin, wie vornehme Damen der venezianischen Gesellschaft während des Karnevals zusammenkommen und wie sie sich – nach dem Vorbild von Boccaccios *Decamerone* – die Zeit mit Erzählen vertreiben. Vierundsiebzig Geschichten werden vorgetragen, von denen rund ein Drittel als Märchen bezeichnet werden können, darunter auch die Erzählung vom König Igel.

Straparola betont in seiner Vorrede, daß er die Geschichten direkt von den Damen übernommen, daß er nichts hinzugefügt und nichts weggelassen habe. Aber die Damen selbst sind ja seine Erfindung, und so bleibt die Frage offen, ob der Dichter seine Geschichten irgendwo gehört oder ob er sie selbst ausgedacht und ausgemalt hat. Anders gesagt: Wir wissen nicht, ob den »Kunstmärchen« Straparolas »Volksmärchen« zugrunde lagen, die sich die Leute erzählten, oder ob er seine Geschichten im wesentlichen selbst geschaffen hat. Daß die Bezeichnung »Märchen« gerechtfertigt ist, zeigt die Erzählung vom König Igel: Von drei Versuchen gelingt erst der dritte. Das Kind einer armen Frau wird Königin. Hinter dem Unscheinbaren, ja Häßlichen verbirgt sich große Schönheit. Eine belastende, ganz und gar unsichere Konstellation steht am Anfang, am Ende aber dauerhaftes Glück.

Im italienischen Original ist die Geschichte *Re Porco* überschrieben, das heißt eigentlich: König Schwein – und Straparola malt denn auch genüßlich aus, wie sich das garstige Wesen im Kot wälzt, wie es die Kleidung und das Bett seiner Frau beschmutzt. Daß der Übersetzer für die deutsche Fassung »König Igel« vorgezogen hat, dürfte zwei Gründe haben. Einmal bedeutet »porco« nicht nur Schwein, sondern auch Stachelschwein und überhaupt stachliges Tier, und von hier ist der Weg zum Igel nicht weit. Vor allem aber: Die Brüder Grimm brachten in ihrer Sammlung das Märchen *Hans mein Igel*, das viele Parallelen zu der italienischen Geschichte aufweist, nur daß das tierische Wesen – »oben ein Igel, unten ein Junge« – sehr viel putziger und auch ein ganzes Stück manierlicher gezeichnet ist. Die deutsche Ausgabe von Straparolas Geschichten erschien zwei Jahre nach der Veröffentlichung des Grimm-Märchens, an dem sich der Übersetzer offensichtlich orientierte.

So also ist aus dem Schwein ein Igel geworden. Die Vorstellung einer Heirat mit dem Tier bleibt trotzdem abenteuerlich genug. Zu abenteuerlich für die beiden älteren Kandidatinnen – erst die jüngste erkennt ihre Chance und wird für ihre Freundlichkeit belohnt.

286

Charles Perrault *Der gestiefelte Kater*

Ist diese Geschichte, wie sie hier erzählt wird, überhaupt ein Märchen? Sie enthält Geschmacklosigkeiten, malt grausame Einzelheiten aus, und der Kater bewegt sich auf dem höfischen Parkett wie ein raffinierter Diplomat. Ein Märchen? Eher doch wohl eine ironische Erzählung für Erwachsene.

Richtig. Aber die frühen Märchensammlungen waren auch gar nicht für Kinder gedacht, sondern wandten sich an die Damen und Herren der besseren, vor allem der höfischen Gesellschaft. Die Vertreter dieser Gesellschaft fanden darin einerseits eine lustige Gegenwelt – schließlich ist es ein armer Müllerssohn, dem der Kater den Weg nach oben bahnt. Aber sie fanden in dem Märchen auch Anspielungen auf die Welt der Etikette und der Konventionen, in der sie selber lebten.

Charles Perrault, ein französischer Gelehrter und Schriftsteller, lebte im 17. Jahrhundert (1628–1703). Seine Märchensammlung brachte er ziemlich genau vor dreihundert Jahren heraus. Er begründete damit die Gattung der »Feenmärchen«: in fast allen Märchen gibt es gute oder böse Feen oder beides. Im *Gestiefelten Kater* übernimmt die Titelfigur die Rolle der guten Fee; aber der Kater ist noch mehr – er sagt nicht nur Gutes vorher, sondern er sorgt auch dafür, daß sich das Gute ereignet, mit übernatürlichen Fähigkeiten, aber vor allem mit Schlauheit und List. Er schreckt vor nichts zurück. Und Perrault hat keinerlei Hemmungen, all das zu erzählen.

Man muß sich vor Augen halten, daß damals, Ende des 17. Jahrhunderts, andere Wertvorstellungen galten. Die Idee des Tierschutzes ist gerade etwa zweihundert Jahre alt; sie spielte damals keine Rolle. Allerdings dürfte Perrault manches auch absichtlich zugespitzt haben, um bei seinem vornehmen Publikum ein ängstliches Prickeln hervorzurufen. Am Ende lösen sich alle Ängste und Besorgnisse auf; der arme Müllerssohn macht eine reiche Heirat, eine Liebesheirat noch dazu. Dies jedenfalls ist märchenhaft, und der Aufbau der Geschichte ist es auch.

Die Brüder Grimm haben das Märchen vom gestiefelten Kater in die erste Auflage ihrer Sammlung aufgenommen (in den späteren haben sie es weggelassen). Sie hörten es von einer Freundin, deren Mutter aus Frankreich stammte und dort sicherlich auch Perraults Geschichten kennengelernt hatte. Außerdem orientierten sie sich an dem Märchenspiel gleichen Titels, das Ludwig Tieck im Jahr 1797 (unter dem Pseudonym Peter Leberecht) veröffentlicht hatte. In der Fassung der Brüder Grimm fehlt alles, was ein zartes Gemüt irritieren könnte: sie erzählten ein Kindermärchen.

Charles Perrault *Blaubart*

Es gibt eine Reihe mittelalterlicher Balladen, in denen die Untaten eines Mädchenmörders besungen werden: Ein Ritter holt sich Jungfrauen auf eine Burg oder in seine einsame Behausung im finstern Wald und tötet sie. Wahrscheinlich gab es reale Vorfälle, die zur Entstehung dieser Lieder beitrugen, vor allem aber drücken sich darin Angstträume aus – Ängste nicht nur vor dem real Bösen, sondern auch vor dem Unbekannten, dem junge Frauen in der Begegnung mit Männern ausgesetzt waren.

Nicht nur in Liedern wurde dieses Thema behandelt, sondern auch in Geschichten. Das Märchen vom Blaubart scheint ein beliebter Gegenstand der Erzählung gewesen zu sein. Es gibt einen Beleg dafür, daß es mündlich verbreitet war. Der damals etwa fünfzehnjährige Sohn von Charles Perrault schrieb die Geschichte, die er in der Familie gehört hatte, auf, noch ehe sie der Vater 1697 in seine Sammlung aufnahm. Die besondere Prägung geht allerdings auf Charles Perrault zurück.

Er versetzt die Handlung ins Milieu seiner Zeit und seiner Gesellschaftsschicht. Da ist ein häßlicher, aber reicher Witwer (ein mehrfacher Witwer, was schon verdächtig ist!), der bei einer vornehmen Dame vorstellig wird, weil er eine ihrer beiden Töchter heiraten will. Diese begegnen ihm mit Mißtrauen; aber bei einer von beiden verfliegt die Abneigung allmählich – der blaue Bart, Symbol des Bedrohlichen, erscheint ihr plötzlich nicht mehr so blau, und sie willigt ein in die Heirat.

Im Mittelpunkt der Erzählung steht die Neugier. Die Nachbarinnen und Freundinnen können es kaum erwarten, bis sie die Ausstattung des vornehmen Hauses in allen Einzelheiten gesehen und geprüft haben. Und die junge Frau selbst wartet nicht einmal den Weggang ihrer Freundinnen ab, ehe sie die verbotene Kammer öffnet. In der ursprünglichen Fassung wies Perrault am Ende ausdrücklich auf die bösen Folgen von Neugierde hin – eine etwas kuriose Moral, wenn man die blutigen Taten Blaubarts bedenkt.

Perrault versucht ein psychologisches Bild seiner Gesellschaft zu vermitteln. Das zeigt sich in Nuancen, so etwa, wenn Blaubart seiner Frau gegenüber nach der Entdeckung ihres Verstoßes vom Du ins förmliche Sie wechselt, während er in seiner Mordwut dann wieder ins Du verfällt.

Wenn das Blut am Schlüssel nicht abzuwaschen ist, kommt ein »feenhafter« Zug ins Spiel – das ist Perraults Stichwort für das Märchenhafte. Aber im großen und ganzen handelt es sich um eine Horrorgeschichte, die da erzählt wird. So etwas taucht bis heute immer wieder einmal in der Sensationspresse auf, und es ist kein Zufall, daß die Geschichte rasch auf Bilderbogen und in Moritaten verbreitet wurde.

Auch von Poeten und Künstlern wurde das Thema immer wieder aufgegriffen. Im Frühjahr 1789, im Vorfeld der Revolution, wurde in Paris die Oper *Raoul Barbe-Bleue* von André Grétry uraufgeführt. 1797 publizierte Ludwig Tieck sein Märchendrama *Ritter Blaubart*. Jacques Offenbach schrieb eine oft gespielte Operette zu dem Stoff. Im 20. Jahrhundert entstanden Prosabearbeitungen des belgischen Dichters Maurice Maeterlinck und des Franzosen Anatole France, Béla Bartók schrieb eine Oper, und Ernst Lubitsch drehte den Film *Bluebeard's Eighth Wife*, »Blaubarts achte Frau«.

Johann Heinrich Jung-Stilling *Jorinde und Joringel*

Die Brüder Grimm druckten dieses Märchen fast wortwörtlich in ihrer Sammlung ab, für sie war es ein Volksmärchen wie alle andern. Tatsächlich aber handelt es sich um eine Erfindung Jung-Stillings. Das Wort Erfindung ist angebracht: der Autor suchte zwar allerlei Motive aus der Tradition von Sagen und Wundergeschichten zusammen, aber er komponierte daraus eine ganz eigene Geschichte. Sie ist eingefügt in die Autobiographie *Heinrich Stillings Jugend. Eine wahrhafte Geschichte*, die 1777 erschien.
Johann Heinrich Jung-Stilling (1740–1817) wuchs auf dem Land auf, arbeitete als Schneider und Lehrer und studierte dann Medizin. Er praktizierte erfolgreich als Augenarzt; später wurde er Verwaltungsfachmann und als solcher Professor und Berater des badischen Großherzogs. Er kam aus einem pietistischen Elternhaus und pflegte eine intensive Frömmigkeit; in seinem Alter hing er mystischen Gedanken nach und kündigte gar mit Jahreszahl die Wiederkunft Christi an.
Die Märchengeschichte von Jorinde und Joringel ist nicht religiös gefärbt; aber sie zeigt doch etwas von der Grundhaltung des frommen Dichters. Er erzählt in seiner Lebensgeschichte, wie seinem Vater in einer Vision der Tod angezeigt wurde; dieser Episode geht das Märchen voraus, das auch eine eigentümliche Welt der Ahnungen skizziert.
Es ist möglich, daß Jung-Stillings Geschichte von der zauberkräftigen Blume auf Novalis' geheimnisvolle »Blaue Blume« und damit auf ein wichtiges Symbol der Romantik eingewirkt hat. Das Märchen nimmt auch den Sehnsuchtston vieler deutscher Romantiker vorweg. Vor allem aber hat dieses kunstvoll ausgedachte Märchen die Auffassung vom Volksmärchen mitgeprägt. Die Brüder Grimm haben nicht nur die Geschichte von Jorinde und Joringel in ihre Sammlung aufgenommen, sondern sich auch in der Stilisierung ihrer anderen Märchen an diesem Muster orientiert. Der schlichte Ton, die eher knappe Darstellung und der Verzicht auf umständliche Erklärungen, das durchgängig Geheimnisvolle, die gefühlvolle Sicht auf die Natur, die Selbstverständlichkeit des Wunderbaren – all das bestimmt auch den Stil der Kinder- und Hausmärchen.
Die Verse stehen am Wendepunkt der Geschichte und charakterisieren diesen unmittelbar: die menschlichen Worte gehen plötzlich in den Ruf einer Vogelstimme über, die vorher unbestimmte Angst und Bangheit erhält Konturen.

Daß von dem »alten Weib« am Ende nur gesagt wird, sie habe »nichts mehr zaubern« können, weicht von anderen Märchenschlußpassagen ab, in denen eine Strafe ausgeführt oder wenigstens angedeutet wird. Aber ein regelrechter Verstoß gegen die Prinzipien der Gattung Märchen ist es nicht: Es geht darin primär um das Glück der zentralen Figuren und nicht um das Schicksal der Gegenspieler.

Philipp Otto Runge *Von den Machandelboom*

Der Text ist der Grimmschen Märchensammlung entnommen, aber er geht auf den aus Pommern stammenden Maler Philipp Otto Runge (1777–1810) zurück. Er hat das Märchen 1806 niedergeschrieben, und es wurde zunächst von Arnim in der *Zeitung für Einsiedler* abgedruckt. Der Text der Grimmschen Sammlung ist demgegenüber leicht verändert; ein Hamburger Verleger brachte einige Korrekturen an. Runge selbst war um diese Zeit schon tot; er wurde nur dreiunddreißig Jahre alt.

Der Text ist auf plattdeutsch geschrieben. Es handelt sich aber nicht um die wörtliche Nachschrift einer mündlichen Erzählung; Runge hat sein Märchen vielmehr kunstvoll komponiert. Wie er beispielsweise die Monate der Schwangerschaft der jungen Frau schildert, sie mit dem Wandel in der Natur und mit den inneren Verwandlungen in Beziehung setzt, das ist große Poesie. Mit der Wahl der Mundart wollte Runge die Volkstümlichkeit der Geschichte unterstreichen. Wer mit dem Niederdeutschen nicht vertraut ist, tut sich schwer mit dem Text; aber es lohnt sich, ihn langsam nachzulesen und ihn gewissermaßen zu übersetzen.

Die Brüder Grimm nannten ihre Sammlung »Kinder- und Hausmärchen«. In vielen Fällen ließen sie ganze Märchen oder einzelne Handlungszüge weg, von denen sie glaubten, daß sie für ein kindliches Gemüt nicht taugten. Um so erstaunlicher ist es, daß sie diese Geschichte beibehielten. Das erklärt sich daraus, daß sie nicht nur ein populäres Familienbuch schreiben, sondern daß sie damit auch zeigen wollten, wieviel alte Glaubensvorstellungen und Mythenreste in den Märchen enthalten sind. Im Blick darauf konnten sie auf das Märchen von dem Machandelboom nicht verzichten.

Machandelboom ist eine Bezeichnung für den Wacholder, der in alten Zaubersprüchen als heilkräftiges Mittel genannt wird. Die Tötung durch einen Mühlstein ist ein Motiv, das auch in der mittelalterlichen Eddadichtung auftaucht. Daß ein getötetes Kind in der Gestalt eines Vogels weiterlebt, kommt in der griechischen Sage vor. Im Sammeln der Knochen als Mittel zur Wiederbelebung glaubte man gar eine Sitte aus der Steinzeit zu erkennen, und natürlich weist auch der Kannibalismus auf eine sehr frühe Kulturstufe zurück. All dies bedeutet freilich nicht, daß auch das Märchen uralt ist. Daß solche Motive zu einer Geschichte mit günstigem Ausgang zusammengesetzt werden, daß also mit derartigen Glaubensvorstellungen in gewissem Sinne poetisch gespielt wird, ist eine jüngere Erscheinung.

Runge hat die Märchenhandlung aber nicht frei erfunden. Die entsprechende Geschichte war schon im Umlauf. Dafür gibt es ein berühmtes Zeugnis. In seinem »Urfaust« läßt Goethe das nach der Tötung ihres Kindes wahnsinnig gewordene Mädchen die Verse sprechen:

> Meine Mutter, die Hur,
> Die mich umgebracht hat!
> Mein Vater, der Schelm,
> Der mich gessen hat!
> Mein Schwesterlein klein
> Hub auf die Bein
> An einem kühlen Ort.
> Da ward ich ein schönes Waldvögelein,
> Fliege fort, fliege fort.

Das sind Verse, die sich wohl nur auf das Märchen vom Machandelboom beziehen lassen.

Philipp Otto Runge *Von den Fischer un syne Fru*

Wie das Märchen vom Machandelboom ist auch diese Geschichte im niederdeutschen Dialekt geschrieben. Philipp Otto Runge sandte beide Texte an Achim von Arnim; aber das Fischermärchen druckte der nicht ab. Als es die Brüder Grimm in ihre Sammlung aufnahmen, kritisierte Arnim das: es handle sich um »kein eigentliches Kindermärchen«. Jacob Grimm widersprach; aber auch danach wurde immer wieder angezweifelt, ob es sich bei der Geschichte um ein Märchen handelt – ja sie wurde ausdrücklich als »Anti-Märchen« charakterisiert. Die Gründe für den Einwand liegen auf der Hand. Eine negativ gezeichnete Figur, die Fischersfrau, steht im Mittelpunkt. Sie verbessert zunächst kontinuierlich ihre Position, ganz auf der Linie anderer Märchen, aber am Schluß wird sie in die unbehagliche Ausgangslage, in ihre ärmliche Behausung (drastisch als »Pißpott« bezeichnet) zurückversetzt.

Aber mit dem Ausgang ist man nicht unzufrieden, und es ist keineswegs völlig falsch, von einem Happy-End zu sprechen: Die falsche Ordnung ist aufgehoben, es geht wieder mit rechten Dingen zu. Bewirkt wird dies auf märchenhafte Weise von dem Butt, dem großen Fisch. Insofern ist es sicher nicht ganz falsch, von einem Märchen zu sprechen. Man kann den Akzent aber auch anders setzen. Noch vor der Grimmschen Sammlung wurde die

Geschichte in einer hochdeutschen Fassung veröffentlicht, die möglicherweise auch auf Runge zurückgeht; sie trägt den Untertitel: »Eine moralische Erzählung«.

Tatsächlich ist die Moral das Wesentliche. Daß man Wünsche und Ziele nicht zu hoch stecken soll, ist ein gängiges Erziehungsprinzip, und es gibt viele Geschichten, die dieses Prinzip illustrieren, wobei es nicht selten ein weibliches Wesen ist, das – in der Regel wohl von männlichen Autoren – als unersättlich dargestellt wird. Schon die Grimms merkten in ihrem Kommentar an: »Der Zug, daß die Frau ihren Mann zu hohen Würden reizt, ist an sich uralt«, und sie erwähnen als Beispiel die biblische Eva und Shakespeares Lady Macbeth.

In der Geschichte von der Fischersfrau kommt das Motiv deshalb so eindringlich zur Geltung, weil sie sich ganz darauf konzentriert. Sie macht sichtbar, wie mit der Erfüllung der Wünsche die Unzufriedenheit wächst und wie die Zwischenräume zwischen den einzelnen Wünschen immer kürzer werden.

Günter Graß konstruierte in seinem Roman *Der Butt* eine Gegenversion zur unersättlichen Fischersfrau. Hier ist es der Mann, der seine Wünsche nicht zügeln kann. Graß läßt diese Fassung durch Runge präsentieren, aber die Brüder Grimm und Brentano lehnen die feministische Ausdeutung ab. Dies ist eine moderne Variation des Märchens. Für die heutige Zeit liegt es aber auch nahe, die Szenerie in eine ökologische Perspektive zu rücken: Das Meer wird im Zuge des wachsenden Luxus immer grauer und dunkler, und weil die »Grenzen des Wachstums« nicht erkannt und anerkannt werden, steht am Ende die Katastrophe.

Clemens Brentano *Das Märchen von dem Witzenspitzel*

In der Geschichte des Volkslieds nimmt Clemens Brentano (1778–1842) einen wichtigen Platz ein: Zusammen mit seinem Schwager Achim von Arnim brachte er zwischen 1805 und 1808 die berühmte Sammlung *Des Knaben Wunderhorn* heraus. Weniger bekannt ist, daß Brentano um die gleiche Zeit auch für die Edition von Märchen entscheidende Impulse gab. Er war es, der Jacob und Wilhelm Grimm – und viele andere – zum Sammeln anregte. Noch ehe sie sich an ihre eigene Märchenausgabe machten, sandten die Brüder ihm rund 50 Texte zu, die er allerdings nie verwertete und die erst später in seinem Nachlaß entdeckt wurden.

Um jene Zeit hatte Brentano aber schon selbst Märchen niedergeschrieben. Manches hatte er gehört, von einem alten Diener des Hauses etwa oder von einer alten Frau im Spital. Das meiste aber entnahm er der älteren Literatur. Für unser Märchen findet sich eine Vorlage in der italienischen Sammlung *Pentamerone* von Giambattista Basile aus dem 17. Jahrhundert. Brentano übernahm den inhaltlichen Aufbau und ließ sich anregen durch Basiles artistischen, mit Klängen und Bedeutungen jonglierenden Stil.

Charakteristisch ist die Namensgebung. In den Namen verdichtet sich die Beschreibung der Personen wie bei der Königin Dickedull, die der Diener Witzenspitzel begrüßt: »Guten Tag, große, schöne, breite, dicke Frau!« Oder in den Benennungen sind Handlungsmotive vorgezeichnet wie beim Löwen Hahnebang, beim Wolf Lämmerfraß und beim Hund Hasenschreck. Und daß Witzenspitzel selbst noch in den schwierigsten Situationen einen Trick oder einen Ausweg findet, läßt sich auch schon an seinem Namen ablesen.

Die Grimmschen Märchen fand Brentano langweilig; er gab nichts auf treue Wiedergabe, sondern nahm sich das Recht auf schöpferische und spielerische Umgestaltung heraus. Wilhelm Grimm wiederum meinte, Brentanos Märchen seien »ineinander und zusammengearbeitet«. Er gestand ihnen zu, es sei »mehr Stil darin als in den unsrigen«, aber er war überzeugt, daß man beim wiederholten Lesen »den Witz weg hat« und daß dann die Wirkung eher nachläßt. Das war gut beobachtet. Aber man sollte die beiden Stilarten wohl nicht gegeneinander ausspielen. Jede hat ihre Berechtigung – Brentanos spielerische Phantastik und sein zugespitzter Witz (der Name Witzenspitzel könnte auf ihn selbst gemünzt sein!) ebenso wie die schlichte Erzählweise der Brüder Grimm.

Brüder Grimm *Rapunzel*

Für das Rapunzelmärchen läßt sich ein literarischer Stammbaum nachzeichnen: Basile bringt in seinem *Pentamerone* eine Geschichte um Petrosinella, die Französin Madame de la Force in ihrer Sammlung von Feenmärchen die Erzählung von Persinette – in beiden Fällen richtet sich die Eßlust der schwangeren Mutter auf Petersilie. Ende des 18. Jahrhunderts brachte Friedrich Schulz in mehreren Bänden »Kleine Romane« heraus; darin überträgt er die französische Vorlage, macht aus der Petersilie aber Rapunzel, also Feldsalat – vielleicht aufgrund einer eigenen Vorliebe, vielleicht auch wegen des Reimanklangs im Ausspruch des Mädchens, der bei Schulz noch lautet: »Rapunzel, laß deine Haare runter . . .« Die Grimms beschnitten die etwas romanhafte Ausgestaltung, blieben aber im wesentlichen bei der Schulzschen Fassung.

Unser Text folgt der ersten Ausgabe der Kinder- und Hausmärchen. Für die späteren Auflagen änderte Wilhelm Grimm einiges. Vor allem suchte er alles zu beseitigen, was an die handfest-körperliche Seite der Liebe erinnerte. Während das Mädchen in der ursprünglichen Fassung bekennt, daß ihm die Kleider nicht mehr passen, und so ungewollt die Fee auf ihre Schwangerschaft aufmerksam macht, sagt Rapunzel in der Bearbeitung Wilhelm Grimms: »Sag sie mir doch, Frau Gotel, wie kommt es nur, sie wird mir viel schwerer hinaufzuziehen als der junge Königssohn, der ist in einem Augenblick bei mir«, und verrät so sehr viel unverfänglicher ihr Geheimnis. Die Frage, was Rapunzel und der junge Königssohn im Turm getrieben haben, soll erst gar nicht aufkommen.

Dabei ist die Liebe zwischen beiden das zentrale Motiv. Über das »Reifungserlebnis« im Märchen ist viel geschrieben worden. Die Rapunzelgeschichte bietet ein gutes Beispiel für die Darstellung des Reifungsprozesses. Mit zwölf Jahren wird Rapunzel in den Turm geschlossen. Will-Erich Peuckert hat in diesem Zusammenhang daran erinnert, daß bei einigen »Naturvölkern« Mädchen, wenn sie zur Geschlechtsreife kommen, in »Pubertätshütten« isoliert werden. Das ist sehr weit hergeholt. Aber auch bei uns gibt es, wenn auch vereinzelt, entsprechende Überlieferungen. Die heilige Barbara wurde nach der Legende wegen ihrer Schönheit gegen alle Verlockungen abgeschirmt. Man kann dieses Bild als Symbol für einen inneren Vorgang nehmen: Der Wandel im eigenen Dasein isoliert die werdende Frau, macht sie unsicher gegenüber der Umwelt. Sie braucht den Anschluß an eine ältere, wissende Person – und wenn es eine Zauberin ist. Aber sie muß sich davon auch wieder lösen, muß eine neue Bewegung wagen. Die Haare werden zum Lockmittel und zum Verbindungsweg. Rapunzel erschrickt über den neuen Besucher; aber sie überwindet die Angst und lernt die Liebe kennen – das glückliche Ende ist vorgezeichnet.

Brüder Grimm *Die weiße Schlange*

Das Märchen von der weißen Schlange erinnert an eine ganze Reihe anderer Märchen – es ist aus zwei Motivreihen zusammengesetzt, die jede für sich auch mit anderen Märchenthemen kombiniert werden. Da ist einmal das »Erlernen« der Tiersprache, charakterisiert dadurch, daß es gerade nicht das Ergebnis einer langwierigen und mühsamen Aneignung ist, sondern daß es einer Märchenfigur plötzlich, von einem Moment auf den andern, zufällt.

Die Neugier des Dieners wird hier nicht bestraft wie in manchen anderen Märchengeschichten, sondern sogar belohnt. Der Diener überläßt sich seinen Gelüsten, ißt von der weißen Schlange – und versteht fortan, was die Tiere sagen. Die Vorstellung, daß man sich Fähigkeiten »einverleiben« kann, daß also mit dem Verzehr von Körperteilen etwas von der Kraft der fremden Körper angeeignet wird, kommt in etlichen alten Mythen und Sagen vor. In der altnordischen Edda ißt beispeilsweise Sigurd vom Drachenherzen und bekommt so Zugang zur Sprache der Tiere; und ähnliche Handlungszüge kommen auch in anderen Heldensagen vor.

Im Märchen von der weißen Schlange wird der Diener vor der drohenden schweren Strafe gerettet, weil er die Ente versteht und so dem fehlenden Ring auf die Spur kommt. Er bekommt als Belohnung ein Pferd und reitet in die

weite Welt – und dies ist der Auftakt für die Haupthandlung, die von einer
zweiten Motivreihe beherrscht wird: der Hilfestellung dankbarer Tiere. Der
Held hilft den Tieren – und sie wiederum sind im richtigen Moment da und
helfen ihm.

Für uns verbinden sich mit diesem Motiv leicht Gedanken des Tierschutzes
und der Tierliebe: Auch die nichtmenschlichen Kreaturen verdienen unsere
Rücksicht und Zuwendung. Daß dies ganz offensichtlich nicht der ursprüng-
liche Sinn dieses Motivs ist, wird daraus deutlich, daß der Diener sein Pferd
ohne Zögern tötet, um den jungen Rabenvögeln Fleisch zu geben – auf sie
kommt es an.

Es gibt verschiedene Deutungen des Motivs der dankbaren Tiere. Es wurde in
Verbindung gebracht mit der Verehrung von Tiergeistern und mit dem Versuch
der Menschen, ihre Schuld gegenüber den von ihnen gejagten und genutzten
Tieren abzutragen. Max Lüthi, der bedeutende schweizerische Märchenforscher, nähert sich tiefenpsychologischem Verständnis, wenn er die Reise des
Dieners als eine Reise zum inneren Selbst, als Selbstentdeckung und Selbst-
findung interpretiert. Die Tiere verkörpern nach ihm die Kräfte, die im Innern
des Helden vorhanden sind, die aber erst einmal geweckt werden müssen. Es
sind Kräfte, die nichts mit rationalem Nützlichkeitsdenken zu tun haben. Der
Held hilft den Tieren ohne Rücksicht auf den eigenen Nutzen, er rechnet sich
die Hilfe der Tiere nicht aus – eben deshalb kann er mit ihrer Hilfe rechnen.

Brüder Grimm *Allerleirauh*

Beim Hören oder Lesen von Märchen fühlt man sich immer wieder an andere
Märchen erinnert: Problemkonstellationen und Motive wiederholen sich, die
Erzähler schöpfen aus einem Reservoir, in dem es keine festen Abgrenzungen
gibt, und manchmal rutschen sie von einem Märchentyp fast unmerklich in
einen anderen hinein. Im Fall von »Allerleirauh« sind vor allem die Parallelen
zu Aschenputtel auffallend. Beide Märchengestalten müssen niedrige Dienste
tun, auch Allerleirauh muß die Asche kehren. Beide können über schöne Kleider verfügen, die sie aber nur auf dem Ball tragen und sonst versteckt halten.
Der Schuhprobe Aschenputtels entspricht die Ringprobe – mit den Geschenken in der Suppe weist Allerleirauh auf ihre eigentliche Identität hin.

In manchen Landschaften wurden allerdings auch Varianten aufgeschrieben,
in denen die Erzählerinnen oder Erzähler einen anderen Weg der Entdeckung
wählen. So kommt es vor, daß sich der König von der Bediensteten lausen läßt
und daß er dabei, den Kopf in ihrem Schoß, die schönen Kleider sieht, die sie
unter dem Pelzwerk trägt. Auch die Art und Weise der Verstellung und der
Flucht wird verschieden dargestellt. Bei Charles Perrault, der das Märchen in
gereimter Form publiziert hat, schlüpft das Mädchen in eine Eselshaut (*Peau*

d'asne ist die Geschichte überschrieben). Sie hat aber die gleiche Funktion wie der aus Hunderten von Tierfellen zusammengesetzte Pelzmantel, der dem Märchen auch den Namen gegeben hat: »Allerlei Rauch« notierte Jacob Grimm zunächst, und Rauch ist ein altes Wort für Pelzwerk – vor wenigen Jahrzehnten konnte man an Pelzgeschäften noch die Aufschrift »Rauchwaren« finden.

Daß das Märchen von Allerleirauh weniger bekannt und populär ist als das Märchen vom Aschenputtel, liegt sicher am Eingang der Erzählung. Der König begehrt die eigene Tochter zur Frau – das ist ein Inzestwunsch, der im wirklichen Leben dem Bereich der Kriminalität zugeordnet ist. In einigen Varianten wird der König denn auch am Ende der Bestrafung zugeführt oder zu einem strengen Urteil über sich selbst gezwungen. Und es gibt andere, in denen eigens die päpstliche Erlaubnis zur Heirat eingeholt wird.

Interessanter als diese Bereinigungen ist aber eigentlich der Befund, daß man sich beim Anhören oder Lesen des Märchens gar nicht besonders stört an der ungewöhnlichen Konstellation. Man wird zunächst stutzig, und immerhin ist der unerlaubte Wunsch ja auch der Grund dafür, daß die Königstochter davonläuft. Aber durch den Küchendienst und ihr ganzes Elend tilgt sie gewissermaßen auch die Schuld des Vaters – am Ende hat man nur noch zwei Liebende vor Augen, denen man das Glück der Vereinigung gönnt.

Brüder Grimm *Das singende, springende Löweneckerchen*

»Von Dortchen Wild in Kassel am 7. Januar 1813 halb 9 Uhr gehört.« So haben es die Brüder Grimm festgehalten. Vom wem Dorothea Wild, die spätere Frau Wilhelm Grimms, die Geschichte gehört hatte und inwieweit sie selber zu ihrer Ausschmückung beitrug, wissen wir nicht. Jedenfalls waren den Brüdern ähnliche Geschichten bekannt. Sie erwähnen eine entsprechende »Erzählung aus der Schwalmgegend«, und sie verweisen auch auf eine romanhafte Erzählung von Madame de Villeneuve, die 1740 auf französisch und 1765 in deutscher Übersetzung erschienen war – darin wird die Tochter die Frau eines Drachens, aus dessen Garten der Vater eine Rose gebrochen hat. Und natürlich kannten die Grimms auch die griechische Geschichte von Amor und Psyche. Auch Psyche, die jüngste von drei Königstöchtern, wurde einem Drachen zur Frau gegeben, und auch sie muß, nachdem sie sein Geheimnis entdeckt hat, schwere Prüfungen auf sich nehmen. Da die Schriften des Apuleius (er fügte die Erzählung ein in seine *Metamorphosen*) im Mittelalter viel gelesen wurden, könnte auch er dieses Märchen beeinflußt haben.

Das singende, springende Löweneckerchen ist ein ungewöhnlich kompliziertes Märchen. Die Episoden sind nicht immer klar abgegrenzt, die Motive erscheinen nicht immer zwingend. Man hat den Eindruck, daß Dortchen Wild oder die vor ihr an der Ausgestaltung Beteiligten weniger eine strenge Handlungslinie anstrebten, daß sie vielmehr der Phantasie freien Lauf ließen. Möglicherweise ist schon die Titelfigur, das Löweneckerchen, ein Produkt spielerischer Phantasie: Im Niedersächsischen gibt es für die Lerche die Dialektform »Lewerken«; aber in dem Namen steckt auch der Verweis auf den Löwen, der gleich in Aktion tritt.

Die Vielzahl der Verwandlungen, Prüfungen, Gaben erschwert den Überblick. Aber es gibt dann doch zentrale Motivfolgen und geläufige Themen, die die Struktur der Erzählung bestimmen. Hierher gehört das nach einer Geschichte des Alten Testaments genannte »Jephtamotiv«: Der Feldherr Jephta verspricht vor einem Kriegszug dasjenige als Brandopfer darzubringen, das ihm bei der Heimkehr zuerst begegnet – es ist seine geliebte Tochter, und er opfert sie. Im Märchen leitet dieses Motiv die Handung ein, die aber natürlich – nach vielen Hindernissen – zu einem erfreulicheren Ende führt. Der zweite Motivkomplex, der für die Geschichte grundlegend ist, wird im allgemeinen mit dem Stichwort »Tierbräutigam« bezeichnet. Er kommt auch in anderen Märchen vor, in Straparolas Geschichte vom König Igel etwa, im Froschkönig oder in der französischen Erzählung »La belle et la bête«.

Was die weit auseinanderlaufende Handlung aber auch zusammenhält, ist die von Anfang bis Ende durchgehaltene Uneigennützigkeit und Opferbereitschaft des Mädchens. Die Verse, die sie gegen Ende zweimal zu ihrer Konkurrentin sagt, gelten im Grunde auch schon am Anfang, wenn sich die Schwestern Edelsteine wünschen, sie aber ein lebendiges Wesen: »Nicht für Geld und Gut, aber für Fleisch und Blut . . .«

Brüder Grimm *Der Froschkönig oder der eiserne Heinrich*

Märchenforscher verwenden für die Geschichte vom Froschkönig das Kürzel KHM 1 – KHM für Kinder- und Hausmärchen, die Zahl 1, weil die Brüder Grimm dieses Märchen an den Anfang ihrer Sammlung gestellt haben. Sie sahen darin »eines der allerältesten und schönsten Märchen«. Für ein hohes Alter fehlen aber, wie bei vielen Märchen, verbindliche Belege. Zwar sagte man schon im alten Rom von einem schnell zu Reichtum Gekommenen, er sei vorher Frosch gewesen und jetzt König; aber das ist nur ein drastisches Vergleichsbild, hinter dem keineswegs eine ganze Märchengeschichte stehen muß.

Die Grimms haben die Geschichte in ihrem Bekanntenkreis gehört und aufgeschrieben. Allerdings war es eine etwas andere Geschichte als die, die sie in ihre spätere Märchenausgabe einrückten. In dem Märchen, das ihnen erzählt worden war, gab es eindeutige erotische Anspielungen. Der Frosch sagte in dieser ersten Fassung nicht, er sei müde und wolle sich schlafen legen, sondern er befahl: »Bring mich in dein Bettlein, ich will bei dir schlafen!« – und nach der Verwandlung in einen Prinzen landet er wieder im Bett, und »da legte sich die Königstochter zu ihm«. Die Bearbeitung meidet alle sexuellen Bezüge. Die Annäherung und die schließliche Heirat bleiben zwar ungewöhnlich und aufregend, weil man die überhaupt nicht zusammenpassenden Gestalten vor sich sieht; aber das Geschehen ist auffallend unkörperlich.

Der Grund für diese Änderung liegt auf der Hand: Die Brüder Grimm wollten ein Buch veröffentlichen, das auch und gerade für Kinder geeignet war, und das erforderte in ihren Augen moralische Korrekturen. Besonders deutlich wird dies in der Darstellung des Königs, der väterlich die Erfüllung der gegebenen Versprechen anmahnt. Daß die Verwandlung selbst nicht über den Gehorsam und die mitleidige Haltung der Königstochter zustande kommt, sondern als Ergebnis einer wütenden und brutalen Reaktion, steht in merkwürdigem Mißverhältnis zu dem moralisierenden Ton.

Aber wahrscheinlich macht gerade dieses Ineinander den Reiz des Märchens aus: Auf der einen Seite ein Weg zum Glück, der nicht ängstlich nach moralischen Geboten fragt, und auf der anderen Seite die moralische Absicherung durch den Vater. Das Märchen fasziniert aber auch durch seine Symbolsprache: Die goldene Kugel, Zeichen der verspielten Kindheit; der häßliche Frosch und seine Verwandlung, Sinnbild für versteckte, auf Entfaltung wartende Qualitäten; schließlich auch die eisernen Bande des treuen Heinrich, die das Gefühl des Schmerzes und der Erlösung unmittelbar verbildlichen.

»Der Froschkönig« gehört zu den bekanntesten Märchen. Die Verse »Heinrich, der Wagen bricht . . .« sind vielen Menschen geläufig. Und Bilderwitze oder Karikaturen mit dem Frosch, der – manchmal vergeblich – auf seine Verwandlung wartet, sind für alle verständlich.

Brüder Grimm *Märchen von einem, der auszog, das Fürchten zu lernen*

Unter Pfadfindern und bei anderen Jugendgruppen ist es üblich, daß am nächtlichen Lagerfeuer unheimliche Geschichten erzählt werden – von Spuk und Gespenstern, von Geisterhäusern und umgehenden Toten. Die Jugendlichen tun dann meist so, als berührten sie die Geschichten nicht; aber in Wirklichkeit läuft es den meisten kalt den Rücken hinunter. Das Hören der Geschichten bildet eine Art Mutprobe.

Auf den ersten Blick scheint auch das Grimmsche Märchen von einem, der auszog, das Fürchten zu lernen, eine solche unheimliche Geschichte zu sein – sogar eine mit besonders grausigen Einzelheiten. Da tauchen dämonische Tiere auf, Tod und Teufel rumoren in den Räumen des alten Schlosses, Leichen, Skelette und Totenschädel treten bedrohlich in Erscheinung. Tatsächlich hat Wilhelm Grimm dieses Märchen aus verschiedenen Einzelteilen komponiert und dabei auch Spukgeschichten verwendet. Was er zusammengesetzt hat, ist eine grausige Geschichte – aber es ist auch ein Märchen, und ein lustiges dazu. Der Held des Märchens, der jüngere und dümmere von zwei Söhnen, ist den Gefahren nicht unfreiwillig ausgesetzt. Vielmehr ist es sein Ziel, das Fürchten zu lernen – das Gruseln, wie er sagt, weil er dieses Wort immer wieder aufgeschnappt hat. Ihn hat es noch nie gegruselt, und das möchte er auf jeden Fall lernen. Seine Naivität macht ihn unempfindlich, unempfindlich für die üblichen Gefühle (er kennt keinerlei Pietät), aber auch unempfindlich gegen Gefahren und Bedrohungen, und mögen sie noch so haarsträubend sein.

Der Aufbau der Geschichte legt es von vornherein nahe, daß der Junge unbeschädigt aus seinen Abenteuern hervorgeht. Drei Proben hat er zu bestehen, mit einer deutlichen Steigerung der Gefahr. Als erstes tritt ihm der Küster, der ihn »abhobeln« oder »zurechtstutzen« soll, als Gespenst entgegen. Dann trifft er bei Nacht auf Gehenkte, mit deren toten Körpern er umgeht wie mit lebenden. Und schließlich kommt die dritte, die schwerste Aufgabe, die ihrerseits wieder in drei Teile zerfällt: drei Nächte muß er in dem verwunschenen Schloß zubringen und dort dreimal drei entsetzliche Schwierigkeiten aushalten. Man kann, mit gewissen Unschärfen, die Proben im Schloß von 1 bis 9 numerieren – aber selbst wenn man auf diesen Zahlenzauber verzichtet, der ganze Aufbau der Geschichte verweist jedenfalls auf ein Märchen.

Da die grausigen Dinge aus der Perspektive des Jungen geschildert werden, verlieren sie viel von ihrer Unheimlichkeit. Als Leser ertappt man sich dabei, daß man die ganzen Arrangements um den Tod und die Toten nicht als bedrohlich, sondern eher als komisch empfindet. Die Begegnung mit den Geistern, Gepenstern und Toten hat etwas von schwarzem Humor an sich. Über den Tod macht man keine Witze, sagt man. Aber gerade wegen dieses Tabus sind Witze über den Tod so beliebt. Der schönste Witz unseres Märchens führt freilich weg vom Tod: Nicht die gespenstischen Erscheinungen bewirken das Gruseln, sondern eine ganz einfache körperliche Erfahrung – die plötzliche Berührung der Haut mit kaltem Wasser und glitschigen Fischen.

Brüder Grimm *Der Wolf und die sieben jungen Geißlein*

Die Erzählung vom Wolf und den sieben Geißlein gehört zu dem runden Dutzend Märchen, die alle kennen – nicht nur die Erwachsenen, sondern auch die Kinder. Offenbar ist es eine besonders eingängige und einleuchtende Geschichte. Es geht darin zwar wunderlich zu: In der Geißenfamilie unterhält man sich, und der Wolf kann ebenfalls sprechen; er läßt sich, ohne Narkose und ohne die geringste Gegenwehr, den Bauch aufschneiden, und in seinem Bauch kommen die von ihm gefressenen Geißlein gesund und munter zum Vorschein. Aber sieht man von diesen Besonderheiten und von der »Kostümierung« ab, so ergibt sich ein sehr einfacher, für alle verständlicher Vorgang: Eine Mutter geht weg, um einiges zu besorgen, mahnt die Kinder zu Hause, keinen Unfug zu machen und vor allem niemand hereinzulassen während ihrer Abwesenheit. Kaum ist sie weg, kommt jemand, verschafft sich mit verschiedenen Tricks Eintritt und bringt die Kinder in äußerste Gefahr, aus der sie nur gerettet werden, weil sich das jüngste der Geschwister rechtzeitig verstecken konnte.

Es ist eine belehrende Erzählung, und es ist gar nicht so selten, daß Mütter und Väter, aber auch Erzieherinnen und Erzieher die Erzählung zum Anlaß nehmen, um Kinder vor fremden Personen und überhaupt vor den im Alltag lauernden Gefahren zu warnen. Nötig ist das eigentlich nicht; man muß nicht alles breittreten, was in der Erzählung verpackt ist. Die Kinder erleben über die unwirkliche Geschichte durchaus auch wirkliche Ängste, und sie werden damit fertig, weil sie am Ende gemeinsam triumphieren können: Der Wolf ist tot, der Wolf ist tot!

Allerdings ist es wahrscheinlich, daß die eindringliche Warnung am Anfang dieser Geschichte stand. Man kann sich gut vorstellen, daß Menschen in einsamen Gegenden sich und ihren Kindern mögliche Gefahren ausmalten, und Wölfe waren jahrhundertelang eine reale Bedrohung. Eine zweite Stufe in der Entwicklung der Geschichte bilden die Fabeln, wie sie uns seit dem späten Mittelalter überliefert sind. Darin sprechen nicht mehr Menschen die Warnung aus, sondern es wird von einem Tier – einer Ziege – erzählt, das seine Jungen vergeblich vor dem Wolf warnte. Schon hier steht der Wolf für das Böse, Gefährliche im allgemeinen. Und schließlich wird der Geschichte eine glückliche Wendung gegeben. Die bösen Folgen werden zwar ausgemalt, aber auch wieder beseitigt, die Ängste aufgefangen: Es geht gut aus – wie fast immer im Märchen.

Brüder Grimm *Der treue Johannes*

Eine seltsame Geschichte. Manches kommt einem aber schon beim ersten Lesen bekannt vor. Aus anderen Märchen, wie etwa die sprechenden Vögel, aber auch aus anderen Zusammenhängen: Der listige Brautraub mit dem Schiff taucht schon in antiken Erzählungen auf und blieb ein beliebtes Abenteuermotiv; die plötzliche Versteinerung eines Menschen erinnert an die biblische Episode der Erstarrung von Lots Frau zur Salzsäule; Gefahren der Brautnacht spielen in der christlichen Tobiasgeschichte, aber auch in den Dichtungen um Jung-Siegfried eine Rolle; und die heilende Wirkung von Kinderblut steht im Mittelpunkt der mittelalterlichen Erzählung vom »Armen Heinrich«.

Das Märchen nimmt diese Motive nicht nur auf und addiert sie, sondern stellt sie unter ein anderes Vorzeichen. Man weiß, daß es gut ausgeht; die teilweise grausamen und blutigen Details werden abgemildert durch das ständig gegenwärtige Glücksversprechen. Dieser für das Märchen charakteristische positive Grundton hat sich wohl erst spät herausgebildet – »spät« heißt hier freilich: am Ende des Mittelalters, in der frühen Neuzeit.

Die älteste Fassung des Märchens vom treuen Johannes ist wieder einmal in einer italienischen Sammlung zu finden, in Basiles *Pentamerone* aus dem 17. Jahrhundert. Ein Jahrhundert danach dichtete ein anderer Italiener, Carlo Gozzi, nach der Vorlage Basiles sein Märchenstück *Il corvo* (Der Rabe). Es gab also bereits literarische Vorläufer, als die Brüder Grimm ihr Märchen niederschrieben. Sie betonten allerdings, daß sie es von einem ihrer Gewährsleute gehört und nicht etwa aus Büchern übernommen hätten.

Ganz sicher haben sie die Geschichte nicht unverändert in ihre Sammlung aufgenommen, haben sie vielmehr überarbeitet und ihr den eigenen Stempel aufgedrückt. Sie haben wohl empfunden, daß auf die Leserinnen und Leser ihrer Zeit die alten, harten Motive befremdlich wirken mußten; deshalb haben sie ihre Erzählung moralisch unterfüttert und psychologisiert. Die schlaue, aber auch böse List der Entführung der schönen Königstochter wird entschuldigt durch die »übergroße Liebe« des jungen Königssohns, die gleich eingangs mit einer gefühlvollen Übersteigerung charakterisiert wird: »Wenn alle Blätter an den Bäumen Zungen wären, sie könnten's nicht aussagen . . .« Und auch für alle anderen Untaten gibt es moralisierende Begründungen.

Der Titel der Märchengeschichte ist nicht zufällig. Die Treue ist das Leitmotiv der Erzählung. Johannes ist treu bis in seinen Tod. Der König hält seinerseits Johannes die Treue, er geht über die für ihn unverständlichen Vernichtungsaktionen des Dieners weg, bis ihn die Eifersucht packt und zur Verurteilung von Johannes verführt. Und auch die Königin wird einbezogen in dieses Treueverhältnis: Sie trauert mit dem König um den Verlust des redlichen Dieners, und sie bekennt, daß auch sie bereit gewesen wäre, ihre Kinder für seine Wiederbelebung zu opfern. Die »Glückseligkeit«, die im letzten Satz beschworen wird, soll nicht unverdient erscheinen.

Brüder Grimm *Die zwölf Brüder*

Vor mehr als 300 Jahren nahm der italienische Dichter Basile in seine Sammlung *Pentamerone* ein Märchen mit dem Titel *Li sette palommielle* – die sieben Tauben – auf. Sieben Söhne sagen ihrer Mutter, sie würden weggehen, wenn auch das achte Kind ein Junge ist. Tatsächlich kommt ein Mädchen zur Welt; aber versehentlich wird das falsche Zeichen aufgesteckt; die Söhne bleiben im Wald bei einem blinden Menschenfresser. Nachdem das Töchterchen sie gefunden hat, töten sie den Riesen, werden aber in Tauben verwandelt, als die Schwester Rosmarin von seinem Grab bricht. Die einzelnen Motive sind etwas anders, auch die weitere Entwicklung verläuft anders – aber es ist das gleiche Märchen. Das heißt nicht, daß eine direkte Linie von Basile zu den Brüdern Grimm führt. Es gab neben der literarischen Tradition auch das mündliche Erzählen, das allerdings durch die literarischen Fixierungen beeinflußt wurde. Und umgekehrt wurden mündlich vorgetragene Märchen literarisch bearbeitet – so auch unser Märchen von den zwölf Brüdern, das die Brüder Grimm in ihrem Bekanntenkreis gehört und aufgeschrieben hatten.

Der Eingang des Märchens ist erstaunlich. Man hat der Gattung Märchen verschiedentlich vorgeworfen, daß sie stets die männliche Perspektive zur Geltung bringe. Hier scheint es umgekehrt zu sein: die männlichen Kinder sind nicht nur benachteiligt, sondern sollen sogar ausgeschaltet werden. Im Verlauf der Erzählung werden die üblichen Bewertungen allerdings rasch wiederhergestellt: Die kleine Schwester unterwirft sich dem Reglement und kocht und putzt für die Brüder, und sie ist es auch, die in erster Linie zu leiden hat, nachdem sie, ohne es zu wollen, zur Verwandlung der Brüder in Raben beigetragen hat.

Die zwölf Brüder sind ein gutes Beispiel dafür, wie im Märchen alles konkret und sichtbar gemacht wird. Es bleibt nicht bei der Todesdrohung; die Särge werden präsentiert. Von den verschwundenen Brüdern ist nicht in allgemeiner Form die Rede; vielmehr lösen die zwölf Hemden die entscheidende Nachfrage aus. Auch die Zuspitzung der Schlußszene gehört in diesen Zusammenhang. Die Raben kommen »im letzten Moment« – und dieser allerletzte Moment wird dramatisch ausgemalt: Das Feuer züngelt schon an den Kleidern der Verurteilten.

Daß die Königin überhaupt verurteilt wird, will nicht recht einleuchten. Entweder haben die Grimms die härteren Beschuldigungen der bösen Stiefmutter herausoperiert, oder es kam der Erzählerin auf eine Begründung nicht an. Wichtig ist tatsächlich nur, daß eine gefährliche Krise entsteht und daß in diesem Moment die Raben, die Brüder auftauchen. Max Lüthi sprach von der »Präzision« als Kennzeichen des Märchens: Alles klappt, alles geschieht im richtigen Moment. In der Wirklichkeit geht es nicht so zu. Das Märchen sagt, wie es zugehen sollte.

Brüder Grimm *Das Lumpengesindel*

Es gibt Erzählungen, in denen die handelnden Figuren Tiere sind, die sich aber verhalten wie Menschen – auf diese Weise können menschliche Fehler und Untugenden vorgeführt und attackiert werden, ohne daß sich der Angriff direkt gegen die Menschen wendet. Seit dem 15. Jahrhundert bezeichnet man diese Erzählungen als Fabeln. Die Fabeln wurden in Schulbücher eingerückt, wurden aber auch in Predigten eingebaut oder einfach zur belehrenden Unterhaltung vorgetragen. Der listige Fuchs, der gutmütige Bär, der grimmige Wolf, der dumme Esel – sie bekamen ihre Eigenschaften großenteils über derartige Fabeln zugewiesen.

Auf den ersten Blick scheint auch die kleine Geschichte vom Lumpengesindel eine Fabel zu sein. Aber die Bezeichnung paßt nicht ganz. Einmal deshalb, weil in dieser Geschichte ja auch ein wirklicher Mensch eine wichtige Rolle spielt: der Wirt. Zum andern deshalb, weil die Taten von Hähnchen und Hühnchen nur teilweise menschliches Handeln nachzeichnen. Und außerdem deshalb, weil die Geschichte nicht auf eine seriöse Moral hinausläuft. Zwar steht am Ende die lehrreiche Beobachtung, daß man bei »Lumpengesindel« aufpassen muß, wenn man nicht hereingelegt werden will; aber bis dahin wird die Geschichte aus der Perspektive der zu allerhand bösen Streichen aufgelegten Tiere und Dinge erzählt – beim Lesen oder Hören freut man sich über die verrückten Einfälle der Bande und über ihren Schabernack.

Allerdings muß immer damit gerechnet werden, daß eine Märchenfassung unvollständig oder verändert ist. Es ist ja nicht wie bei einem Gedicht, das man im Prinzip nur richtig oder falsch zitieren kann; Märchen wurden im Lauf der Geschichte immer wieder von neuen Erzählern übernommen, die sie teilweise nach ihrem Geschmack und ihren Vorstellungen umformten. Unter den Märchen, die mit dem *Lumpengesindel* verwandt sind, gibt es eine größere Anzahl, in denen der überlistete Gastgeber als ein böser Mann charakterisiert wird. Das rechtfertigt dann auch die Untaten des bei ihm einkehrenden bunten Trupps. In manchen dieser Geschichten wird der Wirt nicht nur geärgert und betrogen, sondern – in märchenhafter Übersteigerung – am Ende von einem Mühlstein erschlagen, wie es der bösen Stiefmutter in der Erzählung vom Machandelbaum geschieht. Vielleicht trifft diese Version den ursprünglichen Sinn des Märchens besser.

Brüder Grimm *Brüderchen und Schwesterchen*

Die Erzählung von den beiden Geschwistern gehört zu den rührseligsten der Grimmschen Märchen. »Gott und unsere Herzen, die weinen zusammen«, sagt das Schwesterchen, als es regnet. Nach der unglücklichen Verwandlung heißt es: »Nun weinte das Schwesterchen über das arme verwünschte Brüderchen, und das Rehchen weinte auch und saß so traurig neben ihm.« Das klingt – mit den Verkleinerungen und der Tränenseligkeit – wie eine fromme Kindergeschichte, und es wird auch gesagt, daß das Brüderchen »durch Gottes Gnade« sein Leben wiederbekommen hat.

Nun ist die Treue und Liebe zwischen den Geschwistern ein zentrales Thema der Geschichte, und das legt eine gefühlvolle Behandlung des Stoffes nahe.

Aber zu großen Teilen dürfte die sentimentale und verniedlichende Darstellung in den bürgerlichen Familien Anfang des 19. Jahrhunderts entwickelt worden sein. In der mit den Grimms befreundeten Familie Hassenpflug, aus der den Brüdern zwei Fassungen des Märchens zukamen (in einer wird der Bruder in einen Hirsch verwandelt), vor allem aber wohl bei den Grimms, die das Märchen nach ihrem Geschmack und mit dem Gedanken an die pädagogische Wirkung stilisierten.

Von wo die Erzählung ihren Ausgang genommen hat, ließ sich nicht feststellen. Es gibt Forscher, die sie auf eine Episode der griechischen Mythologie zurückführen; andere sehen den Ursprung in den nordischen Ländern Europas. Jedenfalls ist die Geschichte sehr weit verbreitet, und es fällt auf, daß fast alle der in Europa, im Nahen Osten und sogar in Übersee gesammelten Versionen sehr viel weniger rührselig sind, mache sogar ausgesprochen herb.

Das zeigt sich schon am Eingangsmotiv: Die Kinder verlassen das Haus nicht, weil die Stiefmutter sie schlecht behandelt, sondern weil die Eltern sie töten wollen – in einer ganzen Reihe von Geschichten, um sie zu verzehren. Aber nicht nur in den Motiven, sondern auch in der psychologischen Ausgestaltung gibt es Unterschiede. Die zweite Hälfte des Märchens gehört zum Typus »untergeschobene Braut«; und hier gibt es im Verhalten der richtigen Braut bezeichnende Unterschiede. In der Fassung der Brüder Grimm schwebt die heimtückisch Getötete engelgleich herein, versorgt ihr Kind und verschwindet wieder. In einer schwedischen Fassung stellt sie der Kinderfrau die Frage: »Liegt der Hexe Tochter in meines Liebsten Arm?« – eine Bemerkung, die für die Grimms bei einem Kindermärchen undenkbar war.

In der von Carl Gustav Jung begründeten Tiefenpsychologie verkörpern Bruder und Schwester zwei entgegengesetzte Prinzipien im Innern jeder Person. Diese Annahme, die sich wohl kaum beweisen läßt, wird sicher nicht von allen akzeptiert. Aber unbestreitbar ist, daß uns beide Seiten angehen und anrühren: die muntere Unbekümmertheit des Jungen wie die Fürsorge und Treue des Mädchens. Ob diese Eigenschaften unbedingt an das jeweilige Geschlecht gebunden sind, ist eine andere Frage.

Brüder Grimm *Hänsel und Gretel*

Die handschriftliche Aufzeichnung dieses Märchens überschrieb Wilhelm Grimm: »Das Brüderchen und das Schwesterchen«. Jacob fügte als Vorschlag für die Überschrift hinzu: »Hänsel und Gretchen«, und daraus entstand für die Druckfassung »Hänsel und Gretel«. In der Handschrift notierte Jacob auch den Namen des französischen Dichters Charles Perrault. Das heißt nicht, daß das Märchen von ihm übernommen wurde – die Brüder haben es wohl, wie viele andere, bei der Apothekersfamilie Wild gehört. Aber bei Perrault gab es unverkennbare Ähnlichkeiten, und zwar in seinem Märchen vom kleinen Däumling, wo die Eltern ihre sieben Kinder loswerden wollen, das Jüngste aber mit Kieseln den Heimweg markiert und beim zweitenmal Brotkrumen streut, die von den Vögeln aufgepickt werden.

Nicht nur die Ausgangssituation findet sich auch in anderen Märchen. Auch für die Auseinandersetzung mit der Hexe gibt es viele Parallelen; allerdings ist das böse Wesen, dem die Kinder begegnen, nicht immer eine Hexe, sondern auch einmal ein Menschenfresser oder ein Wolf. Immer aber gelingt es den Kindern, sich – mit List, aber auch mit der Hilfe guter Wesen – zu befreien. Dieses Gefühl der Befreiung herrscht vor; die Kinder finden zu ihrer eignen Kraft und Stärke – auch wenn ihr Aufbruch keineswegs freiwillig war. Daß die Eltern sie fortgeschickt haben, schlägt ihnen letztlich zum Guten aus, insofern ist es durchaus konsequent, daß sie am Ende das Elternhaus nicht meiden, sondern mit ihren Reichtümern dorthin zurückkehren. Daß sie nur den Vater antreffen, der mit seinen Skrupeln gekämpft hat, die Mutter aber tot ist, garantiert ihnen beständiges Glück.

Hänsel und Gretel ist eines der bekanntesten und beliebtesten Märchen. Kinder identifizieren sich mit Hänsel und Gretel, sie leben die Gefahren durch und haben doch die Sicherheit, sie zu überwinden. Zur besonderen Beliebtheit des Märchens hat aber sicher auch der Komponist Engelbert Humperdinck beigetragen, dessen Märchenoper seit über hundert Jahren zum Standardrepertoire großer und kleiner Opernbühnen gehört und meistens in der Weihnachtszeit aufgeführt wird; die Uraufführung war am 23. Dezember 1893 in Weimar. Die Brücke zum Weihnachtsfest bildet dabei vor allem das Hexenhäuslein, dessen Nachbildung auch auf vielen Gabentischen zu finden ist. Dieses Knusperhäuschen ist eines der reizvollsten Motive des Märchens, gerade auch deshalb, weil es eine Art Kriminalgeschichte einleitet.

Brüder Grimm   *Das tapfere Schneiderlein*

Die Geschichte vom Schneider, der sich durch seine Pfiffigkeit das Ansehen eines unbesiegbaren Helden verschafft, haben die Brüder Grimm aus zwei Teilen zusammengesetzt. Zunächst hatten sie nur den ersten Teil, die Wettkämpfe mit dem Riesen, in ihre Sammlung aufgenommen. In der zweiten Auflage fügten sie die Episoden an, in denen der Schneider zunächst erneut gegen Riesen, dann aber auch gegen ein Einhorn und ein Wildschwein antreten muß. Sie stammten aus einem Buch, das Martin Montanus 1557 unter dem Titel *Wegkürtzer* herausbrachte; seine Erzählung wurde von den Grimms umgearbeitet. Die beiden Teile passen gut zusammen; die Einleitung bringt gewissermaßen die Qualifikationskämpfe, und im zweiten Teil geht es um den eigentlichen Lohn, die Hand der Königstochter.

Verschiedene Episoden der Geschichte waren schon vor Jahrhunderten so bekannt, daß man sie gar nicht erzählen mußte, daß vielmehr eine kurze Anspielung genügte. Fischart erinnert in einem 1575 erschienenen Werk an jenen Schneider, der »neun in eim Streich« tötete; Grimmelshausen bringt ein Jahrhundert später eine ähnliche Anspielung in seinem »Simplicissimus«, und Goethe wollte es als Kind nicht wahrhaben, daß der »verdammte Schneider« die Prinzessin zur Frau kriegt.

Die Geschichte war offensichtlich sehr verbreitet, und dies nicht nur in Deutschland. Besonders alte Fassungen stammen aus Indien und China. Im Mittelpunkt steht dort oft ein ängstlicher Mann (es muß kein Schneider sein!), den seine Frau loswerden will; sie gibt ihm Giftpillen auf die Reise mit, und mit ihnen tötet er versehentlich die Riesen und wird als Held gefeiert. In einer anderen Fassung sucht ein Mann nachts seinen Esel und bindet statt dessen einen Tiger an seinem Hause an, was dem feindlichen Heer so Angst macht, daß es die Flucht ergreift.

Man hat in diesen Geschichten eine Parodie auf die Heldendichtungen gesehen. Man hat wohl die Übertreibung in den übermenschlichen Kraftleistungen und Kriegstaten der Helden empfunden; es lag nahe, sie ins Komische zu verkehren. Aber auch das tapfere Schneiderlein bleibt ein Held – nicht wegen seiner Kraft, sondern wegen seiner List und seinem Übermut.

In den siebziger Jahren gab es immer häufiger Kritik daran, daß fast alle aktivmutigen Rollen im Märchen den Männern vorbehalten waren, während die Frauen meist als stille Dulderinnen fungierten. Doris Lerche und Otto F. Gmelin brachten 1978 *Märchen für tapfere Mädchen* heraus, und darin durfte *Die tapfere Schneiderin* nicht fehlen. In gewisser Weise wurde so der parodistische Weg fortgesetzt: Kein königlicher Held, ein Schneider. Und nun: kein Mann, eine Frau – die tapfere Schneiderin.

Brüder Grimm *Aschenputtel*

Oft wird gesagt, die Märchen seien »uralt« – eine Feststellung, die Fragen eher abschneidet als löst. Richtig ist, daß viele Märchen sehr, sehr alte Motive enthalten. In einer vor zwei Jahrtausenden niedergeschriebenen griechischen Erzählung wird einer schönen Frau von einem Adler der Schuh weggenommen und einem König gebracht, der überall nach ihr suchen läßt, sie schließlich auf einer Insel findet und heiratet. Aber dies ist nur ein verwandtes Motiv, noch nicht die gleiche Geschichte. Im frühen Mittelalter kannte man aber eine Erzählung, die der Aschenputtelgeschichte schon sehr nahekommt. Sie handelt von der Nonne Isidora, die in ihrem Wüstenkloster schlecht behandelt, ja mißhandelt wird. Auf Geheiß eines Engels kommt ein frommer Mann in das Kloster und sucht nach der Jungfrau – alle Nonnen werden gerufen, aber er findet sie nicht. Da wird ihm gesagt, es sei nur noch eine Dumme in der Küche, und sie erscheint in schlechten Kleidern und mit einem Kopftuch, das ihr schönes Haar verbirgt. Man hat verschiedentlich angenommen, daß der Dichter dieser Legende auf das Aschenputtelmärchen zurückgegriffen hat – aber mindestens ebensogut kann es umgekehrt sein: daß aus der Legende im Lauf der Jahrhunderte ein Märchen wurde.

Erste vollständige Fassungen des Märchens verdanken wir – wie auch in anderen Fällen – dem Italiener Giambattista Basile *(La gatta Cenerentola)* und dem Franzosen Charles Perrault *(Cendrillon)*. Diese romanischen Bezeichnungen für das Aschenputtel tauchen auch als Operntitel auf: 1817 wurde Rossinis *Cenerentola* aufgeführt, 1899 Massenets *Cendrillon*. Vertrauter ist heute die englische Bezeichnung *Cinderella*, vor allem durch den Film Walt Disneys von 1945, aber auch durch das im gleichen Jahr in Moskau uraufgeführte Ballett Prokofjews.

Die Brüder Grimm kannten die literarischen Fassungen aus Italien und Frankreich; aber sie zeichneten das Märchen zunächst von einer Frau im Marburger Spital auf und bekamen noch zwei weitere Fassungen zu hören. Manches in dem Märchen klingt an andere Märchenerzählungen an: Wie im *Singenden, springenden Löweneckerchen* wünscht sich das Mädchen im Gegensatz zu den Schwestern etwas Lebendiges, nämlich das Reis von einem Baum; und ähnlich wie *Allerleirauh* wird es in die Küche, in die Asche verwiesen.

Das Aschenputtelmärchen hat viele symbolische Deutungen hervorgerufen. In einer tiefenpsychologischen Interpretation gilt die Asche als »verachtete Anfangsmaterie« mit dem »Charakter des Mütterlichen«; die Linsen sind ein Fruchtbarkeitssymbol, das aus diesem Mütterlichen erwächst. Man tut gut daran, sich solchen Ausdeutungen nicht zu schnell zu überlassen. Die Asche – das ist zunächst einmal Schmutz, und die Linsen in der Asche präsentieren eine an sich unlösbare Aufgabe. Richtig ist freilich, daß seelische Eigenschaften und Anspielungen in Bilder übersetzt werden. Der Trost der sterbenden Mutter verkörpert sich beispielsweise im Baum und den Vögeln – der Baum vertritt die Verwurzelung, die Vögel die Phantasie, den freien Flug der Gedanken. Das eine ist Hilfe, die man aufsucht, das andere Hilfe, die man herbeiruft. So trägt der Trost über all die schweren Prüfungen hinweg.

Brüder Grimm *Frau Holle*

Gleich im zweiten Satz wird ein Vergleich mit Aschenputtel gezogen – tatsächlich ist die Ausgangssituation ähnlich. Auch an andere Märchen erinnert die Geschichte von Frau Holle. Daß das fleißige Mädchen das Brot aus dem Backofen holt und den Apfelbaum von seiner Last befreit, erinnert beispielsweise an das Motiv von den dankbaren Tieren, auch wenn es sich hier um keine Tiere handelt. Und Frau Holle selbst ist ein jenseitiges Wesen, das in gerechter Weise belohnt und bestraft, wie das in vielen Märchen der Fall ist; Jacob Grimm bringt in seinen Schriften zur *Deutschen Mythologie* Frau Holle in Verbindung mit der altgermanischen Göttin Hulda.

Obwohl der Weg der Märchengestalten tief ins unterirdische – oder sollte man sagen: überirdische? – Märchenreich führt, bleibt die Geschichte verhältnismäßig vordergründig. Es kommt darin eigentlich nur auf die scharfe Kontrastierung von Gut und Böse an. Die Stieftochter ist ein Ausbund an Tugend; sie ist fleißig und ordentlich, gehorcht den Anweisungen und ist hilfsbereit. In manchen Varianten des Märchens – so zum Beispiel in der von Perrault erzählten – wird auch noch die Bescheidenheit hervorgehoben: Das Mädchen wartet mit dem Essen und nimmt nur ein paar Bissen, und es betritt das jenseitige Haus nicht durch das goldene Tor, sondern durch eine Stalltür.

Das ist die Botschaft des Märchens: Wer gut ist, wird belohnt – und gut ist, wer sich in die Gegebenheiten fügt. In manchem erinnert das Märchen an das Bild vom breiten und vom schmalen Weg, das noch vor wenigen Jahrzehnten in manchen protestantischen Wohnungen hing. Auf diesem Bild säumen den breiten, bequemen Weg das Wirtshaus, das Theater und ähnliche gefährliche Einrichtungen; am schmalen, steilen Weg wartet die Arbeit, die Sparsamkeit, die Enthaltsamkeit. Dieser schmale Weg aber führt zum Himmel, während der andere, breite, in der Hölle ankommt.

Es ist nicht verwunderlich, daß diese allzu glatte Moral manchen Lesern und Zuhörern nicht ohne weiteres zusagt. Rolf Krenzer schrieb eine Parodie, die das Märchen modernen Verhältnissen anpaßt und gegen den Strich bürstet. Sie fängt an: »Alte Frau mit großem Haus / Schaut nach Haushaltshilfe aus«; das erste Mädchen ist »dumm und tüchtig« und erledigt alle Arbeiten. Das zweite Mädchen stellt fest, daß es ausgenützt wird, erinnert an die 40-Stunden-Woche und an Arbeitsschutz. »Zweite Schwester frech / Pech«, heißt es von ihr. Das ist ein Spiel mit den alten Motiven – aus den Angeln gehoben und verdrängt wird das Märchen dadurch wohl nicht; dazu sind seine einfachen Bilder (Schnee, Gold, Pech) wohl zu eindringlich.

Brüder Grimm *Rotkäppchen*

Die Geschichte vom Rotkäppchen ist eines der bekanntesten, vielleicht das bekannteste Märchen. Dabei war es in der Zeit der Brüder Grimm fast gar nicht verbreitet und ist erst durch sie richtig bekannt geworden. Den Brüdern wurde die Geschichte in zwei verschiedenen Versionen von zwei Schwestern erzählt, deren Familie aus Frankreich stammte. Dort kam das Märchen her; Charles Perrault hatte die Erzählung *Le petit chaperon rouge* in seine Sammlung aufgenommen.

Seine Erzählung unterscheidet sich allerdings in einem ganz entscheidenden Punkt von der Grimmschen Fassung – man kann durchaus darüber streiten, ob die Perrault-Version überhaupt den Namen Märchen verdient. Sie endet nämlich damit, daß Rotkäppchen vom Wolf ins Bett gelockt und dann gefressen wird. Ludwig Tieck schrieb nach dem Vorbild Perraults eine *Tragödie vom Leben und Tod des kleinen Rotkäppchens*; auch sie hatte einen schlechten Ausgang, so daß anzunehmen ist, daß erst die Erzählerinnen der Grimms oder gar diese selber das gute Ende anfügten.

In einer sehr detaillierten Interpretation hat Hans-Wolf Jäger nachzuweisen versucht, daß für die Brüder Grimm mit der Figur des Wolfs der Gedanke an Frankreich und an Napoleon verbunden war und daß sie beim roten Käppchen wohl an die Jakobinermützen der Französischen Revolution dachten. Daß die Brüder Grimm solche Assoziationen hatten, ist sehr wahrscheinlich; sie fühlten sich als Feinde Frankreichs und verstanden ihre Beschäftigung mit altdeutscher Literatur und ihre Sammeltätigkeit als Beitrag zur Herausbildung und Stärkung einer deutschen Nation. Dies könnte auch das glückliche Ende erklären: Der böse Wolf verführt und vergewaltigt Rotkäppchen; aber es wird befreit.

Unabhängig von solchen eventuellen Anspielungen war *Rotkäppchen* aber auch für die Grimms in erster Linie ein Schreckmärchen, das vor Gefahren warnen will; sie milderten mit dem Schluß nur das Angsterregende der Handlung etwas ab. In der zweiten Hälfte des 19. Jahrhunderts entstanden Schulbücher und Lehrwerke, in denen genau vorgeschrieben wurde, wie die Geschichte im Unterricht zu behandeln sei. Im Mittelpunkt stand regelmäßig die Aufforderung der Mutter: »Weiche nicht vom Wege ab!«, die die Kinder im Chor wiederholen sollten.

Bis heute hat sich an diesem Akzent wenig geändert, auch durch die antiautoritäre Welle nicht. Rotkäppchen kennen schon sehr kleine Kinder – ihnen gegenüber wird die Geschichte oft eingeleitet mit der Wendung: »Ein Mädchen wie du . . .«, und sie hören die Warnung heraus.

Brüder Grimm *Die Bremer Stadtmusikanten*

Um die Mitte des 12. Jahrhunderts schrieb ein Geistlicher in Gent, der Magister Nivardus, ein lateinisches Epos mit dem Titel *Ysengrimus*. Das ist der Name für den Wolf, der im Mittelpunkt der Erzählung steht; sein Gegenspieler ist der listige Fuchs Reinardus. In einer Episode der Erzählung unternimmt eine Rehgeiß zusammen mit sieben anderen Tieren eine Wallfahrt nach Rom; außer dem Fuchs wird sie von einem Hirsch, einem Esel, einem Widder, einem Ziegenbock, einem Gänserich und einem Hahn begleitet. Unterwegs kehrt die fromme Gesellschaft in einem Hospiz ein, in dem überraschenderweise auch der Wolf erscheint. Er ist verkleidet als frommer Pilger, aber die anderen Tiere durchschauen das Täuschungsmanöver. Auf den Rat des Fuchses werden dem wilden Wolf nur Wolfsköpfe als Speise vorgesetzt; da packt ihn die Furcht, und er verzieht sich, kehrt mit einer Schar von Wolfsgenossen zurück, um sich zu rächen, wird von den anderen Tieren aber energisch angegriffen und in die Flucht geschlagen. Der fromme Autor erzählte solche Geschichten wohl, um in unterhaltsamer Form darauf hinzuweisen, daß fromme Pilger zwar Gefahren ausgesetzt sind, daß sie diese aber überwinden können.

Ende des 16. Jahrhunderts rückte Georg Rollenhagen in ein langes Versepos eine Geschichte ein, die er überschrieb: *Der Ochs und der Esel stürmen mit ihrer Gesellschaft ein Waldhaus.* Der geistliche Hintergrund ist zurückgetreten; die Tiere – neben Ochs und Esel sind es Hund, Katze, Hahn und Gans – flüchten aus einem vom Blitz niedergebrannten Gasthaus zu einer Holzfällerhütte, die von wilden Tieren bewohnt wird. Diese werden durch das Geschrei der einbrechenden Haustiere vertrieben, und als der Wolf danach die Lage erkunden will, wird er übel zugerichtet, so daß die wilden Tiere das Haus meiden.

In der Märchengeschichte, wie sie die Brüder Grimm gehört und aufgeschrieben haben, ist aus dem Wolf und den wilden Tieren eine menschliche Räuberbande geworden. Die lehrhafte Konstruktion, die menschliches Handeln ins Tierreich verlegt, ist von einer heiteren Märchenhandlung abgelöst worden, in der sich Tiere und Menschen auf einer Ebene begegnen, ohne daß dafür eine besondere Erklärung abgegeben würde.

Trotzdem aber enthält das Märchen, gerade in der Grimmschen Fassung, belehrende Elemente. Schon im ersten Satz wird deutlich gemacht, daß es sich nicht um irgendwelche beliebigen Tiere handelt, die sich auf Wanderschaft begeben – der Esel hat »unverdrossen« gearbeitet, ehe ihm die Lasten zu schwer wurden, und auch die anderen Tiere (hier sind es nur noch Hund, Katze und Hahn) haben sich ihr Lebtag lang nützlich gemacht. Sie haben also nicht nur Glück, sondern sie verdienen es auch, und das Glück fällt ihnen nicht einfach zu, sondern wie in den älteren moralisch-unterhaltsamen Erzählungen erringen sie es durch ihre List und vor allem durch ihr Zusammenhalten, ihre Kooperation. Schon ihre Pyramide und ihr erstes »Konzert« ist ein Beispiel dieses Zusammenwirkens, und danach bieten sie ein Muster geschickter Arbeitsteilung, bei der auch die Kopfarbeit – das Ausdenken von Strategien – zu ihrem Recht kommt.

Die Bremer Stadtmusikanten haben immer wieder die Vorlage zu amüsanten Märchenaufführungen geliefert. Einerseits gewiß wegen der hübschen und grotesken Szenen, die die Handlung bereitstellt; andererseits aber gerade auch wegen der moralischen Auslegung: Auch Schwache können etwas erreichen, wenn sie sich nur geschickt anstellen und wenn sie zusammenhalten.

Brüder Grimm *Der singende Knochen*

Nach der Publikation ihrer Märchenbände brachten die Brüder Grimm einen weiteren Band heraus, der den Titel trug: *Anmerkungen zu den einzelnen Märchen*. Darin berichten sie, daß ihnen die Geschichte vom singenden Knochen in drei verschiedenen Varianten erzählt wurde. In zwei von den Erzählungen ging es um die Nachfolge eines alten Königs, der demjenigen seiner drei Söhne die Krone verspricht, der einen Bären oder ein Wildschwein einfangen kann. Die hochmütigen älteren Söhne scheitern; der jüngste, der seine karge Verpflegung mit dem Männlein im Walde teilt, fängt mit dessen Hilfe das Tier – der ganze Schluß mit der Ermordung und der Aufdeckung des Mords ist dann gleich wie in der von den Brüdern Grimm in ihre Sammlung aufgenommenen Erzählung.

Man wundert sich etwas darüber, daß die Brüder, die sonst eher auf Vollständigkeit bedacht waren, hier die Fassung genommen haben, in der einige Motive weggefallen sind: Aus den drei Söhnen sind zwei geworden, das eigentliche Abenteuer nimmt überhaupt nur ein Sohn auf sich, und es wird lediglich gesagt, daß er »freundlich« zu dem Männlein war, nicht aber, daß er diesem zuerst einmal mit Nahrung ausgeholfen hat.

Wir wissen nicht, warum die Brüder sich auf die reduzierte Fassung konzentriert haben; aber man kann Vermutungen dazu anstellen. Die Brüder Grimm waren fasziniert von den »urtümlichen« Zügen, die in manchen Märchen sichtbar wurden, und der singende Knochen ist ein solcher Zug. Archäologen haben festgestellt, daß es aus Knochen hergestellte Instrumente schon in der Steinzeit gab. Wahrscheinlich wollten die Brüder dieses für sie zentrale Motiv nicht abschwächen durch eine Fülle von Nebenmotiven und eine ausgemalte Nebenhandlung. Deshalb haben sie möglicherweise auf die kargere Fassung zurückgegriffen.

Die Begeisterung für das Altertümliche im Märchen hinderte die Brüder Grimm aber nicht daran, daß sie auch die moralischen Züge der Märchen betonten. Auch dafür bot die kürzere Fassung gute Voraussetzungen: Es gibt eine klare, in zwei Personen verkörperte Gegenüberstellung von Gut und Böse; ausdrücklich wird der eine Bruder dadurch charakterisiert, daß er »aus gutem Herzen« handelte, der andere durch ein »neidisches und boshaftes Herz«. Ihn trifft deshalb auch am Ende eine grausame Strafe – sie war den Märchenerzählern und auch den Brüdern Grimm so wichtig, daß sie gewissermaßen das Happy-End darstellt. Während in dem verwandten Märchen *Von den Machandelboom* der Gute aus dem Tod ins Leben zurückkehrt, erhält er hier lediglich »ein schönes Grab«.

Brüder Grimm *Der Teufel mit den drei goldenen Haaren*

Der Eingang dieser Erzählung macht die Struktur, man könnte auch sagen: die Idee des Märchens durchsichtig. Dem Märchenhelden, einem armen Jungen, wird die höchste Stellung vorhergesagt, die überhaupt erreichbar ist: Er wird die Tochter des Königs zur Frau haben und damit natürlich auch das Anrecht aufs Königreich. Und warum? Weil er eine »Glückshaut« hat. Was das ist, wird nicht erklärt. Die Hörerinnen und Hörer der Grimm-Zeit mögen dabei an eine gängige abergläubische Vorstellung gedacht haben: Wenn an einem Kind bei der Geburt Teile der Fruchtblase hängenblieben, dann sah man in dieser »Glückshaube« ein günstiges Vorzeichen für sein ganzes Leben. Die »Glückshaut«, die die Person umschließt, ist eine Steigerung davon. Wer sie umhat, dem ist sein Glück garantiert. Da dies von fast allen Märchenheldinnen und -helden gilt, kann man sagen, daß sie zumindest im übertragenen Sinn alle eine Glückshaut haben.

Dem Jungen schlägt tatsächlich alles zu seinem Glück aus, obwohl er einen fast allmächtigen Gegenspieler hat, den König. Der ist eben nur fast allmächtig; für den Sohn der armen Frau ergibt sich immer ein Ausweg, der ihn ein Stück weiter und höher trägt. Er bewegt sich mit einer selbstverständlichen Sicherheit. »Ich weiß alles«, antwortet er auf die Frage nach seinem Gewerbe. Zwar wird ihm sehr schnell klargemacht, daß er nicht alles weiß; aber auch das macht nichts, denn seine höchst einflußreiche Helferin, des Teufels Großmutter, liefert ihm nicht nur die goldenen Haare des Teufels, sondern auch die diesem entlockten Antworten. Die Sicherheit seines Wegs spiegelt die Furchtlosigkeit des Helden. In der ersten Ausgabe ihrer Märchen hatten die Brüder Grimm den Schlußsatz: »Darum, wer den Teufel nicht fürchtet, der kann ihm die Haare ausreißen und die ganze Welt gewinnen.« In den späteren Ausgaben blieb dieser Schluß weg.

Der Teufel mit den drei goldenen Haaren gehört zu den komplizierteren Märchen mit einer Vielzahl von Episoden, von denen viele an andere Erzählungen erinnern. Nicht nur an andere Märchen, sondern auch an religiöse Geschichten und an Sagen und Mythen. Daß ein im Wasser ausgesetztes Kind gerettet wird, ist schon ein biblisches Motiv. Aber auch in »historischen« Herleitungen kommt die Unterstützung hilfloser Kinder vor, beispielsweise in der Geschichte der Gründung Roms – Romulus und Remus sollen bekanntlich überlebt haben, weil sie von einer Wölfin gesäugt wurden. Daß in den Haaren die Kraft und Macht eines Wesens steckt, kommt in der biblischen Geschichte von Simson zum Ausdruck, dem seine Feinde aufgrund des Hinweises seiner Geliebten Delila die Locken abschnitten. Und das Motiv vom Fährmann, der auf ewig zwischen der diesseitigen und der jenseitigen Welt hin- und herfahren muß, ist im griechischen Mythos von Charon ebenso verankert wie in christlichen Legenden.

Im Märchen von den drei goldenen Haaren des Teufels sind all diese Motive zu einer kunstvollen Einheit verwoben. Daß das Märchen trotz der Vielfalt der

Motive einem konsequenten Bauplan folgt, geht schon daraus hervor, daß die Brüder Grimm eine der von ihnen aufgezeichneten Fassungen der damals erst zwölfjährigen Amalie Hassenpflug verdanken, die die ganze Geschichte wohlgeordnet im Kopf hatte.

Brüder Grimm *Die kluge Else*

Bei der Erzählung von der klugen Else handelt es sich um ein Schwankmärchen. Es gibt darin keine Feen und hilfreichen Tiere, keine wundertätigen Gegenstände und auch keine Teufel; es geschieht eigentlich nichts, das die realen Möglichkeiten übersteigt. Die Geschichte führt auch nicht auf ein großes und dauerhaftes Glück zu – höchstens auf ein kleines, das darin besteht, daß Hans seine Frau wieder los wird. Die Zusammenstellung der Vorgänge ist aber doch einigermaßen märchenhaft – so viel Dummheit auf einmal gibt es in der Wirklichkeit kaum.

Die Geschichte rückt komische Aussprüche und Episoden ins Zentrum. Der Höhepunkt ist, daß Else an sich selbst irre wird. Als sie aufwacht, trägt sie nicht die gewohnte Kleidung, sondern ein Vogelnetz mit Glocken ist darübergeworfen. In anderen Varianten geht es noch etwas derber zu. In einer ebenfalls von den Grimms aufgezeichneten Fassung schneidet der Mann seiner schlafenden Frau den Rock ab bis an die Knie; in einer lateinischen Komödie aus dem 16. Jahrhundert werden einer betrunkenen Bäurin die Kleider sogar ganz weggenommen. Die Folge ist jedesmal, daß die Frau an sich selber zweifelt und daß sie sich zu Hause vergewissern will, ob sie tatsächlich sie selbst ist oder jemand anders.

Obwohl es in solchen Geschichten in erster Linie auf den komischen Effekt ankommt, wird die Moral in ihnen doch häufig ernst genommen. Die »kluge« Else bei den Brüdern Grimm ist ja nicht einfach dumm – sie zeigt vielmehr besondere Arten von Dummheit, und ihre ganze Familie steht ihr darin nicht nach. Zunächst ist es ihr umständliches und ängstliches Denken, ihre unpraktische Haltung, die ihr zu schaffen macht. Und nachher wird sie ein Opfer ihrer Faulheit, Bequemlichkeit und Eßlust. Über die komischen Szenen und Aussprüche werden also gleichzeitig Tugenden propagiert: Wer sich nicht selbst verlieren will und wer nicht dumm ist, verhält sich zupackend und praktisch, ist fleißig und enthaltsam. Dieser moralische Einschlag dürfte es vor allem gewesen sein, der den Brüdern Grimm die Aufnahme der Erzählung in ihre Märchensammlung nahelegte.

Wahrscheinlich haben nicht allzu viele Leute die ganze Geschichte vom Tischchen deck dich einigermaßen korrekt im Kopf – aber eine Vorstellung von den drei Zaubergaben haben alle. Von Hans Magnus Enzensberger gibt es ein *Bildzeitung* überschriebenes Gedicht, in dem er die durch Werbung und Sensationsberichte angeheizten Wünsche beschreibt; zur Charakterisierung dieser Wünsche bedient er sich der Bilder aus dem Märchen:

> Tischlein deck dich:
> du wirst reich sein.
>
> Eselin streck dich:
> du wirst schön sein.

Und schließlich:

> Knüppel aus dem Sack:
> du wirst stark sein.

Die drei Wunschdinge haben zur besonderen Beliebtheit des Märchens beigetragen. Es wäre aber keine Märchengeschichte, wenn diese Dinge problemlos zur Verfügung stünden. Der Gewinn der Zaubergaben ist eingebettet in eine recht spannende Handlung.

Die Rahmengeschichte ist eine Fabel. Die boshafte Ziege wird erst einmal verjagt und vergessen; am Ende aber wird dieser Handlungsfaden wieder aufgenommen, und während der listige Fuchs und der starke Bär sich ängstlich zurückziehen, jagt die kleine Biene die Ziege in die Flucht.

Die Lüge der Ziege ist aber nur der Auslöser für die eigentliche Geschichte. Die Söhne werden in die Welt geschickt; sie machen verschiedene, aber parallele Erfahrungen – am Ende ihrer Lehrzeit werden sie mit unscheinbaren Gegenständen belohnt, die aber bei näherem Zusehen ungeahnte Qualitäten zeigen. Wie zuerst von der Ziege werden die beiden ältesten Söhne nun vom Wirt übertölpelt – aber da ist noch der Jüngste mit dem Knüppel, der alles in die rechte Ordnung bringt – die rechte Märchenordnung, so daß die ganze Familie ausgesorgt hat.

Für die Erzählung gab es ein literarisches Vorbild. Giambattista Basile bringt als allererste Geschichte seines *Pentamerone* die vom Esel, vom wunderbaren Tischtuch und einem Knüppel. Basile hat gewiß auf die später erzählten Fassungen eingewirkt. Aber die Geschichte ist älter, und sie ist über Europa hinaus verbreitet. Die Söhne kommen nicht immer zu verschiedenen Handwerkern, sondern auch zu einem Bergmann, einem Zauberer, zum Teufel, zum Wind. Und auch die Gaben sind nicht immer die gleichen; statt dem Esel kann es auch ein Huhn oder Hahn oder eine Ziege sein, die das Gold spendet. In einer chinesischen Erzählung, die schon im 6. Jahrhundert niedergeschrieben wurde, erhält ein armer Mann von einem Mönch einen Krug, der alles Gewünschte bereitstellt. Der König nimmt ihm den Krug ab; aber mit einem zweiten Krug, aus dem Stöcke und Steine kommen, holt ihn der Arme zurück. Damit wird die Ambivalenz von allem, was Krug heißt, angedeutet: Kaum freut man sich über eine freundliche Gabe, kriegt man eins in die Fresse. Schon diese Geschichte enthält aber das zentrale Schema des Märchens.

Nicht nur der glückliche Ausgang hat das Märchen populär gemacht, sondern sicher auch die Drastik der Bilder. Bei den Brüdern Grimm, die wohl auch hier glättend eingegriffen haben, speit der Esel die Goldstücke; wenn es freilich bei der Heimkehrszene heißt: »es waren keine Goldstücke, was herabfiel«, dann hat man einen anderen Vorgang vor Augen. Bei Basile ist vom »kostbaren Durchfall« des Esels die Rede, und auch in vielen mündlich verbreiteten Märchen tritt der Esel als »Dukatenscheißer« auf. Auch die Szenen mit dem Knüppel werden drastisch ausgemalt. Sie bilden gewissermaßen ein Gegengewicht zu den vielen Märchen, die eher mit sanften und braven Mitteln operieren.

Brüder Grimm *Der Gevatter Tod*

Obwohl es in vielen Märchen um die Heilung von einer schweren Krankheit geht, kommen Ärzte kaum vor – und wenn sie eine Rolle spielen, dann meistens eine klägliche: sie versagen, und die Heilung wird von jemand anderem zustande gebracht mit Hilfe eines Zaubermittels, das auf der Stelle wirkt; allmähliche Entwicklungen kennt das Märchen nicht. Im Märchen vom Gevatter Tod steht ausnahmsweise einmal ein Arzt im Mittelpunkt – aber keiner, der sein Handwerk gelernt hat, sondern einer, der mit einem Zauberkraut ausgestattet wurde und außerdem auf die Hilfe seines Paten, des Todes, bauen kann.

Schon die Auswahl des Gevatters, des Paten, ist ein wichtiges Motiv. Nicht nur der betrügerische Teufel wird zurückgewiesen, sondern auch der liebe Gott, weil er für die Unterschiede zwischen Reich und Arm verantwortlich ist. Wilhelm Grimm, der das Märchen bearbeitete, fügte hier entschuldigend ein, daß der Mann »nicht wußte, wie weislich Gott Reichtum und Armut verteilt«; einen Zweifel an Gottes Gerechtigkeit mochte er nicht einfach stehen lassen. Aber daß nur der Tod alle gleich behandelt, ist ein Gedanke, der schon im Mittelalter immer wieder herausgestellt und verbildlicht wurde: Viele Kirchen und Friedhöfe wurden mit »Totentänzen« ausgemalt, bei denen der als Skelett dargestellte Tod auch Könige und Bischöfe zum Tanz auffordert.

Das Märchen enthält also lehrhafte und ernste Momente – aber der zentrale Teil der Handlung ist von Motiven bestimmt, die eher lustig sind: Der Arzt überlistet den Tod und entzieht ihm den todkranken Patienten. Es gibt eine ganze Reihe von Varianten, in denen der Arzt seinen mächtigen Paten so lange auf Distanz hält, bis er selbst vom Leben genug hat. Bei den Grimms behält der Tod seine Macht; der Trick mit der Umkehrung des Betts hilft nur einmal, beim zweitenmal beharrt der Tod auf seinem Recht und bringt das Lebenslicht des Arztes zum Verlöschen. Dies ist in der Fassung der Brüder Grimm nicht nur eine Metapher, ein sprachliches Bild – sie schildern vielmehr eine Höhle mit Lebenslichtern, unter denen auch das des Arztes ist, das verlöscht.

Dieses Motiv haben die Grimms einer 1811 erschienenen literarischen Bearbeitung entnommen. Die Geschichte ist aber schon viel früher in die Literatur eingegangen. Ein isländischer Bischof schrieb um 1300 auf, wie ein König seinen Sohn zu einem weisen Mann in die Lehre schickt und von ihm die Geheimnisse des Heilens erfährt; vermutlich lag eine lateinische Vorlage zugrunde, denn der Weise trägt den Namen *Mors*, Tod. Um die gleiche Zeit findet sich eine Anspielung auf die Geschichte in einem deutschen Epos. Ausführlich wird sie dann im 16. Jahrhundert von Hans Sachs und anderen Dichtern dargestellt.

Um die gleiche Zeit tauchen die wichtigsten Motive auch in einer italienischen Novelle auf. In Italien scheint das Thema besonders beliebt zu sein – wenigstens entstehen dort im 19. Jahrhundert mehrere Opern und Theaterstücke über den Arzt und den Tod. Verbreitet war oder ist die Geschichte aber nicht nur in ganz Europa, sondern auch in ganz Amerika, im Vorderen Orient und vereinzelt in Ostasien.

Brüder Grimm Dornröschen

Wie beim »Gevatter Tod« spielt auch im Märchen vom »Dornröschen« die Zahl 13 eine wichtige Rolle. Die 12 ist gewissermaßen eine »runde« Zahl – sie entspricht dem Gang der Stunden, der Einteilung der Monate, der Zahl der Apostel. Die 13 fällt dagegen aus dem Rahmen und verweist auf etwas Besonderes. Im Märchen vom Gevatter Tod mit positiven Vorzeichen: das dreizehnte Kind erhält einen besonderen Paten und hat besonderes Glück. Im Dornröschenmärchen spricht die dreizehnte der »weisen Frauen«, die nicht geladen war, eine Verwünschung aus. Auch die 7 ist, wie die 12, eine stimmige Zahl. Sie spielt eine Rolle in der französischen Fassung der Dornröschengeschichte. In Charles Perraults *La belle au bois dormant* kommt zu den sieben geladenen unerwartet eine achte Fee; für sie steht kein goldenes Gedeck bereit, und so wünscht sie dem Kind den Tod.

Die Grimms ließen sich das Märchen von einer Bekannten erzählen; aber sie orientierten sich vor allem am Text Charles Perraults. Allerdings verzichteten

316

sie auf die zusätzlichen Verwicklungen am Schluß: Bei Perrault will die Mutter des Königssohns die schöne Schwiegertochter und ihre Enkel schlachten lassen, wird aber selbst bestraft. Diese Erweiterung haben die Brüder Grimm weggelassen. Dadurch wurde der Aufbau des Märchens sehr einfach und übersichtlich:

Der Frosch sagt die Geburt vorher – er tritt nachher nicht mehr auf und soll wohl auch nur einen ersten Hinweis auf die Besonderheit des erwarteten Kindes geben. Nach der Geburt folgt die Einladung der weisen Frauen und die Verwünschung, die gerade noch abgemildert, aber nicht beseitigt werden kann. Die Verhütungsmaßnahmen nützen nichts, die Weissagung erfüllt sich, alles im Schloß sinkt in tiefen Schlaf. Wer zur Unzeit in das Schloß einzudringen versucht, muß sein Leben lassen. Erst nach hundert Jahren wird der Weg frei zur Erlösung der Königstochter.

Der eigentliche Reiz liegt in den Bildern des Märchens. Da ist einmal das Geheimnis des Schlosses hinter der Dornenhecke. Günter Kunert schrieb dazu: »Generationen von Kindern faszinierte gerade dieses Märchen, weil es ihre Phantasie erregte: wie da Jahr um Jahr eine gewaltige Hecke aufwächst, über alle Maßen hoch, ein vertikaler Dschungel, erfüllt von Blühen und Welken, von Amseln und Düften, aber weglos, undurchdringlich und labyrinthisch . . .« In kritischen Kommentaren wurde darauf hingewiesen, daß das Märchen keinen Gedanken an diejenigen verschwendet, die im Gestrüpp hängenbleiben und verenden; es lockt seine Hörer und Leser zu dem Moment, in dem die hundert Jahre abgelaufen sind. Vor allem aber bindet es sie an die grotesken Bilder vom hundertjährigen Schlaf, der für viele der Schloßbewohner ja keineswegs ein bequemer Schlaf ist, sondern die Erstarrung in der gerade ausgeübten Tätigkeit. So ist neben der Dornenhecke mit dem romantischen Schloß das häufigste Motiv der Illustrationen zu dem Märchen das mit dem Küchenjungen und dem Koch, der mitten in seinem Schlag einhalten muß – hundert Jahre lang.

Brüder Grimm Sneewittchen

Als Jacob Grimm dieses Märchen erzählt bekam und aufschrieb, gab er ihm die Überschrift »Schneeweißchen«. Als die Brüder ihre Märchen zusammenstellten, behielt er die Überschrift zunächst bei, fügte aber hinzu: »Schneewitchen. Unglückskind.« Schließlich entschieden sich die Brüder für »Sneewittchen«, die plattdeutsche Version von Schneeweißchen. Die Form ist zwar in sich konsequent, aber einigermaßen seltsam, wenn man bedenkt, daß die Brüder Grimm ihre Märchen im Hessischen sammelten. Vermutlich kam der Name aufgrund einer gelehrten Spekulation zustande: Wie in allen Märchen suchten die Brüder auch hier Spuren von alten Mythen, und sie glaubten, in einer nordischen Sage eine Vorstufe des Märchens zu erkennen. Die Frau von König Harald, die »schönste Frau«, hieß Snäfridr, und als sie starb, veränderte sich ihr Gesicht überhaupt nicht – »Der König saß bei der Leiche und dachte, sie würde ins Leben zurückkehren; so saß er drei Jahre.« Die Form »Sneewittchen« steht dieser Geschichte näher als »Schneewittchen«.

Ist das Märchen wirklich so alt wie diese nordische Sage oder sogar älter, so daß man annehmen muß, die Sage sei aus dem Märchen entstanden? Das Problem ist wieder einmal, daß von einem einzelnen Motiv auf die ganze Geschichte geschlossen wird. Es gibt eine ganze Reihe von Motiven im »Sneewittchen«, die schon in sehr viel älterer Literatur auftauchen. Um noch ein Beispiel zu nennen: Im mittelalterlichen Epos »Parzival« gibt es eine Szene, in welcher der Held beobachtet, wie ein Falke eine Wildgans reißt und drei Blutstropfen in den Schnee fallen – Parzifal wird dadurch an seine ferne Geliebte erinnert. Ein »märchenhaftes« Motiv, gewiß – aber kein Märchen.

Die Form Märchen bildet sich erst allmählich heraus, und das früheste Zeugnis einer Erzählung, die man mit dem *Sneewittchen* in Zusammenhang bringen kann, findet sich in Boccaccios *Decamerone*: Es ist die Geschichte von der schönen und tugendhaften Ginevra, die ihr Mann aufgrund einer falschen Anschuldigung töten lassen will, die der Bediente aber am Leben läßt und die am Ende wieder mit ihrem Mann vereint ist. Aber bei Basile gibt es eine Geschichte, die dem *Sneewittchen* nahesteht: Durch die Verwünschung einer Fee kommt ein Mädchen zu Tode; von der Mutter wird es aufgebahrt, von der Frau ihres Onkels aufgeweckt und als Küchenmagd angestellt, schließlich aber erlöst.

Bei der Ausdeutung des Märchens spielen solche Fragen der Herkunft im allgemeinen eine untergeordnete Rolle. Verschiedentlich wurde auf die Nähe zum Ödipuskonflikt hingewiesen; aber die Rechnung geht nicht auf. Zwar ist die Stiefmutter (und in der ersten Fassung war es sogar die leibliche Mutter!) eifersüchtig auf Sneewittchen; aber bei diesem ist nichts zu spüren von Eifersucht und Inzestbegierde. Der Aufenthalt bei den Zwergen ist für psychoanalytische Deutungen eine Art Teststation für die bevorstehende Hochzeit. Auch dies ist eine recht einseitige Interpretation, wenn es auch durchaus naheliegt, das Ausprobieren der Betten weniger kindlich zu verstehen, als es das Grimm-Märchen meint – Wolfgang Knape hat dies in einem ironischen Gedicht thematisiert, das mit den Versen beginnt:

> Ach hör mir bloß auf
> mit dieser Geschichte
> von Schneewittchen
> und den sieben Zwergen
> sag mir bloß nicht
> man kann mit sieben Männern
> Freundschaft halten
> und keinen lieben . . .

Natürlich kann man – zumindest im Märchen. Aber es ist auch nicht verboten, mit den Märcheninhalten zu spielen, sie in neue Zusammenhänge zu stellen. Das Märchen von »Sneewittchen« gehört zu denjenigen, die dazu am meisten reizen.

Brüder Grimm *Rumpelstilzchen*

Am Anfang der Geschichte steht, wie manchmal im Märchen, ein dummes Versehen. Der Ton liegt auf *dumm*, denn der Müller macht seine Bemerkung aus purer Angeberei und bringt seine Tochter damit in große Schwierigkeiten. Mit »Schwierigkeiten« ist es noch milde ausgedrückt, denn ihr werden unlösbare Aufgaben gestellt. Genauer: Aufgaben, die in der Wirklichkeit nicht gelöst werden können, in manchen Erzählungen aber doch. Das gilt für mythische Geschichten und Heldensagen – bekannt sind beispielsweise die zwölf Aufgaben, die Herakles gestellt wurden und die er mit übermenschlicher Kraft und Klugheit bewältigte. Manchmal sind es schwierige Rätselfragen, die gelöst werden müssen, und manchmal Geschicklichkeitsaufgaben wie im *Rumpelstilzchen* – wobei Geschicklichkeit allein eben nicht ausreicht.
Das Mädchen steht den Aufgaben deshalb zuerst hilflos gegenüber; es trägt auch nicht aktiv zur Erfüllung der Aufgaben bei, sondern ist ganz auf das Männlein angewiesen, auf dessen Forderungen es deshalb auch eingeht. Jede gelöste Aufgabe führt zu einer noch größeren Schwierigkeit, auch die dritte und letzte. Zunächst freilich scheint die Handlung glücklich abgeschlossen: Das arme Mädchen wird Königin und erwartet bald ein Kind.
Dieses Kind ist das Scharniermotiv, das die Verbindung zum zweiten Teil des Märchens herstellt. Jetzt verhält sich die Heldin – sie ist zur Frau geworden – ganz anders: Sie wehrt sich gegen die Zumutungen und sucht nun selber eine Lösung, indem sie einen Boten auf Kundschaft schickt, um den Namen in Erfahrung zu bringen. Er präsentiert zuerst die üblichen Namen (die der Heiligen Drei Könige werden ausdrücklich genannt), dann ausgefallene Namen, die aber immerhin vorkommen – und schließlich geht es um den einmaligen Namen des kleinen Kobolds.
Den Namen Rumpelstilzchen haben die Brüder Grimm wahrscheinlich von Fischart übernommen, der ihn in einem Werk von 1582 erwähnt. In anderen Märchensammlungen tauchen andere Phantasienamen auf, die teilweise an den Grimm-Namen anklingen (Rümpentrumper, Grumpelsitzer), teilweise eine andere komische Zusammenstellung bringen (Flederflitz, Hopfenhübel). Daß ein Name erraten werden muß, kommt auch in anderen Geschichten vor, beispielsweise im orientalischen Turandotmärchen: Wer die schöne Turandot zur Frau will, muß drei Rätsel lösen. Zunächst scheitern alle Freier und werden geköpft. Dem Prinzen Kalaf gelingt es, die richtigen Antworten zu finden –

er bietet der entsetzten Turandot den Verzicht an, wenn sie seinen Namen errät; und tatsächlich gelingt ihr dies durch eine Kundschafterin.

Man hat verschiedentlich darauf hingewiesen, daß der Name so eng mit einer Person verknüpft ist, daß darin eine besondere Macht liegt – Macht, die verlorengeht, wenn der Name bekannt wird. Der Hinweis ist insofern wichtig, als er auf die große Bedeutung des Namens aufmerksam macht. Aber für das Märchen braucht es diese Erklärung nicht – bezeichnenderweise gibt es Varianten zu »Rumpelstilzchen«, in denen das Alter des Männchens erraten werden muß, und andere, in denen die Königin den Namen drei Monate im Gedächtnis behalten muß, was bei solch grotesken Namen nicht einfach ist. Das Groteske ist ohnehin ein wichtiger Zug dieses Märchens. Die Brüder Grimm haben es betont mit dem Schluß, den sie erst bei der Bearbeitung hinzugefügt haben. Hier lief schon für die Zuhörer vor 150 Jahren gewissermaßen ein Trickfilm ab. Wie das Männlein sich selbst zerreißt, übersteigt jede Vorstellung und reizt doch die Phantasie.

In einem parodistischen Gedicht malt Richard Bletschacher die Szene noch weiter aus: Die beiden Teile von Rumpelstilzchen werden ins Krankenhaus eingeliefert, es sieht nicht gut aus, aber:

> Die Schwestern sind dort wirklich nett
> und geben ihm ein Doppelbett . . .

Brüder Grimm *Hans im Glück*

Die Ausgaben der »Kinder- und Hausmärchen« sind heute so bekannt und populär, daß man meinen könnte, im frühen 19. Jahrhundert habe sich außer den Brüdern Grimm niemand um Märchen gekümmert. Tatsächlich aber lag das Märchensammeln und Märchendichten in der Luft. Die mit den Grimms befreundeten Poeten schrieben fast alle märchenhafte Erzählungen, und immer wieder wurden Märchen in Journale und Almanache eingerückt. Auch die Geschichte von Hans im Glück erschien zunächst in einer im Freundeskreis der Grimms herausgegebenen Zeitschrift mit dem Titel *Wünschelruthe;* nach dieser Vorlage hat Wilhelm Grimm das Märchen bearbeitet. In der Zeitschrift stand beim Titel »Hans Wohlgemuth« der Zusatz: »Eine Erzählung aus dem Munde des Volkes«; aber diese Formel besagte nicht allzuviel – es ist durchaus möglich, daß sich der Verfasser den Ablauf der Geschichte selbst ausgedacht hat.

Das Motiv vom Dummen, der den Wert der Dinge nicht richtig einschätzen kann, war allerdings schon im Mittelalter bekannt. In einem Gedicht aus dem 16. Jahrhundert ist zum Beispiel von einem närrischen Menschen die Rede, der einen Esel gegen eine Pfeife eintauschte. Im Märchen von Hans im Glück tritt das Motiv in massierter Form auf; es gibt eine ganze Kette von Irrtümern, so daß sich der stattliche Goldklumpen am Ende buchstäblich in Nichts aufgelöst hat.

Hans' törichte Tauschakte sind für die Leser und Hörer reizvoll, gerade auch für Kinder, die seine Naivitäten durchschauen und sich überlegen fühlen. Gesteigert wird der Reiz dadurch, daß Hans die schlechteren Tauschgaben nicht nur hinnimmt, sondern daß er jedesmal begeistert ist und sich für den glücklichsten Menschen der Welt hält. »Ich muß in einer Glückshaut geboren sein«, ruft er aus – die Glückshaut, im Märchen von den drei goldenen Haaren des Teufels eine Realität, wird von Hans nur unterstellt, weil er auch noch bei den ungünstigsten Umständen an sein Glück glaubt. Der Kontrast zwischen den realen materiellen Verlusten und dem ungebrochenen Glücksgefühl wirkt komisch und in seiner Komik reizvoll.

Aber das ist nur die eine Seite. Die andere ist, daß Hans ja wirklich glücklich ist. Seine Argumente für den Tausch der jeweils »schlechteren« Dinge sind durchaus eindrucksvoll: Was ist ein Goldklumpen gegen den – zumindest im voraus – begeistert geschilderten Ritt, was ist ein solcher Ritt gegen die Garantie guter Verpflegung – und so fort. Diese Argumente sind ja nicht nur falsch, sondern teilweise – teilweise! – durchaus einleuchtend. Und auch die ganze Karriere ist nicht nur der törichte Weg eines Dummen. Hans übt gewissermaßen die »Entdeckung der Langsamkeit« ein und lernt das Glück der Besitzlosigkeit kennen. Erich Fromm hat in einem Buch Sein und Haben einander gegenübergestellt; der Hans des Märchens hat sich für das Sein entschieden.

Das ist sehr hoch gegriffen, und ganz sicher wäre es verkehrt, wollte man damit die Navität vom Tisch wischen. Der Reiz liegt gerade in der Mehrdeutigkeit. Darin, daß einer auf törichte Weise sein Glück verschenkt, daß er aber dabei keineswegs unglücklich wird. Glück ist offenbar komplizierter, als daß man es nach der Tabelle der Goldwährung bestimmen könnte.

Brüder Grimm   *Die Gänsemagd*

Im Kommentar zu diesem Märchen betonen die Brüder Grimm »die Hoheit der selbst in Knechtsgestalt aufrecht stehenden königlichen Gestalt«. Das klingt ein wenig nach Heldenverehrung und könnte den Eindruck erwecken, der wesentliche Sinn des Märchens liege in einem Lob des Königtums. Aber die Menschen, die diese Geschichte noch heute gerne erzählen oder lesen, sind ja nicht alle Monarchisten, und auch für die Brüder Grimm waren die Könige im Märchen weniger Repräsentanten einer bestimmten politischen Verfassung als symbolische Träger wertvoller menschlicher Eigenschaften. Sigmund Freud hat einmal angemerkt, wenn es im Märchen heiße: »Es war einmal ein

König«, dann könne man dafür auch lesen: »Es war einmal ein Vater.« Tatsächlich zeichnen die Märchen vielfach familiäre Konstellationen nach, und mit äußeren Vorgängen verweisen sie auf innere Eigenschaften und Befindlichkeiten.

Das Tüchlein mit den drei Blutstropfen der Mutter symbolisiert die Sorge und Liebe, welche die Tochter begleiten; das sprechende Pferd die freundliche Harmonie, in der die Tochter mit Mensch und Tier lebt. In Norddeutschland und in Skandinavien wurden Pferdeköpfe am Giebel von Bauernhäusern angebracht, sie sollten Unheil abwehren. Es mag sein, daß diese Glaubensvorstellung zu dem Motiv beigetragen hat; aber im Märchen wehrt das Pferd nicht ab, sondern klagt mit und hilft.

Die Grimms stellten in ihrem Text heraus, daß die Königstochter »demütig« ist. Sie ist aber auch stark, so daß sie die ganzen Strapazen durchsteht, und sie ist listig – das zeigt sich in ihrem Umgang mit Kürdchen und daran, daß sie dem Ofen ihr Leid klagt, allerdings auf den Rat des alten Königs hin, der den Überblick behalten hat.

So naheliegend es ist, anhand der Vorgänge die Eigenschaften der Figuren nachzuzeichnen – ganz geht eine psychologisierende Rechnung nicht auf. Daß die Königstochter innerhalb kürzester Zeit die Bosheit der Kammerjungfer vergißt oder daß sie als Gänsemagd doch noch »ein Stück Geld« besitzt, mit dem sie den Schinder besticht – das sind Eigenheiten, die das Märchen braucht, um die Handlung fortzuführen. Die Gestalten des Märchens bewegen sich traumwandlerisch in die Richtung, die in der Erzählung vorgegeben ist. Von anderen Märchen standen meist schon den Brüdern Grimm mehrere Fassungen zur Verfügung. »Die Gänsemagd« hatten sie lediglich von ihrer »Märchenfrau«, der aus einer französischen Familie stammenden Dorothea Viehmann gehört. Ähnliche Erzählungen gibt es aber in ganz Europa und darüber hinaus. In einem afrikanischen Märchen zwingt eine Eidechse die Heldin, ihr den Schmuck und ihr Reittier zu geben und als Magd zu dienen. Wichtige Motive des Märchens tauchen auch in anderen Grimm-Märchen auf, die Vertauschung der Braut etwa im Märchen von Brüderchen und Schwesterchen. Daß das Märchen von der Gänsemagd inzwischen eines der beliebtesten ist, liegt an seinen eindringlichen Bildern und wohl auch an den Versen, die eingestreut sind und die im Gedächtnis haften bleiben.

Brüder Grimm *Doktor Allwissend*

Ein Schwankmärchen – näher beim Schwank als beim Märchen. Es geschieht nichts, das die Bedingungen der Wirklichkeit übersteigt; die Geschichte könnte passiert sein, wenn es auch mehr als unwahrscheinlich ist, daß sie passiert ist. Es ist eine unterhaltsame Geschichte; es macht Spaß zu sehen, wie die

Halunken auf Äußerungen hereinfallen, die gar nicht auf sie gemünzt waren. Gleichzeitig ist die Erzählung auch belehrend; sie weist kritisch hin auf das tatsächliche Unwissen von angeblich allwissenden Doktoren, wendet sich also gegen Scharlatane und Quacksalber, die sich früher noch mehr als heute im Heilwesen breitmachten.

Allerdings muß die Hauptfigur der Erzählung kein Arzt sein. Im frühesten deutschen Beleg für den Stoff, Heinrich Bebels lateinisch formulierten Scherzgeschichten von 1508, ist es ein *carbonarius*, ein Köhler, der gestohlenes Geld entdeckt. In noch älteren Zeugnissen sind es Zauberer oder Wahrsager – genauer: Leute, die von sich behaupten, daß sie wahrsagen können. Möglicherweise ist die Geschichte in Indien entstanden. Dort taucht sie im elften Jahrhundert in einer schriftlichen Fassung auf, und diese bezieht sich auf eine Quelle, die bis ins zweite Jahrhundert zurückführt. In dieser orientalischen Erzählung beweist der Held seine angebliche prophetische Fähigkeit dadurch, daß er ein Pferd erst versteckt und dann unter allerlei zauberischem Brimborium wiederentdeckt. Als er daraufhin zum König gerufen wird, verflucht er seine vorlaute Zunge – das Wort für Zunge ist aber zugleich der Name einer Magd, die den König bestohlen hat und sich nun ertappt fühlt.

Hier und auch in vielen späteren Fassungen kommen also List und Zufall zusammen. Im Märchen, wie es die Brüder Grimm nach der Erzählung von Dorothea Viehmann aufgezeichnet haben, ist es nur noch der Zufall, der dem dreisten Doktor hilft: Ob er die Gänge des Essens zählt, ob er, sich selbst bedauernd, seinen Namen Krebs nennt, oder ob er in seinem Buch nach einer bestimmten Stelle sucht – immer wird er von denen, die etwas auf dem Kerbholz haben, so verstanden, als habe er sie durchschaut und ertappt. Die Konstruiertheit der Wortverwechslungen tritt für die Hörerinnen und Hörer offenbar zurück hinter dem Vergnügen an der Entlarvung der Diebe.

Brüder Grimm *Der Bärenhäuter*

In der ersten Auflage der *Kinder- und Hausmärchen* hieß dieses Märchen noch *Der Teufel Grünrock*. Erzählt wird darin von drei Brüdern, die den jüngsten immer zurückstießen und ihn seinem Schicksal überließen: »Wir brauchen dich nicht, du kannst allein wandern.« Dann wird von dem Teufelspakt erzählt und von dem fürchterlichen Aussehen, das der Mann im Teufelsrock annimmt, und die älteste der Töchter schreit, »daß sie einen so entsetzlichen Menschen, der gar keine Menschengestalt mehr habe und wie ein Bär aussehe«, nicht heiraten werde. Dies ist das einzige Mal, daß das Stichwort »Bär« fällt.

Die Erweiterung um die Bärenmotive und Bärenvergleiche haben die Brüder Grimm vorgenommen auf der Grundlage einer Erzählung von Grimmelshausen, dem Verfasser des *Simplicissimus*, aus dem Jahr 1670. Sie trägt den Titel *Der erste Bärenhäuter* und schildert, wie ein Landsknecht über den Pakt mit dem Teufel zu diesem Namen gekommen ist. Der Name »Bärenhäuter« kam spätestens im 16. Jahrhundert auf und wurde auf faule Menschen gemünzt. Schon von den alten Germanen hatten die Römer erzählt, daß sie sich Haar und Bart wachsen lassen müssen, bis sie einen Feind erlegt haben, und auch, daß sie wie die Bären kämpften und nach dem Kampf auf Bärenfellen schliefen oder tranken.

Nach der Geschichte von Grimmelshausen hatten – noch vor dem Erscheinen der *Kinder- und Hausmärchen* – auch Arnim und Brentano den Stoff bearbeitet. Sie hatten die Erzählungen aber mit zusätzlichen Motiven ausgeschmückt, während die Brüder Grimm die Geschichte ins Märchenformat einpaßten.

Der besondere Reiz der Geschichte liegt zweifellos im wilden Aussehen des ehemaligen Soldaten und darin, daß und wie die jüngste der Töchter die Prüfung besteht: sie sagt von dem verwahrlosten Freier nur, er sehe »ein wenig seltsam aus«, und sie wartet geduldig auf seine Rückkehr. Die Rollen sind also auf die übliche Weise zwischen Mann und Frau verteilt. Unter den mit dem *Bärenhäuter* verwandten Volksmärchen, die in verschiedenen Landschaften Europas gesammelt wurden, gibt es aber auch weibliche Gestalten von wildem Aussehen: Die »faule Katl« aus Tirol dient sieben Jahre lang einer Kröte, ohne sich zu waschen und zu kämmen und ohne etwas Warmes zu essen – dann bekommt sie den verzauberten Sohn der Kröte zum Mann.

Brüder Grimm *Der süße Brei*

Dortchen (Dorothea) Wild, Wilhelm Grimms spätere Frau, erzählte die Geschichte an einem Januarsonntag des Jahres 1813. Wo sie das Märchen her hatte, ist nicht bekannt. Es taucht in dieser kunstvoll-knappen Form auch sehr selten auf. Allerdings gab es viele Geschichten um andere Zaubergaben. Schon die Brüder Grimm wiesen auf die indische Überlieferung von dem Kochtopf hin, in den nur ein Reiskorn gelegt werden mußte, wenn man Speise in Fülle haben wollte, und sie erwähnen auch den Krug, der immer Wasser oder auch Wein gibt.

Unter den Grimmschen Märchen läßt sich das *Tischlein-deck-dich* vergleichen. Dort wird besonders deutlich, daß solche Wunderdinge nicht allen Glück bringen, sondern nur denen, für die sie bestimmt sind. In Goethes Gedicht vom Zauberlehrling (er hat es nach einer Erzählung des griechischen Schriftstellers Lukianos geschrieben) kehrt sich der Segen um in einen Fluch – und auch im »süßen Brei« wird die Ordnung erst wiederhergestellt, als es fast schon zu spät ist.

324

Für Kinder hat die Vorstellung einer Stadt, zu der man sich durch süßen Brei durchkämpfen muß, nichts Bedrohliches. Für Erwachsene ist diese kurze Geschichte nicht nur lustig und heiter. Wie der ursprünglich schöne und beruhigende Überfluß allmählich alles zu ersticken droht, ist ein Alptraum – und er wird auch durch die am Ende angedeutete Möglichkeit des Sichdurchessens nicht ganz weggewischt.

Brüder Grimm *Schneeweißchen und Rosenrot*

Dem Namen Schneeweißchen sind wir schon begegnet: es ist eine Variante zum Namen Schneewittchen. Von diesem heißt es in einzelnen Textfassungen ausdrücklich, daß seine Haut weiß wie Schnee, die Wangen rot wie Blut waren – Schneeweißchen und Rosenrot in einer Person. Hier dagegen bezeichnen die Namen zwei Gestalten, zwei Schwestern, die freilich aufs engste zusammengehören und die gemeinsam mit ihrer Mutter ein äußerst harmonisches und idyllisches Bild abgeben. Sie leben im Einklang mit Pflanzen und Tieren; schon die Namen deuten den Zusammenhang mit der Pflanzenwelt an, die auch die Nahrung hergibt, und »kein Tier tat ihnen etwas zuleid«. Der paradiesische Zustand wird noch zusätzlich abgesichert durch einen Schutzengel. Die so entworfene Szene erinnert einerseits an fromme Legenden. Andererseits wird hier das bürgerliche Familienideal skizziert, auch wenn es sich um eine unvollständige, vaterlose Familie handelt; daß die Mutter den Kindern aus einem großen Buch vorliest, ist sehr bezeichnend. Der Bär bricht in diese Idylle ein als Gefahrenmoment, aber auch er fügt sich ein – man weiß, von ihm haben die Mädchen nichts Schlechtes zu erwarten.
Der eigentliche Gegenspieler ist ein böser Zwerg, der nicht nur stiehlt, sondern vor allem schlechte Manieren zeigt und selbst gegen seine menschlichen Nothelferinnen undankbar ist. Dem Märchen liegt eine Erzählung zugrunde, die die Pädagogin Karoline Stahl unter dem Titel *Der undankbare Zwerg* in ihre Sammlung für Kinder aufgenommen hatte. »Das Märchen«, schrieb Wilhelm Grimm, »habe ich benutzt, aber nach meiner Weise erzählt.« Er malte nicht nur die Familienszenen behaglich aus, sondern fügte der Geschichte auch einzelne Züge hinzu; den Vers, in dem sich der Bär als Freier bezeichnet, übernahm er aus einem Volkslied. Vor allem aber verstärkte er noch die rührselige Stimmung. Das Märchen hat einen rundum positiven Ausgang: Rosenrot bekommt den Bruder des verzauberten Königssohns zum Mann, und die alte Mutter lebt weiter mit den Kindern zusammen.
Nicht alle Charaktere sind in den Märchen eindeutig festgelegt. Die Zwerge, bei Schneewittchen hilfreiche und liebenswürdige kleine Gestalten, sind hier böse und arrogant; sie holen sich Schätze, auf die sie kein Anrecht haben, und die Kinder finden für ihre Hilfeleistungen keinen Dank, sondern werden be-

schimpft, weil der Zwerg bei der dramatischen Rettungsaktion Stücke seines Barts eingebüßt hat. Auch Bären werden verschieden dargestellt. Sie sind oft recht gefährlich; hier dagegen erscheint der durch und durch gutmütige Bär, der in der Kinderliteratur Karriere gemacht hat.

Man nimmt an, daß die in einigen Ländern Europas gefundenen Märchen dieses Typs alle direkt oder indirekt auf die Fassung der Grimms zurückgehen. Das heißt freilich nicht, daß sie mehr oder weniger wörtlich übernommen worden wären. In einer Version aus Sardinien, die Felix Karlinger untersucht hat, hilft der Bär den Mädchen beim Hütedienst und treibt ihnen zweimal ein entlaufenes Tier wieder zu. Solche Anpassungen ans jeweilige Milieu sind gerade in lebendigen Märchenlandschaften zu beobachten.

Brüder Grimm *Der Hase und der Igel*

Das Märchen vom Wettlauf zwischen Hase und Igel haben die Brüder Grimm erst in ihre Märchenausgabe von 1843 aufgenommen. Sie stützten sich dabei auf eine im Jahr 1840 von Wilhelm Schröder im *Hannöverschen Volksblatt* veröffentlichte Erzählung. Er hat die Geschichte irgendwo im Niedersächsischen gehört, sie aber für den Druck bearbeitet, und die Brüder Grimm haben ihrerseits der Geschichte eine eigene Note gegeben, ohne von der niederdeutschen Sprache abzugehen. Das Thema wurde rasch auch von andern aufgegriffen; um 1850 erschienen eine ganze Reihe von Fassungen in Bild und Wort, großenteils auf platt, aber einzelne auch übertragen ins Hochdeutsche.

Trotz dieser späten Konjunktur ist anzunehmen, daß es sich um eines der ältesten Märchen handelt – vielleicht gerade deshalb, weil es gar kein »richtiges« Märchen ist. Der spielerische Umgang mit Zaubermotiven aller Art scheint sich erst spät entwickelt zu haben; dagegen hat es lehrhafte Geschichten, in die unwirkliche Motive eingebaut waren, schon früh gegeben. Der Wettlauf der Tiere taucht schon in antiken Fabeln auf, und einzelne Spuren führen nach Indien, wo Tiergeschichten als Lehrdichtung schon in den ersten Jahrhunderten unserer Zeitrechnung verbreitet waren.

Der Wettlauf wird allerdings nicht in allen überlieferten Fassungen zwischen Hase und Igel ausgetragen, und es ist auch nicht immer die gleiche List, die zum Ziel führt. In den ältesten Zeugnissen fordert eine Schildkröte oder Schnecke den Hasen heraus. Der ist sich seiner Sache so sicher, daß er sich unterwegs ein Schläfchen gönnt – das gibt dem langsameren, aber beharrlicheren Gegner die Chance, ihn zu überholen. Diese Geschichte vermittelte eine sehr klare Moral: Beharrlichkeit führt zum Ziel. Aber auch die List der Kleinen wird positiv herausgestellt. Vom Krebs wird erzählt, der sich mit seinen Scheren heimlich am Schwanz des Fuchses festhält und so mit diesem ins Ziel kommt, und eben auch vom Igel, der mit seiner Doppelgängerin den

Hasen zur Verzweiflung und zur totalen Erschöpfung bringt – beim vierundsiebzigsten Rennen fällt er tot um.

Es müssen nicht Hase und Igel sein – in der weltweit verbreiteten Erzählung gibt es auch andere Konstellationen: Hase und Frosch, Fuchs und Schnecke, in Afrika auch Elefant oder Antilope und Schildkröte. Der Igel eignet sich allerdings besonders gut. Er wurde zwar gelegentlich als Haustier gehalten, galt aber doch als ein recht gewöhnliches Tier – die mundartliche Bezeichnung »Swinegel« (Schweinsigel) macht die niedrige Stellung besonders deutlich. Dies macht die Lehre, welche aus der Fabel gezogen wird, besonders wirksam: Keiner, auch wenn er sich noch so vornehm vorkommt, soll sich über den »geringen Mann« lustig machen. Die Brüder Grimm fügten noch eine zweite Nutzanwendung hinzu: Da der Trick nur klappt, weil die Igelfrau aussieht wie ihr Mann, wird gefolgert, daß man sich »eine Frau aus seinem Stande«, also aus dem gleichen gesellschaftlichen Milieu suchen soll.

Wilhelm Hauff *Die Geschichte vom Kalif Storch*

Wilhelm Hauff, 1802 geboren, besuchte das Tübinger Stift, war zwei Jahre lang Hauslehrer und übernahm nach einigen größeren Reisen die Schriftleitung des *Morgenblatts für gebildete Stände* in seiner Heimatstadt Stuttgart. 1827 starb er, noch nicht einmal fünfundzwanzigjährig, am Nervenfieber. Gemessen an der kurzen Lebenszeit ist sein literarisches Werk erstaunlich reich. Er verfaßte satirische Betrachtungen und Streitschriften, den Erfolgsroman *Lichtenstein*, humorvolle Phantasien – und Märchen, die von all seinen Schriften am bekanntesten geworden und geblieben sind.

Die Brüder Grimm – darauf war mehrfach hinzuweisen – haben ihre Märchengeschichten stilistisch bearbeitet; aber sie legten großen Wert darauf, daß das Gerüst unverändert erhalten blieb – sie verstanden ihre Geschichten als *Volksmärchen*. Für Hauff handelte es sich um Märchen*dichtung*, wie sie ja auch von Tieck, Brentano, E.T. A. Hoffmann gepflegt wurde. Die überlieferten Geschichten und Motive waren für Hauff Spielmaterial, das es möglichst neu und interessant zusammenzusetzen, aber auch durch neu erdachte Motive zu erweitern galt. Hauff orientierte sich sehr viel weniger an deutschen Märchentraditionen als an orientalischer Überlieferung.

Anfang des 17. Jahrhunderts stellte der Pariser Gelehrte Antoine Galland ein umfangreiches arabisches Werk in einer französischen Ausgabe vor. Es handelte sich nicht eigentlich um eine Übersetzung, es war eine recht freie Bearbeitung, die ihrerseits die Vorlage für Übersetzungen abgab – schon wenige Jahre später erschien neben einer englischen auch eine deutsche Ausgabe von *Tausendundeine Nacht* und machte die orientalischen Stoffe bekannt.

Für Hauff war dies eine der wichtigsten Quellen. Er nahm einzelne Motive auf, war aber vor allem bemüht, auch die von ihm erfundenen Handlungszüge im orientalischen Milieu anzusiedeln. Dies hat damals und bis heute die Leserinnen und Leser fasziniert. Hauff hatte für seine »Märchen-Almanache« eine genau definierte Zielgruppe im Auge: »Mädchen und Knaben von 12 bis 15 Jahren«, und zwar »Söhne und Töchter gebildeter Stände«. Es gibt Anzeichen dafür, daß die Geschichten den Eltern aus den »gebildeten Ständen« ebensoviel Vergnügen bereiteten; sie fanden in den Märchengeschichten eine fremde Welt, die aber doch ihre eigene war, denn im Grunde dachten und handelten Hauffs Figuren, abgesehen von ihren märchenhaften Chancen, wie sie selbst.

Im Gegensatz zum Volksmärchen schildert Hauff nicht nur den Ablauf der Vorgänge, die äußeren Etappen der Handlung, sondern er läßt sich ein auf die psychischen Hintergründe und zeigt die allmähliche Herausbildung von Handlungsmotiven. Im Volksmärchen, wie wir es von den Grimms kennen, kommt es immer wieder vor, daß sich eine Figur verwandelt, daß sie durch einen Zauber eine andere Gestalt annimmt; dies geschieht von einem Moment zum andern, der Verwandlungsprozeß wird nicht dargestellt. Im Märchen von Kalif Storch bereiten sich die beiden Märchenhelden intensiv auf die Verwandlung vor, die sie ja selbst herbeiführen können – sie freuen sich darauf wie auf eine aparte Freizeitbeschäftigung. Und der Dichter schildert, wie sich die einzelnen Gliedmaßen verändern, bis aus den ehrwürdigen Herren Störche geworden sind. Störche, die zwar »Storchisch« verstehen und reden, die aber mit den Ernährungsgewohnheiten ihre Probleme haben. Hauff hält seine Figuren – und seine Leser – also in einer Zwischenwelt; bei aller Zaubermacht ist das, was sie tun, ein Stück vertrauter bürgerlicher Alltag.

Der Kalif hat zwar einen Sklaven und einen Großwesir – aber wie er nach seinem Schläfchen auf dem Sofa sitzt, Pfeife raucht und Kaffee trinkt, das ist gutbürgerlich, ebenso wie die Freude über die Bibliothek mit alten Manuskripten oder auch die etwas gestelzte Frühstücksunterhaltung der Störche. Man hat es Hauff manchmal angekreidet, daß es in seinen Märchen so gemütlich, so bürgerlich zugeht. Nun, er war ein Kind seiner Zeit, einer Zeit der Restauration. Aber das Vergnügliche an seinen Märchen ist ja doch, wie mit dieser ins Exotische versetzten bürgerlichen Welt gespielt wird, wie sie ihre komischen Seiten enthüllt: Zwei bedeutende Politiker in Storchengestalt, die sich vergeblich auf ein geheimnisvolles lateinisches Wort (auf deutsch heißt es: »Ich werde verwandelt«) besinnen – das ist zwar nicht revolutionär, aber hübsch erzählt.

Wilhelm Hauff *Die Geschichte von dem kleinen Muck*

In den Märchen der Brüder Grimm sagt der Erzähler manchmal, er sei dabeigewesen – das ist eine humoristische Wendung: Der Erzähler pocht auf die Wahrheit einer Geschichte, die, für jeden erkennbar, unwahr und märchenhaft ist. In der Geschichte vom kleinen Muck taucht das »ich« nicht nur in einer solchen Formel auf, sondern in einer ausführlicheren Rahmenerzählung. Sie berichtet, wie der kleine Muck von den Kindern geneckt und verspottet wurde, wie sich aber der Vater des Erzählers diesen eines Tages vornimmt, ihn für die Rücksichtslosigkeit gegenüber dem kleinen Mann mit der merkwürdigen Kleidung bestraft und dann dessen Geschichte erzählt. Mit seiner Geschichte will der Vater zeigen, daß der kleine Muck den Spott nicht verdient – man erwartet also eine sehr fromme und brave Story.
Aber es stellt sich dann heraus, daß Muck so brav gar nicht immer gewesen ist. Daß er sich meistens seiner Haut wehren mußte, daß er aber, wenn er einmal obenauf war, durchaus nicht nur freundlich und nachsichtig ist: Er übertölpelt, freilich mit Hilfe der gewonnenen Wundergaben, seine Konkurrenten. Er sucht die anderen Bedienten günstig zu stimmen, indem er sie mit Gold besticht – an dieser Stelle schaltet sich der Erzähler ein und weist auf den Mangel an »sorgfältiger Erziehung« hin, denn sonst hätte Muck wissen müssen, daß es unmöglich ist, »durch Gold wahre Freunde zu gewinnen«. Den König läßt er in seinen Zauberpantoffeln laufen, bis er ohnmächtig umfällt. Und schließlich rächt er sich an dem König, indem er ihn mit den Eselsohren und der langen Nase zurückläßt. Eine eindeutig gute Gestalt – wie Aschenputtel oder Sneewittchen – ist der kleine Muck also nicht, aber doch ein liebenswerter und wegen seiner Zwergengestalt bedauernswerter Kerl.
Wilhelm Hauff hat in dem Märchen eine ganze Reihe traditioneller Motive verwendet. Die schnellen Pantoffeln erinnern an die Siebenmeilenstiefel. Die alte Frau, bei der Muck zuerst Zuflucht findet, ist mit den Märchenhexen verwandt. Das geheimnisvolle Zimmer erinnert an Blaubart und andere Märchen. Der Stock, der Schätze entdeckt, eine sehr wirkungsvolle Wünschelrute, kommt auch in anderen Märchen vor, ebenso die Früchte, mit denen das Aussehen eines Menschen drastisch verändert werden kann. In einem griechischen Fortunatus-Märchen wachsen dem Helden nach dem Genuß schwarzer Feigen Hörner; als er weiße ißt, fallen sie ab.
Hauff hat die Motive aber nach seinem eigenen Geschmack und nach seiner poetischen Erfindungsgabe kombiniert. Und er läßt sich, anders als die *Kinder- und Hausmärchen*, immer wieder auf die besonderen Situationen und die Probleme seines Helden ein. So wird nicht nur gesagt, daß der kleine Muck mit der Alten und ihren Katzen zusammenlebt, sondern ausdrücklich, daß ihm der Katzenbrei schmeckt und was er zur Pflege der Tiere tun muß. Verglichen mit den »klassischen« Märchengestalten ist der kleine Muck lebendiger und auch widersprüchlicher.

Ludwig Bechstein *Der Schmied von Jüterbog*

Ludwig Bechstein nennt die Geschichte ein »Märlein«. Unter diesem Namen liefen im Mittelalter bunte Stückchen in gereimten Versen oder in Prosa, die meist näher beim Schwank als beim eigentlichen Zaubermärchen angesiedelt sind. Das gilt auch für den *Schmied von Jüterbog*. Man könnte die Erzählung als Schwanklegende bezeichnen, denn die Taten, mit denen der Schmied Tod und Teufel in Schach hält, hat er seinem Namenspatron Petrus zu verdanken – dieser Heilige, der sich hinter dem unscheinbaren Männlein verbarg, hat dem Schmied die drei Wünsche gewährt.

Der Stoff taucht schon im späten Mittelalter in italienischen, französischen und deutschen Schwanksammlungen auf. Nicht genau gleich – bei Hans Sachs steht kein Schmied, sondern ein Bauer im Mittelpunkt, und anstelle des Birnbaums ist es ein Stuhl, der jeden festhält, der sich darauf setzt. Aber hier ist nur ein Requisit ausgetauscht; von der ganzen Anlage her sind die Geschichten vergleichbar.

Das Motiv von den drei Wünschen wird auch unabhängig von der Begegnung mit Tod und Teufel, Himmel und Hölle erzählt. Ein Ehepaar benützt in seiner unbedachten Art die ersten beiden Wünsche so, daß jeweils dem anderen Partner ein entstelltes Gesicht, ein Buckel oder sonst ein Leibschaden angewünscht wird; für den dritten Wunsch bleibt dann nicht anderes übrig, als die beiden ersten Wünsche zu korrigieren. Das klingt auch im »Schmied von Jüterbog« an; die ersten beiden Wünsche sind boshaft, der dritte dumm egoistisch. Der Schmied vergißt »das Beste« – Petrus bezeichnet es später als die Seligkeit. Aber die mehr oder weniger unsinnig wirkenden ersten Wünsche ermöglichen es dem Schmied, den Tod und den Teufel von sich fernzuhalten; der Schnaps ist ein regelrechtes »Lebenselixier«, und daß dem Schmied der Himmel verweigert wird, erweist sich auch nicht als das Schlechteste: Er landet bei Kaiser Friedrich im Kyffhäuser.

Es ist sehr bezeichnend, wie Bechstein Märchen, Legende und Sage vermischt. Schon die Lokalisierung ist ein sagenhafter Zug; dafür, daß die Geschichte ausgerechnet im brandenburgischen Jüterbog spielt, gibt es keine besondere Erklärung, in anderen Varianten tauchen Apolda, Bielefeld und andere Orte auf. Die Kyffhäusersage war spätestens im 17. Jahrhundert bekannt. Danach wartet der staufische Kaiser Friedrich im Kyffhäuserberg auf seine Wiederkehr – die Gestalten Friedrichs I. (Barbarossas) und Friedrichs II. wurden dabei, wie auch im Text Bechsteins, vermischt. Die Sage um den wiederkehrenden Kaiser wurde in Zeiten nationaler Not oder Begeisterung immer wieder ausgegraben – auch die Jahrzehnte unmittelbar vor der Gründung des Deutschen Reichs, in denen Bechstein sammelte und schrieb, waren von nationalem Denken geprägt.

Ludwig Bechstein *Der kleine Däumling*

Schon im 16. und 17. Jahrhundert wurden Geschichten über den kleinen Däumling gedruckt, vor allem in Frankreich und England, wo unter dem Titel *Tom Thumbe. His Life and Death* eine regelrechte Biographie veröffentlicht wurde. Es handelt sich um einen recht lustigen Lebenslauf: Der winzige Kerl vollbringt erstaunliche Taten, etwa dadurch, daß er sich ins Ohr eines Pferdes setzt und dieses zur richtigen Stelle lenkt. Und er erleidet allerhand komische Abenteuer, so wenn er von einer Kuh gefressen wird, in eine Wurst gerät und sich nur mit Mühe vor den Hackmessern retten kann. Ende des 17. Jahrhunderts nahm Charles Perrault die Bezeichnung Däumling in einen anderen Märchentyp auf, der viele Ähnlichkeiten mit der Erzählung von Hänsel und Gretel und auch mit der von Brüderchen und Schwesterchen aufweist: Der Däumling ist das jüngste von sieben Kindern, die er mit List und Glück aus großen Gefahren rettet.

Bechstein hat sich offensichtlich an Perrault orientiert. Dessen Märchen *Le petit poucet* enthält die gleichen Handlungszüge; nur das Ende ist anders: Der Däumling kehrt mit den Siebenmeilenstiefeln noch einmal zur Frau des Menschenfressers zurück, sagt, ihr Mann sei in der Hand von Räubern, und läßt sich alle Schätze übergeben. Bechstein genügte es, die Zufriedenheit der armen Familie wiederherzustellen und den Däumling in die Welt zu schicken, wo er sein Glück macht.

Das Märchen war ein beliebter Gegenstand für Illustratoren. Der extreme Gegensatz von klein und groß bot hübsche Motive, und auch grausige Szenen, in denen der Riese schon sein Messer wetzt, wurden nicht ausgespart. Es ist ein Märchen, bei dem man das Gruseln lernen kann – die Gefahr ist übermächtig, aber die Zuhörer wissen, daß letztlich nichts schiefgehen kann. Was die Zeichner gereizt hat, war gewiß auch der Hauptgrund für die weite Verbreitung. Unter Ludwig Bechsteins Märchen dürfte die Geschichte vom kleinen Däumling die bekannteste sein.

Hans Christian Andersen *Der kleine Klaus und der große Klaus*

Die Erzählung setzt ein mit einer durchaus realistischen Schilderung des einstigen ländlichen Lebens: Ein kleiner Bauer und ein großer; der kleine muß dem großen die ganze Woche über Spanndienste leisten und darf dafür am Sonntag über die Pferde des andern verfügen; er klagt nicht darüber, sondern ist fröhlich dabei. Mit wenigen Strichen zeichnet Andersen die Ausgangskonstellation. Er sagt nichts Schlechtes über den größeren Bauern; aber die Sympathien sind sofort beim kleineren – dieser David-Goliath-Effekt ist bis heute lebendig geblieben und zeigt sich zum Beispiel bei Fußballspielen zwischen ganz kleinen Ländern und mächtigen Fußballnationen, wo das Publikum meist auf den Sieg des Kleinen hofft.

Der große Klaus erweist sich aber schnell tatsächlich als egoistisch und dumm: Er schlägt das einzige Pferd seines Partners tot. Damit ist der Keim zu den folgenden Auseinandersetzungen gelegt, die sich in mehreren Episoden abspielen. Jede dieser Episoden kann auch als Geschichte für sich verstanden werden, und tatsächlich sind einzelne dieser Episoden in älteren Schwanksammlungen zu finden.

Das gilt etwa für die Szene, in welcher die Frau den sie besuchenden Küster verstecken muß, weil ihr Mann unerwartet nach Hause kommt. Es ist von Haus aus eine Ehebruchsgeschichte, aber das wurde von Andersen unterschlagen. *Eventyr, fortalte for Børn* hieß die kleine Sammlung, in der er den großen und den kleinen Klaus präsentierte, »Märchen, erzählt für Kinder«. Eine erotische Szene oder Begründung glaubte er den Kindern nicht zumuten zu können; die Erzählweise, sonst ganz ungezwungen, wird deshalb hier etwas künstlich – daß der Mann einfach eine Allergie gegen Küster hatte, will nicht so recht einleuchten.

Das Reizvolle an dieser Episode ist, daß sich alle am Dreiecksverhältnis Beteiligten gegenseitig betrügen und bekämpfen, daß aber der kleine Klaus als lachender Vierter großen Gewinn aus der komplizierten Situation zieht.

Auch für andere Teile der Handlung gibt es ältere Vorbilder. In einem lateinischen Gedicht, das vor rund tausend Jahren entstand, streicht ein pfiffiger Bauer seine Frau mit Blut an, sie stellt sich tot, und er behauptet, er habe ein Mittel, um sie wiederzubeleben und zu verjüngen, nämlich eine Flöte mit Zauberkräften. Die kaufen ihm andere ab und töten ihre Frauen – natürlich aber funktioniert die Wiederbelebung nicht. Dies ist das gleiche Motiv wie in der Andersenerzählung, wo der große Klaus vergeblich versucht, die von ihm totgeschlagene Großmutter zu verkaufen.

Solche Parallelen bedeuten nicht unbedingt, daß der jüngere Autor direkt aus den älteren Schriften geschöpft hat. Wir wissen nicht genau, woher Andersen seine Stoffe im einzelnen hatte. Er selbst hat betont, daß er sich die Geschichten erzählen ließ, und es gibt Anhaltspunkte dafür, daß er zumindest einen Teil seiner Märchen zuerst von anderen Leuten hörte. Dann aber machte er sich an die Arbeit und schuf aus dem Material eine eigene poetische Welt.

Hans Christian Andersen *Die Prinzessin auf der Erbse*

Wer mit dem Titel etwas anfangen kann, kennt eigentlich auch schon die ganze Geschichte. Und die meisten Leute können etwas mit dem Titel anfangen, auch wenn sie oft keine Ahnung haben, wem die Geschichte zu verdanken ist. Es ist eines der bekanntesten Märchen überhaupt.

Aber stimmt denn diese Bezeichnung, ist es ein Märchen? Mehr als die Hälfte der kurzen Erzählung ist der Szene gewidmet, die der Geschichte den Namen gab: Eingehend wird das sorgfältige Arrangement mit der Erbse geschildert, die nicht etwa unmittelbar unter dem Leintuch plaziert wird, sondern die dick und dicht abgepolstert ist.

Aber da ist auch noch eine knappe Rahmenhandlung. Der Prinz, der ganz scharf darauf ist, eine wirkliche Prinzessin zur Frau zu bekommen – und der sie am Ende, nach der bestandenen Erbsenprobe, auch tatsächlich bekommt. Also doch ein Märchen, wenn auch ein sehr kurzes.

Die ganze Handlung ist in ein Licht freundlicher Ironie getaucht. Die Empfindlichkeit und Empfindsamkeit der Prinzessin wird in karikierender Übertreibung verdeutlicht. Man hat das Gefühl, daß der Erzähler die Prinzessin einerseits bewundert, daß er sich andererseits aber über sie, über ihre Verzärtelung und auch über die starre Konvention lustig macht. Solche Zwischentöne geben dem Märchen seinen besonderen Klang – und dazu gehört es auch, wenn Andersen am Ende der reichlich phantastischen Erzählung versichert: »Seht, das ist eine wahre Geschichte.«

Hans Christian Andersen *Des Kaisers neue Kleider*

Die Geschichte von des Kaisers neuen Kleidern gehört zu den beliebtesten Märchen nicht nur Hans Christian Andersens, sondern der ganzen Welt. Das hat vermutlich zwei Gründe:

Das Märchen entwirft ungemein lustige Bilder. Es ist kein Zufall, daß es immer wieder als Kinderstück aufgeführt wird. Wie die beiden »Weber« in bloßer Pantomime ihre angebliche Arbeit tun, wie die Hofbediensteten ängstlich und ehrfürchtig ihre Komplimente machen und das Nichts »allerliebst« finden und wie schließlich der Kaiser selbst nackt oder in Unterwäsche durch die Menge geht – das sind Szenen, in denen sich Phantasie und dramatische Spielfreude ausleben können.

Der andere Grund: Aus dem Stück läßt sich eine klare Lehre ziehen, ohne daß diese ausgesprochen werden muß – die Lächerlichkeit ist ein sehr wirksamer Lehrmeister. Manchmal wird die Lehre auch formuliert in der Form von Sprichwörtern. »Kinder und Narren sagen die Wahrheit«, heißt es dann, oder »Kleider machen Leute«. Über dieses Thema hat schon im 12. Jahrhundert der Papst philosophiert, und immer wieder ist von geistlichen und weltlichen Lehrern gemahnt worden, daß die Menschen nicht in erster Linie nach ihrer Aufmachung beurteilt werden sollten.

Dieser moralische Inhalt war es, der dafür sorgte, daß diese Geschichte immer wieder niedergeschrieben wurde. Das früheste Zeugnis führt nach Spanien, wo um 1330 Don Juan Manuel sein Buch über die »Exempel« des Grafen Lucanor verfaßte. In 50 Beispielen werden darin Problemfälle geschildert und gelöst; die Geschichte von den nicht vorhandenen Kleidern gehört dazu.

Es gibt außerdem eine verwandte Erzählung, die in Deutschland schon im 13. Jahrhundert greifbar ist. In *Pfaffe Amis*, einer Verserzählung des Stricker, wird von einem Mann erzählt, der sich als Maler ausgibt und dessen nicht vorhandenes Wandbild von allen gelobt wird, weil er sagt, nur die ehelich Geborenen könnten es sehen – von allen außer einem Narren, der meint, er wolle lieber ein Hurenkind sein als die Wahrheit verschweigen. Diese Erzählung fand Aufnahme ins Eulenspiegelbuch und wurde auch von Hans Sachs verwendet; in Spanien taucht sie unter anderem bei Cervantes auf.

In allen Fällen sind es also Kinder oder Narren, die sich getrauen zu sagen, was sie sehen – nämlich nichts. Die Reaktion darauf ist verschieden. Zum Teil wird die entlarvende Äußerung erleichtert aufgenommen, weil sie die Menschen von ihrer geheuchelten Ehrerbietung befreit. Teilweise wird das Theater aber auch durchgehalten wie bei Andersen. Und vereinzelt gibt es auch die Version, daß sich der Betrogene auf freundlich-listige Weise rächt – daß also beispielsweise der Kaiser den versprochenen Lohn in Geldscheinen hinblättert, die gar nicht existieren.

Hans Christian Andersen *Der fliegende Koffer*

Daß der Mensch sich von der Erde löst und in die Luft erhebt, ist ein sehr alter Menschheitstraum. Im antiken Mythos von Ikarus, der fliegen lernt, aber in der Sonne verglüht, ist damit die Warnung vor menschlichem Übermut verbunden. Später war es vor allem die Vorstellung vom Abheben und vom Fliegen selbst, die in der Phantasie der Menschen zum Ausdruck kam, in Träumen, aber auch in Erzählungen, im Märchen. Zur Zeit Andersens gab es bereits ein funktionierendes Fluggerät, den Ballon, der 1783 zum erstenmal aufgestiegen war – aber das schnitt andere Vorstellungen nicht ab: Fliegende Schiffe, fliegende Pferde, fliegende Mäntel (wie in Goethes *Faust*). Im Vorderen Orient erzählte man vom fliegenden Bett, dem fliegenden Teppich, einem fliegenden Koffer. Von dorther hat Andersen dieses Motiv bezogen. Der Kaufmannssohn erhält den Koffer gewissermaßen als letzte Chance, nachdem er das Vermögen des Vaters verpraßt hat; er fliegt in die Türkei, scheint dort sein Glück zu machen, aber am Ende ist es verpufft – der Koffer ist weg, weg wie ein Traum am hellen Morgen.

Dazwischen aber schiebt sich eine eigene Geschichte, die der Kaufmannssohn nicht erlebt, sondern erzählt. Er muß sie erzählen, »tiefsinnig und belehrend« und zugleich lustig, um den Geschmack von Königin und König zu treffen. Es gibt einen Bericht darüber, daß und wie Hans Christian Andersen den Kindern in seinem Umkreis Märchen erzählte: teilweise bekannte Märchen, teilweise

334

aber auch Geschichten, die er »im Augenblick selbst machte«. So ähnlich erzählt auch der Kaufmannssohn.

Alle Gegenstände in der Küche werden belebt und zum Reden gebracht, und sie unterhalten sich wie eine vornehme Gesellschaft – mit Small talk, Nichtigkeiten und Eifersüchteleien; Zündhölzchen (damals übrigens noch eine ganz junge Erfindung), Eisentopf, Feuerzeug, Tonkrug, Teller, Besen, Eimer, Teekessel, Marktkorb – jedes glaubt das Beste und Vornehmste zu sein.

Dem König und der Königin gefällt die Geschichte, sie akzeptieren den Erzähler als künftigen Schwiegersohn. Den Leserinnen und Lesern von Andersen gefiel sie offensichtlich auch, obwohl sie anders ist als die meisten Märchen. Sie wirkt ein wenig künstlicher und »gemachter«, und sie lehnt sich ja auch nicht an eines der geläufigen Zaubermärchen an. Aber eben dadurch bringt sie einen Zug des Märchens zur Geltung, der leicht zurücktritt hinter den faszinierenden Motiven und den Schicksalswegen sympathischer Märchenfiguren. Das Märchen ist eine überlieferte Gattungsform, in der bei aller Phantastik meist eine strenge Ordnung herrscht – man weiß, wie es zugehen muß. Auf der anderen Seite aber ist es eine Spielform, in der sich die Phantasie frei entfalten kann, nicht gebunden an die Gesetze der Wirklichkeit. Das Märchen vom fliegenden Koffer gibt auch dieser Freiheit der Phantasie ihr Recht.

Quellenverzeichnis

Gianfrancesco Straparola
Die Märchen des Straparola
Aus dem Italiänischen, mit Anmerkungen von Dr. Friedr. Wilh.
Val. Schmidt. Berlin 1817

Charles Perrault
Contes de ma mère l'oye ou histoires de temps passé par Perrault
d'Arnoncour/Maehrchen aus der
alten Zeit oder Erzaehlungen der
Mutter Gans
Berlin 1825

Johann Heinrich Jung-Stilling
Lebensgeschichte
Vollständiger Text nach den Erstdrucken (1777–1817). München
(Winkler) 1968

Philipp Otto Runge
Märchen
Erster Band, herausgegeben von
A. Müller. Deutsche Literatur in
Entwicklungsreihen. Reihe Romantik, Band 14. Leipzig 1930

Clemens Brentano
Werke
Band 3, herausgegeben von F. Kemp.
München (Hanser), 2. Auflage 1978

Wilhelm und Jacob Grimm
Die Kinder- und Hausmärchen der
Gebrüder Grimm
Vollständige Ausgabe in der Urfassung (1812/14), herausgegeben von
F. Panzer. München o. J. (1912)
(Nach dieser »Urfassung« sind wiedergegeben: Rapunzel, Die weiße
Schlange, Allerleirauh und Das singende, springende Löweneckerchen.)

Kinder- und Hausmärchen, gesammelt durch die Brüder Grimm
Herausgegeben von Herman
Grimm, Große Ausgabe. Berlin,
25. Auflage 1893
(Nach dieser Ausgabe, die der zuerst
1819 erschienenen entspricht, sind
die übrigen Grimmschen Märchen
wiedergegeben.)

Wilhelm Hauff
Hauffs Werke
Erster Band, auf Grund der von Max
Drescher besorgten Ausgabe neu
herausgegeben von Dr. G. Spiekerkötter. Zürich (Büchergilde Gutenberg) 1961

Ludwig Bechstein
Sämtliche Märchen
Vollständige Ausgabe nach der Ausgabe letzter Hand unter Berücksichtigung der Erstdrucke. München
(Winkler) o. J.

Hans Christian Andersen
Sämtliche Märchen und Geschichten in zwei Bänden
Herausgegeben und eingeleitet von
Leopold Magon
Unter Benutzung der älteren Ausgaben übertragen von Eva-Maria Blühm
Leipzig (Dieterich'sche Verlagsbuchhandlung) 1953. © Sammlung
Dieterich, Leipzig